驻京办主任

王晓方◎著

作家出版社

图书在版编目（CIP）数据

驻京办主任/王晓方著．－北京：作家出版社，2007.1
ISBN 978 - 7 - 5063 - 3869 - 1

Ⅰ．驻… Ⅱ．王… Ⅲ．长篇小说－中国－当代
Ⅳ．I247.5

中国版本图书馆 CIP 数据核字（2006）第 150686 号

驻京办主任

作者：王晓方
责任编辑：刘英武
装帧设计：彩多设计
出版发行：作家出版社
社址：北京农展馆南里 10 号　　　**邮码**：100026
电话传真：86 - 10 - 65930756（出版发行部）
　　　　　　86 - 10 - 65004079（总编室）
　　　　　　86 - 10 - 65389299（邮购部）
E - mail：zuojia@zuojia.net.cn
http://www.zuojia.net.cn
印刷：北京京北制版厂
开本：890 × 1240　1/32
字数：280 千
印张：9.25　　　　　　　　　　**插页**：3
印数　21000 1 - 220000
版次：2007 年 1 月第 1 版
印次：2007 年 11 月第 16 次印刷
ISBN　978 - 7 - 5063 - 3869 - 1
定价：22.00 元

现在，各省市区、地级市甚至县，都在北京设立办事处，有的驻京办目的就是跑"部""钱"进。

跑是一个足字旁，还有一个包，要带包去跑。谁跑得多，就可能多获得一些拨款。这么一跑，很多问题随之产生。

——国家审计署审计长　李金华

目 录

1

3

第一章 迎来送往

1、恭王府

　　到北京快三年了,最吸引丁能通的地方还是和珅的故居恭王府。丁能通几乎每隔两三个月就要来这里一趟,原因很简单,不少政治新星升起后,由于一个"贪"字最终却像流星一样陨落了,这其中就包括不少大大小小的驻京办主任。在这里走一走,看一看,无非是提醒自己别因为"贪"而跌入万劫不复的深渊。

　　丁能通对和珅感兴趣不是因为和珅"贪",而是因为在和珅身上集中了官本位制度中所有为官的元素:自幼清贫、发奋苦读、幸识君王、连升三级、侍君如父、位极人臣、左右逢源、精明干练、阴险狡诈、贪得无厌……丁能通的身世与和珅太相似,也是从小丧父,靠母亲含辛茹苦把他养大。他从小就想出人头地,于是发奋苦读,大学毕业后考入东州市政府,幸得市长肖鸿林的赏识成为市长秘书,真可谓是一人之下,万人之上。通过多年的历练,他也修得左右逢源、精明干练、诡谲圆滑。其实,什么样的仁人志士在官场里混久了,棱角也都磨没了,河里的石头有几个不是圆的?经过一番煞费苦心,丁能通终于当上了清江省东州市驻京办主任。只是一个"贪"字不知要了多少政坛精英的命,他心有忌惮,丁能通是不想丢掉性命的,自己还年轻,好日子还在后头,所以他经常到恭王府走走,一来是为了给自己提个醒,二来也是想多沾点福气。

丁能通的理想是实实在在的,实实在在的理想当然离不开福气,而恭王府素有"万福园"的美誉,什么蝠池、蝠厅、福字碑,一个福字道出了富与贵的真谛。

丁能通特别喜欢康熙爷写下的这个"福"字,他在恭王府驻足最多的地方就是这块福字碑前,目的就是想多沾点恭王府的福气。难怪北京人常说,到长城是看大气,到故宫是看王气,到恭王府看的是福气。

对于丁能通来说,大气他自认为天生就有,王气是丁能通梦寐以求的,然而,当今中国好像破了千百年来的规矩,从不分离的富与贵竟然分开了,如今的中国是富者不贵,贵者不富,这是丁能通万难想明白的。

丁能通认为,贵必有王气,富必有福气,在中国官场上,二者可以兼得的只有驻京办主任了。因为驻京办主任既贵为官员,又像个商人,可以广交权贵,当然福气多多了。想来想去,丁能通觉得多沾点福气是无可厚非的,作为驻京办主任沾不上天王老子的福气,一定是地瓜加土豆——炸熟了就是面。

丁能通不觉得人生是什么过眼烟云,即使是和珅去了,还有恭王府在,还有福字碑在,明明是步步为景嘛,只不过景致各有不同罢了。

眼下的光景就是他自己选择的,丁能通一直为自己的选择暗自得意,因为自从他第一次陪同东州市市长肖鸿林走进恭王府以后,他的人生就有了一个实实在在的理想:我要当东州市驻京办主任,而且要在自己的任期内,将驻京办事处变成东州市设置在北京的恭王府。丁能通这个理想的确是实实在在的,因为东州市作为清江省的省会城市,工业大市,清江省经济的发动机,现有的驻京办太寒酸了,像东州这种经济大市,驻京办搞成五星级也不过分,这里有一个东州市政府的形象问题,丁能通多少次为自己的想法而兴奋。

丁能通就任驻京办主任之前,是东州市市长肖鸿林的秘书,而且兼任市政府办公厅副主任,按理说,鞍前马后地跟了肖市长五年,到哪个区当个区长,到哪个实惠局任个局长,也就是肖鸿林一句话的事。可是,丁能通出人意料地拒绝了市委组织部的美意,执意要当东州市驻京办事处主任,个中原因即使是他服务多年的市长肖鸿林也没有完全猜透。

其实,丁能通一直有不可告人的私心,说野心也行,说是高远志向也可,他认为,要想在政治上有大发展,必须有重量级的人物赏识,他可以利用驻京办这个平台,既可以因频繁接待省市领导而得到赏识,又可以广交京城权贵,为自己在政治上有更大的发展寻找机会。这年头要想当大官,就要结交权贵;要想发大财,就得结交大款。只要自己在北京打开局面,别说市长肖鸿林了,就是市委书记王元章也得围着自己转。

这些年跟着肖鸿林走南闯北,北京城也识得不少大人物,他认为自己有打开局面的底蕴和实力。何况,东州市作为省会重镇、革命老区、老工业基地,早就为首都输送了成百上千的老革命,用好这些关系,何愁自己没有绵绣的前程。

丁能通正驻足在福字碑前沉思时,有人拍了一下他的肩膀。

"哟,这不是丁秘书吗?"

这是一个中年妇女的声音。

丁能通回头看时,却一时蒙住了,这女人四十多岁,典型的机关女干部形象,端庄稳重的脸笑容和蔼,上身穿着一件暗绿色鸡心领短袖小衫,古铜色西裤,浑身透着大方与庄重之气。

"哎呀,是刘大姐,好久不见了,我没敢认!"

半晌,丁能通才想起来,这位刘大姐叫刘凤云,是中纪委的处级干部,三年前随中纪委六室主任去东州市搞政务公开调研,丁能通陪肖市长接待过他们。晚宴上,丁能通与刘凤云拼酒,败下阵来,所以印象极为深刻。

"丁秘书,什么时候来的北京?肖市长也来了吗?"显然,刘凤云并不知晓丁能通的工作变动。

"刘大姐,我现在是东州市驻京办主任,早就不当秘书了。"丁能通极力想改变留在刘凤云心中的秘书形象。

"这么说你进步了,丁主任!"刘凤云半开玩笑地笑道。

"刘大姐,还是叫我能通或小丁吧,我听着舒坦。"丁能通腼腆地说。

"好吧,小丁,看见这福字碑都想了些什么?"刘凤云似乎看穿了丁能通的心事,平和地问道。

"听说康熙只留下三个大字,一个是故宫太和殿内的'无为'二字,另一个就是和珅府里的这个'福'字。"

"是呀,当年康熙为老母亲的生日写下这个大大的福字时,深感惊讶,因为福蕴涵着才、子、寿、田等老百姓常求而不达的东西,整个一个福字就表达了国人对多子、多财、多寿、多福气的祈求。而后来康熙考虑到这个写绝了的福字无法再次写出,便用剑刻的方法刻在一个长石上,摆在了皇家大院内。"

"刘大姐,后来和珅是怎么把这个福字弄到府里的?"

"这倒不清楚,不过聪明的和珅为避免皇家人把这块宝夺回去,便想到了一个绝妙的方法,先是用座假山把石压在下面,并在山上放置三块象征双龙戏珠的大石头,最后还在福字外围弄了一个大大的寿字,这样皇家人即使想取走也只能望福兴叹了,毕竟谁都不敢用江山和寿运来换取一个福字。因此,这个福字得以一直留在这里。"

"和珅果然是聪明绝顶!"

"小丁,我发现你好像很崇拜和珅哪!他可是个大贪官呀!"刘凤云诧异地瞪着眼睛说道。

"刘大姐,你误会了,我只是想,为什么康熙亲题的福字没有保佑他。"丁能通赶紧解释道。

"常言说得好,祸兮福所依,福兮祸所伏,人生不能苛求太多呀。"

"刘大姐说得对,刘大姐说得对。"

这时,一个胖乎乎的中年男人手中拿着两瓶矿泉水走了过来。

"凤云,遇着熟人了?"

"噢,我来介绍一下。小丁,这是我老公,叫周永年,在中组部地方局工作。永年,这是东州市驻京办主任丁能通,曾经是肖鸿林的秘书。"

丁能通听了刘凤云的介绍,内心暗涌着一种冲动,心想,刘凤云的老公居然在中组部地方局工作,看派头和资历,少说也得是个副局级,这可是所有在政治上有宏图大志的人做梦都想结交的人物。

丁能通赶紧伸出双手谦卑地说:"周大哥,幸会!幸会!"

周永年客气地伸出手,带着警觉而傲慢的笑容说道:"驻京办主任可不简单,个个都有左右逢源、纵横四海的本领。"

"哪里,哪里,我们也是在夹缝中求生存谋发展呀!"

"在夹缝中求生存,有没有搞错,谁都知道,驻京办是三不管,别人管不着,地方没法管,北京管不了。又开宾馆、酒楼,又办公司,驻京办主任可是既当官,又做老板,集富贵于一身的肥差,经常接待的是当地领导干部,有人脉关系,又是地方政务与中央政务对接的桥梁,哪个驻京办主任到部委办事不是如履平地呀，在外面纪律也松，工资又高，哪个驻京办主任没有点神通？"周永年侃侃而谈，说得丁能通脑门儿沁出了细汗。

"周大哥高看我们了，这样吧，刘大姐，反正你是东州人，改天我请客，周大哥务必给我这个面子。"

丁能通觉得周永年这个人太有用了，即使是省委书记、省长也要高看一眼，这样的人一旦交下，无疑对自己的政治前途大为有益。但是结交这样的人，心急吃不了热豆腐，要小火慢炖，不然容易夹生。双方寒暄告辞后，丁能通缓步走出了恭王府。他上了奔驰车刚打着火，手机响了。来电显示的号码是东州市常务副市长贾朝轩的秘书顾怀远打来的。丁能通赶紧接了电话。

"能通，你在哪儿呢？贾市长到驻京办了，你赶紧回来吧。"

"怀远，我在路上，马上回去。"

2、对弈

贾朝轩在北京学习，一有空就到驻京办找丁能通下围棋，丁能通虽然给肖鸿林当过秘书，但是驻京办归常务副市长主管，因此，贾朝轩是驻京办名副其实的太上皇。贾朝轩找他，丁能通不敢怠慢。五年的秘书生涯和几年驻京办主任的历练，练就了丁能通一种特殊的本领，既能掌握必须掌握的信息，又能让这些信息到自己这儿打住。这一点让所有的市级领导都很赏识。

丁能通接待过东州市所有副市级以上领导及他们的家属，也经常陪同国家部委办局领导到东州办事甚至休假，知道别人无法知道的信息，甚至是隐私，但是，丁能通都能守口如瓶，并且从来不利用这些信息甚至隐私为自己谋取什么，为此，丁能通获得了更多近身领导的机会。

东州市驻京办坐落在北京市八里庄附近一片平房区，离电视塔不远，原来是部队的一片军营，在市委书记王元章任东州市市长期间，租给了东州市政府，王元章将这里改造成了驻京办。十几排营房，一个大院，院内几十棵高大的杨树像披挂着哗哗作响的青铜铠甲的巨人，圆圆的树干几乎一般粗细，傲岸地凝视着出入驻京办的各色人等，默默沉思。

驻京办大门前的胡同虽然狭长，但很热闹，特别是早晨，卖豆汁油条的,卖馄饨烧饼的,卖稀粥馅饼的,应有尽有。丁能通最喜欢北京的小吃,近三年来,他的早餐放着机关的食堂不吃,专吃门前的小摊,特别是馄饨加油条是丁能通最爱吃的,奇怪的是做这些小吃的很少有北京人。

丁能通的奔驰车驶进驻京办大院时,贾朝轩正站在一棵大杨树下抽烟,顾怀远左胳膊下夹着一个皮包,右手正在打手机,驻京办副主任钱学礼正在向贾朝轩汇报着什么。

丁能通在车里望了一眼肉头肉脑的钱学礼,心里咯噔一下。三年前,驻京办老主任死于车祸后,副主任钱学礼拉着架子要主政,无奈,丁能通看上了驻京办主任这个肥缺,钱学礼无力抗衡,只好忍气吞声地认了,忍了,但是心里一直不服气。

丁能通上任以来,钱学礼一直在暗地里下绊,恨不能丁能通也像老主任一样出车祸死了才解气。因此,丁能通一见钱学礼腆着像女人乳房一样肉乎乎的胸脯凑在贾朝轩耳边窃窃私语,心中就断定这家伙在打小报告了。

丁能通从车上下来,钱学礼尴尬地冲他笑了笑,知趣地想走,丁能通心里酸溜溜的,但脸上的表情很随和。

"老钱,市政协的张主席来,三点钟的飞机,你帮我接一下。"丁能通语气平和,但不容置疑。

"好的,贾市长,我去了。"钱学礼看了看表点头哈腰地说。

贾朝轩将手中的烟头扔在了地上,用脚一碾,慈祥地挥了挥手。

"贾市长,怎么不进屋呀?"丁能通的语气像是在挑钱学礼的礼。

"你小子不在办公室,是不是被什么女人缠住了?"贾朝轩话里有话地说道。

丁能通听了贾朝轩的话心里激灵一下,心想,莫非自己帮助金冉冉的事被发现了?不能啊,妈的,这年头,只要接触女人,准能传出包二奶、养情人的谣言来,金冉冉不过是一个要轻生的女大学生,自己不过是做了点自己该做的事,难道也传出了流言飞语?钱学礼这小子不愧号称独眼龙,什么香风毒雾他都能捕捉得到,真得防着点这小子,干脆找机会把他撵走算了。

但是,丁能通也知道,钱学礼在驻京办十年了,连老婆孩子都调北京来了,全家不仅在北京买了房子,而且都弄成了北京户口,拉着架子老死在北京。而且这小子什么领导都伺候过，在北京的水很深。

"贾市长，是哪个乱嚼舌头的给我造这种谣言？这不是把我往山下推吗？"丁能通佯装严肃地埋怨道。

"你小子，怎么，捅到腰眼上了？"

贾朝轩说完哈哈大笑，接过了丁能通递过来的软包中华香烟，顾怀远赶紧给两位领导点上火，贾朝轩拍着丁能通的肩膀，走进八栋营房。

八栋营房是十几栋平房中装修最好的，是专门接待副市级以上领导用的，走廊内一条大红纯毛地毯通往各个装修豪华的房间。丁能通的老婆孩子在东州，自己孤身一人，晚上就住在八栋营房的六号房间。

八栋营房八号房间是驻京办最好的房间，是豪华套，相当于五星级酒店的总统套，服务员打开门，丁能通将手一让，贾朝轩和顾怀远走了进去，服务员上了茶水和水果，三个人坐在沙发上闲聊。

"怎么样？贾市长？党校学习紧张不？"丁能通随口问道。

"党校学习还行。"贾朝轩呷了一口茶，悠悠说道。

"贾市长，青干班和普通班可不一样，您可是重点培养对象，说不定没毕业就提拔了。"丁能通恭维道。

"这倒是真的，我们班有个同学，最近传说要升副省长了，中组部领导已经找他谈话了。"

"贾市长，市委王书记和肖市长都可能高升，一旦高升，位子就空出来了，您年富力强，将来东州一定是您主政。"丁能通诡谲地说道。

"老弟，借你吉言吧，不过，我要主政，你这办事处可得变变样，许多省会城市的驻京办都是三星、四星，甚至五星级了，咱东州市的驻京办还像个大车店怎么能行？影响东州市改革开放的形象。"

"贾市长，我也一直想改变咱办事处的形象，可是没有钱呀，如果当初王书记任市长时把这片营房的地买下来，咱现在就发了，光这块地就能换个五星级。"丁能通惋惜地说。

"是呀，十几年前王书记要是魄力大点，七百万现在就能变成七个亿。唉，这都是往事了，眼下，你要想做个称职的驻京办主任，就得学会资本运作的本领，什么叫资本运作，就是空手套白狼。不用市里投一分钱，就能搞出个五星级酒店来。"贾朝轩弹了弹手里的烟灰说。

"贾市长，我看中了一座五星级酒店，地点不错，离保利大厦不远，但经营不善,正在寻找好的合作伙伴,如果你给驻京办在东州批块好地,我就有把握控股,到时候咱就鸟枪换炮了。"

"你有把握?"贾朝轩双目放光地问。

"有把握,到时候我们驻京办下面成立一家房地产开发公司,双管齐下,我保证两年就让驻京办大变样。"丁能通信心十足地说。

"好,能通,不愧是肖市长的秘书,有道行,我从党校学习完后,一回东州就给你办。"

"多谢贾市长对驻京办的关怀,我们的工作箴言是:事事以领导满意为宗旨,事事以招商引资为取舍,事事以项目服务为目标。"

丁能通这几句话递得过硬,坐在一边默然无语的顾怀远投来敬佩的目光。

"怀远,想啥呢?赶紧把围棋拿出来。"贾朝轩迫不及待地说,"能通,今儿三局两胜,老规矩,不许赖账!"

顾怀远赶紧从皮包里拿出了一副精美的围棋。

这是一套由优质的新山玉和墨玉精心打磨而成的玉石围棋,白得宛若美玉,晶莹光洁而并不炫目,黑子经过精心去光处理,手感圆润舒适,棋罐和盖均是新山玉雕刻而成。

贾朝轩生性好赌,又是个围棋迷,走到哪儿都把这套围棋带着。不过,在党校他不敢拿出来张扬,再者说下棋也没有对手,所以,棋瘾一上来,他就要找丁能通赌上几局。

"贾市长,您这套围棋看着花里胡哨的,其实并不值几个钱,我认识一位专玩古玩的行家,他手里有一副明朝时期的'永子'围棋,那才叫货真价实呢!"

"'永子'不就是云子吗?听说制造'永子'的技艺早就失传了。你小子还有这道行,什么时候带我认识认识这位老兄。"

"没问题。"

说着两个人杀将起来。说实话,贾朝轩的棋艺真没放在丁能通的眼里,但是,丁能通回回都能将局面掌控得天衣无缝,保证让贾朝轩三局两胜,而且赢得非常艰难。丁能通人如其名,果真是心里玲珑得剔骨挖髓。

两个人战得忘了吃晚饭,贾朝轩落下最后一颗棋子时,两包软包中华烟还剩下一支,他抽出这支烟,顾怀远给点上火,他用力将烟盒捏成一个团，又深深吸了口烟，惬意地笑了笑。

贾朝轩并未在办事处吃饭，看样子像是有应酬，丁能通让接待处处长黄梦然开上自己的奔驰车送贾朝轩，临上车时，贾朝轩扔出一句话，让丁能通愣在原地半天没动。

"能通，啥时候，让大哥见识见识金冉冉！"

3、金冉冉

很显然，贾朝轩真的知道了丁能通与金冉冉的事，到底是谁走露的风声呢？

应该说一个正当年的男人长年孤身在外，难免红杏出墙。但是丁能通是那种有贼心没贼胆的人，尽管有过许多走桃花运的想法，但也只是想想而已，其实与妻子的感情笃深，一直约束着自己。

丁能通与金冉冉相识纯属偶然。有一天晚上，丁能通闲得无聊，在房间上网聊天，一个网名叫颜颜的女孩引起了他的注意，他发现这个女孩每天都把自己的心情写成日记贴在网上，文字清新、流畅、细腻，看着看着，他发现了问题，原来颜颜将自己交男朋友的经历都写在了网上。

9

别给同一个男人两次伤害你的机会，别相信床上的誓言，别看中处女，但保持纯洁。相信我，男人多的是，比三条腿的青蛙多得多，别轻易说出爱，相信你的直觉，不要招惹别人的男人，除非你非常爱他，并且他非常值得爱。不要招惹寻找与前女友相似，和她母亲、姐姐相似的女人的男人。别和没心没肺的人在一起，别把犯贱当真爱，一个男人作践自己来取悦你的时候，千万不要因此感动，这个烟头烫在他身上，下一个很可能就烫在你身上。观察他先看看他的朋友们是什么样的，注意他的朋友对待女人的态度，还有，千万别相信一个不准备将你介绍给他朋友圈子的男人。一个男人只肯喊你"宝贝"的时候，坚持要他喊你的名字，别干撕照片、烧信、撕日记这样一类三流爱情电视剧中才有人干的事，永远不要做那种午夜背着行李，从一个男朋友家流落到另一个男朋友家的女人。

这样的文字简直像哈姆雷特口中的台词，丁能通看呆了。原来，这个网名叫颜颜的女孩是在读大学生,在网上认识了一个叫刚的男人,这个三十多岁的男人是个中学历史教师,刚离婚,很痛苦,于是,便在网上寻求刺激,用丰富的历史知识博得了颜颜的倾心,两个人同居了。然而,刚并不爱颜颜,他仅仅是为了寻求刺激,发泄内心的痛苦,刚深深地伤害了颜颜。

其实,刚很冷静,很温和,毕竟比我大十岁,过了不计后果的年龄,我给他的新鲜刺激能持续多久呢? 我总是试图用自己的热情燃烧别人,让对方和我一样不清醒,享受这种冲动的同时,也刻意蒙上彼此的眼睛。然而,刚会不会变呢? 我们的爱能一直燃烧吗? 感人的爱情故事都是闪电式的结束,主角经常是以死亡收场!

终于结束了,恨吗? 还爱吗? 伤心吗? 还哭吗? 嗓子还疼吗? 还搂着枕头掉眼泪吗? 无所谓吗? 还喝酒吗? 还被陌生人灌得晕眩吗? 还是借着去厕所的机会摇摇晃晃地逃开吗? 还在酒后失态地连哭带闹吗? 还是倔强地不肯承认爱错了吗? 终于结束了,为什么受伤的总是我? 我想起了哈姆雷特的问题:是活着还是死去,这是个问题!!!

丁能通发现这个女孩在结束时连用了三个感叹号,他心里猛然一惊,心想,她会不会轻生啊? 想到这儿,丁能通有些紧张,万一这个女孩因为失恋而轻生了,自己不就成了见死不救的人? 于是,丁能通诚恳地发出了邀请。

"我想听听你和刚的故事,行吗? 我是一个和刚一样年龄的人,完全被你的日记感动了,我们能聊聊吗?"

"你是不是也像刚一样成熟得接近圆滑和虚伪?"

对方答应了,丁能通内心一阵激动,心想,只要你敢见我,我就要打消你轻生的念头。

"在你的日记里,好像把整个生活扒光游街,但是在夜晚没有多少人能看清楚的,最起码我有看清楚的欲望,而且,我对哈姆雷特的问题也感兴趣。"

"好吧,你很特别,见见也无妨,你说吧,在哪儿见?"

丁能通没想到这个女孩如此坦白,他甚至有些不敢面对了,静了静心,还是决定见面。

"我在凯宾斯基酒店等你,我穿了一件绿色的 T 恤衫,中等身材,戴眼镜,你可以打我的手机。"

丁能通像幽灵一样开着奔驰车驶过长安街,直奔亮马河,午夜的风热乎乎的,就像女人嫩滑的舌头在男人身上漂来漂去,搞得人们心浮气躁。

亮马河一带分布了很多高级酒店和写字楼,这里有希尔顿、昆仑、长城、凯宾斯基等四家五星级酒店,每天晚上,这里都是一片灯红酒绿和纸醉金迷的景象。乞丐、卖花女和外宾以及衣着光鲜的各类成功人士在这里成群出没,构成了一个光怪陆离的世界。

丁能通在大堂咖啡岛要了一杯咖啡慢悠悠地喝着,眼睛像猫一样观察着出入酒店的各色美女,终于有一个东张西望的女孩走了进来。

丁能通注目观察,这女孩乍一看长得很一般,典型的快毕业的大学生形象。但仔细观察,则越看越有味,她穿着一件浅黄色吊带纱裙,高跟凉拖鞋,性感却不失庄重。鸭蛋形面孔,眉弯如月,睫毛如帘,只是眼睛小了一点,但如秋水般深邃明澈。

女孩似乎断定凝视自己的男人就是丁能通,她决然地走向咖啡岛。离自己越来越近了,丁能通发现女孩的皮肤特别白,简直就像整块羊脂玉雕出来的一般细腻得看不出纹理。

丁能通心中一阵骚动,彬彬有礼地站起身缓步迎了上去。

"是颜颜小姐吧? 我是人面桃花。"

"我们还是称呼真名实姓吧,反正已经认识了。"

"那好吧,我叫丁能通,这是我的名片。"

丁能通很儒雅地递上自己的名片,然后将手一让,请女孩坐在了对面。

"噢,我叫金冉冉,在燕山大学读经济,想不到你还是一位官员,东州市冬天很冷吧?"

看上去金冉冉像是一位江南女孩。

"冉冉是南方人吧?"

"是呀,姑苏城外寒山寺,夜半钟声到客船。"

"这么说,你是苏州人了?"

丁能通诡谲地看了一眼金冉冉,叫过服务生给她也要了一杯咖啡。

"驻京办主任主要工作就是迎来送往吧?"

11

金冉冉显然觉得驻京办这个机构比较神秘。

"怎么？对我们驻京办感兴趣？想不想到我们这儿工作？"

"没兴趣，我最讨厌迎来送往，吃吃喝喝了。"

"驻京办的工作可不止这些，我们下设办公室、接待处、联络处、信息处、财务处、后勤处，还管着酒店、宾馆、公司，负责地方政务与中央政务的对接，还肩负着为地方招商引资的重担，你说重要不重要？"丁能通卖弄地吹嘘道。

"说得冠冕堂皇的，我倒觉得像个腐败的温床。我这么说，你不会不高兴吧？"

金冉冉忽闪着迷人的媚眼觑了丁能通一眼，丁能通像过电一样浑身麻酥酥的，心想，看来我多虑了，这个女孩并不像要轻生！心里想着，脸上却露出和蔼的微笑。

"冉冉，随你怎么说，反正多一个朋友多一条路，你说是不是？"

"丁大哥这话说得在理，人往往因为陌生而怀疑和猜忌，又因为熟悉而相信和袒护。"

"可是我们一见面就像老朋友，应该互相信任，只有互相信任才能互相理解。"丁能通老谋深算地说。

"男人讨好女孩大多是为了性，丁大哥是例外吗？"金冉冉警觉地问。

"是不是例外只有试了才知道，要不哪天我们开个房间，你冒一次险？"丁能通之所以这么说，是因为心里清楚只有让她觉得自己特立独行，才能吸引住她，也才能探究她到底有没有轻生的念头。

金冉冉被丁能通的反击有些打蒙了，但她又是不服输的女孩，硬着头皮问："莫非丁大哥是当代柳下惠？"

"柳下惠可回答不了哈姆雷特的问题。"

"丁大哥的回答一定很特别，我很想听。"

"其实，死从来都不是个问题，只是个结果，生才是最难回答的问题，因为生是过程。"

当天晚上两个人聊的很晚，丁能通亲自开车把金冉冉送回了学校。一晃过了一周，虽然金冉冉让丁能通整天魂牵梦绕的，但是他并不觉得她还会找他，因为所有的问题都解决了，当时金冉冉听到丁能通担心她轻生竟哈哈大笑起来，听到这笑声，丁能通觉得自己做了一件善事。

没想到星期五傍晚，丁能通接到了金冉冉的电话。金冉冉说，想考验考验他是不是当代柳下惠。丁能通觉得这个女孩太有性格了，她觉得这个世界上的男人都是狼，不相信有什么柳下惠。丁能通是个喜欢挑战的人，心想，今天我让你见识见识什么是正人君子，便欣然应允了。

两个人在凯宾斯基酒店一起吃了晚饭，丁能通了解到这是个苦命的女孩，和自己一样从小丧父，没有任何兄弟姐妹，母亲再嫁后忍气吞声地把金冉冉带大，现在母亲和继父双双下岗，她是靠助学贷款上的大学。

言谈间丁能通心中生出几分怜爱，心想，如果金冉冉做自己的情人，自己一定好好待她。然而，这个念头刚一闪，他就在心里啐了自己一口，心想，丁能通你是个正人君子，不是乘人之危的色狼！于是，他在心中改口道：如果金冉冉做我的妹妹，我一定资助她！丁能通也没有兄弟姐妹，从小就特想有一个妹妹。这么想丁能通仍然不满意，因为即使萍水相逢也应该帮助金冉冉。丁能通太喜欢这个可爱的女孩了，他脑海中浮现出许多坏念头，他甚至觉得答应见金冉冉是个错误，万一自己把握不住自己，就会比那个叫刚的男人伤害她更深，因为金冉冉是因为信任自己才敢挑战他的。

两个人越谈越投机，金冉冉说："丁下惠先生，敢应战吗？"

丁能通逗弄说："你不怕遇上色狼？"

"说不定谁是色狼呢！"

13

丁能通被金冉冉的挑战搞得很难堪，心想，豁出去了。他二话没说，直奔总台，三下五除二就开了一间豪华套，半推半就地与金冉冉上了电梯。金冉冉毕竟是处过男朋友的女孩，所以金冉冉面对如狼似虎的丁能通并不惊慌。此时的丁能通的确已经欲火烧身，但是他强忍着煎熬尽量让自己平静得儒雅一些。

丁能通心里清楚，要想彻底征服眼前这个心高气傲的女孩，必须打破常规。

在房间里，两个人坐到了下半夜，都困极了，便和衣躺在双人床上睡了。这一宿，丁能通强忍着做了一晚上柳下惠，看上去睡得很香；金冉冉却辗转反侧，一宿没睡。

又过了一个星期，金冉冉主动给丁能通打电话，地点还是在凯宾斯基，金冉冉见了丁能通便抹起了眼泪，许久才说："丁能通，我想认你做大哥!"于是,丁能通如愿以偿地多了个妹妹。

这件事丁能通做得非常隐秘,不知道为什么走露了风声,居然传到了常务副市长贾朝轩的耳朵里。

会不会有人跟踪我呀?

丁能通想到这儿,不禁打了个寒战,头脑也清醒了许多。看来,自己要对钱学礼多加小心了,自己明明做了件好事,却让歹人给自己制造出桃色新闻提供了口实。这时,丁能通的肚子咕噜咕噜叫起来,饿了,他情不自禁地向食堂走去。

4、陈富忠

吃晚饭的人零零星星还有三两个,卖饭的几个老娘儿们正在闲聊。

"哎,你老公一个月忙活你几次?我那位像收电费的,一个月一次。"

"一个月一次就不错了,我那位每次像送传单的,随便一塞就完事了。"说这话的中年妇女操着天津口音。

"你们还好呢,我老公像送牛奶的,放在门口就走了。"

老娘儿们们说完哈哈大笑,丁能通听了也扑哧地笑出了声。这时,手机响了,他赶紧接听。

"能通,我以前当常务副书记时,你小子可从来没不露面,怎么的?瞧不起我们政协呀?"

挑眼的正是东州市政协主席张宏昌,为了东州市国际秧歌节新闻发布会,张主席正在北京花园宴请北京各大媒体的记者,丁能通赶紧解释,答应马上就到。这时,黄梦然已经开着奔驰回来了,他一进食堂就悄悄将贾朝轩晚上的行动小声告诉了丁能通,丁能通听后诡谲地眨了眨眼睛。

原来今晚请贾朝轩的人是陈富忠,在东州没有人不知道陈富忠的,这可是个传奇的人物,黑白两道都走得开,据说此人很讲义气,许多走投无路的人求到他,都能得到他的帮助,因此,有很多人死心塌地地追随他。目前是东州市北都集团董事长,东州市赫赫有名的民营企业家。

陈富忠出身很苦,从小父母双亡,十四岁要饭到东州,成了东州街头的乞丐头。有一次,在火车站上厕所,他捡了一个破皮包,打开一看,里面居然有五万元现金,他当时蒙了,撒腿要跑,心想,不行,丢包的人这么有

14

钱，一定是个做买卖的，丢了钱一定很着急，不如我在这儿等他，他见我拾金不昧，一定很感动，说不定一高兴带我做买卖呢，我也就不用要饭了。

当时，正值改革开放初期，倒腾什么的都有，刚好丢钱的老头借着儿子在铁路上管车皮，靠倒腾车皮发了财。老头对陈富忠拾金不昧的举动感动得没法儿，当场就认陈富忠为自己的干儿子。陈富忠巴不得有这么个干爹，就跟随老爷子一起做起了倒腾车皮的生意。

渐渐地，陈富忠的翅膀越来越硬，再加上陈富忠天生就仗义，摸爬滚打二十多年竟成了东州市叱咤风云的人物。黑道上没有不买账的，白道上更是如鱼得水。

陈富忠接触省市领导有一个窍门，就是先把秘书拿下，从秘书口中把领导研究透了，由秘书搭桥，然后对症下药，一试一个准。

然而，在丁能通给肖鸿林做秘书的几年里，陈富忠一直想通过丁能通把肖鸿林拿下，丁能通看透了陈富忠的伎俩，不想让肖鸿林傍大款出事，一直不给陈富忠机会，搞得陈富忠对丁能通耿耿于怀。陈富忠只好转而攻顾怀远，终于与常务副市长贾朝轩混到了称兄道弟的份儿上。

这次，陈富忠到北京见贾朝轩并未惊动驻京办，丁能通觉得陈富忠必有大事求贾朝轩，丁能通虽然给肖鸿林做了五年秘书，但是驻京办归常务副市长主管，贾朝轩又在北京学习，两个人又是棋友，与贾朝轩接触多了，自然就与陈富忠也成了朋友。

此时，陈富忠刚请贾朝轩在东三环顺风海鲜酒店吃完鱼翅鲍鱼，正泡在伯金翰洗浴中心的大池子里冲浪，贾朝轩的高度近视眼镜上全是雾气，陈富忠又白又胖，跟荷兰猪似的。

"大哥，中山路那块黄金宝地我已经拆迁完了，很快就可以动工了。这可是寸土寸金的地段呀，感谢领导对我们民营企业的关怀！"陈富忠的眼神既谦卑又贪婪。

"这么好的地块老干部局就是开发不起来，搞了好几年了，连点模样也没有。这次你从他们手里接过来，对老干部局也是个解脱。"贾朝轩被水冲得龇牙咧嘴地问，"贷款到账了吗？"

"大哥，我这次来就是为了贷款的事，段玉芬那娘儿们迟迟拖着不给办呀！"陈富忠抓耳挠腮地说。

"别急，三个亿不是个小数，段玉芬确实得斟酌斟酌。不过，有我的亲笔批示,她不会拖太久的。"

"大哥,你抽空给她打个电话,工期不等人啊!"

"富忠,我听说段玉芬与丁能通的关系不一般,你也可以通过丁能通敲敲边鼓,建行毕竟不是东州市政府的直属单位。"

"大哥,丁能通与段玉芬会有什么关系?"陈富忠一双小眼睛狡猾地眨着。

"他们俩在大学时是同班同学,而且听说段玉芬一直暗恋丁能通,直到现在段玉芬也不结婚,就是因为丁能通。"

"丁能通这小子太诡道,不太好对付。"

"老弟,只要药对症了,没有治不好的病!"

贾朝轩摘下眼镜擦了擦镜片上的水汽,然后呼的一声从水池子里站起身来。

"走,上楼陪大哥做个按摩,现在糗得浑身骨头节都快生锈了。"

5、接机

段玉芬是东州市建行中山支行行长,与丁能通是大学同班同学,一个是校学生会主席,一个是班长。丁能通在大学时就热衷于社会活动,学习成绩一般;段玉芬属于特正统的那种女孩,是班里最先入党的,学习成绩在班里一直领先。

有一次期末考试考政治经济学,丁能通抓瞎了,两道大题一点印象也没有,他正好坐在段玉芬后面,趁监考老师不注意,他用手指偷偷捅了一下段玉芬。段玉芬回头看了一眼丁能通,知道他抓瞎了,但并未表露要帮助丁能通,而是不理睬他继续答题。

坐在旁边的校花衣雪看在眼里,急在心头,因为衣雪早就爱上了丁能通,她偷偷给丁能通一个纸条,丁能通如获至宝,打开一看,上面写着一行隽永的小楷:

"你别交卷,我替你答一张交上去。"

丁能通感激地点了点头。果然衣雪答了两份卷子交了上去,成绩下来后,丁能通居然得了八十多分。

原本丁能通对段玉芬非常有好感,这件事后,丁能通对段玉芬一下子反感起来,觉得她太正经了,太原则了,太死板了。事后段玉芬也很内疚,但是后悔已经来不及了,就这么一次小小的考验,让这个冷美人失去了爱情。又漂亮又活泼的校花衣雪不费吹灰之力就得到了丁能通。

毕业后,丁能通分到了市政府办公厅,段玉芬去了市建行,衣雪到了东州电视台。丁能通与衣雪结婚后,段玉芬一直未嫁,但三个人的关系一直很密切。

丁能通陪市政协主席张宏昌在北京花园被各媒体记者灌了一肚子酒,才醉醺醺地开车回到办事处。

张宏昌这次到北京,召集媒体记者搞东州市国际秧歌节新闻发布会,是受市委书记王元章的委托。

关于国际秧歌节,肖鸿林一直很有看法,东州市是老工业基地,工业文化底蕴深厚,最能代表东州的就是工业文化。秧歌本身是农民田间地头的产物,档次低,代表农业文化还可以,但代表不了工业文化,更代表不了东州文化,何况秧歌本身就不是国际化的产物,叫国际秧歌节,本身就不伦不类。

但是,国际秧歌节是王元章就任市长时的产物,他现在又是东州市市委书记,肖鸿林尽管有抵触情绪,也不好取缔。其实,肖鸿林代表了多数东州人的看法。因为这件事,王元章与肖鸿林之间的关系越来越微妙,微妙得王元章不得不亲自委托市政协主席张宏昌代表市委市政府在京召开新闻发布会。张宏昌毕竟是王元章的老部下,一直站在王元章一边。

国际秧歌节在东州市虽然非议颇多,但是市委书记王元章在老百姓中却是德高望重的,王元章最有影响的施政措施是刚上任市委书记时,就设立了"市委书记热线",电话号码是 12345,专线设在市委办公厅,平时十几个工作人员接,但每周王元章都要定时接几次,就因为这条热线,拉近了党和老百姓的距离,老百姓中流传着王元章许多感人的故事。最有意思的是,王元章有许多开出租车的朋友,这些人都是他打车认识的,王元章经常打出租车检查东州市交通状况,出租车司机最了解哪条路堵车,哪条路况不好。肖鸿林对王元章干政经常不满,私下里常说,王元章最大的本事就是作秀。两个人不仅政见不同,在用人的问题上也时常意见相左,党政一把手不和已经是不争的事实。

张宏昌下榻在保利大厦附近的北京花园,这是丁能通一直盯在眼里的一块肥肉,因为这家五星级酒店坐落在繁华区,毗邻中央商务圈,距机场不过半小时的车程,如果把北京花园搞成东州市驻京办事处,自己在北京建个东州驻京恭王府的梦想就基本实现了。

借着夜幕下的霓虹灯,丁能通仔细地看了一眼这座中西合璧的高大建筑,狠狠地踩了一脚油门,奔驰车呼啸着消失在夜幕中。

早晨八点钟,驻京办大院的高大杨树上,喜鹊喳喳叫着,丁能通还沉睡在梦乡中,床头柜上的电话响了,丁能通任由电话响个不停,就是不接。突然手机也响了,他心里嘀咕着:会是谁呢? 这么讨厌,连个觉也不让人睡好!

丁能通懒洋洋地伸手从床头上拿起手机,睡眼惺忪地问:"哪位?"

"丁大哥,打扰你的美梦了吧?"

"噢,是卫国呀,有什么吩咐?"

郑卫国接的丁能通,是肖鸿林的现任秘书。如果说肖鸿林是师傅,那么丁能通就是大师兄,由于有这层特殊的关系,郑卫国对丁能通特别地尊敬。

"丁大哥,老板中午的飞机,你做好接待准备,我看就住'昆仑'吧。"

"卫国,这么重要的事昨天为什么不通知我?"丁能通一骨碌爬起来厉声问道。

"老板今天早晨临时决定的。"

"老板说来京办什么事了吗?"

"老板说到京见面谈。"

丁能通赶紧起床洗漱,然后去食堂吃早饭。在食堂,丁能通一边吃饭一边用手机叫来接待处处长黄梦然。

"梦然,你赶紧去机场安排一下,老板中午到,顺便在昆仑饭店订个豪华套,记住,不要透露老板的住处。"

"头儿,派司机吗?"

"不派,你亲自当司机。"

黄梦然匆匆走了,这时,驻京办酒店经理白丽娜风摆荷叶般扭了过来。这是个既漂亮又娇媚的女人,光婚就离了两次,但办事能力却很强,干练得很。

丁能通每当看到白丽娜,就觉得她是最好的窝边草,但是,丁能通一直不敢忘记那句俗话:"兔子不吃窝边草"。尽管他心里也劝过自己无数次:既然窝边有草,何必让兔子满山跑?但是,丁能通是有着远大政治抱负的人,他最懂得在官场上,只有管住嘴巴、尾巴的人,才有前途,再加上丁能通非常忌讳钱学礼,官场上的计较都是你死我活的,尽管自己的靠山很硬,但钱学礼也不是省油的灯。自己还有大事要做,决不能在小河沟里翻了船。

丁能通不愧是市长秘书出身,有着极强的控制力,尽管他不愿意动窝边草,但是他还是不放过欣赏窝边草的美丽,他对白丽娜很赏识,也很信任。白丽娜对丁能通的赏识和信任很感激,自认为是丁主任的人,因此,在驻京办,丁能通、黄梦然、白丽娜号称"铁三角"。

"头儿,老板要来?"白丽娜妩媚地一笑,单刀直入地问道。

"你怎么知道的?"

丁能通知道肖鸿林的脾气,最忌讳到北京前呼后拥的,所以,连白丽娜都瞒着。

"头儿,我一看黄梦然开着奔驰 600 走了,估计是老板来了。"

"老板的脾气你清楚,既然你知道了,中午一起去机场吧。"

白丽娜心中一阵感动。

波音 737 客机落地后并没有靠廊桥,飞机刚刚停稳,两辆黑色奔驰就停在了飞机旁,从车里钻出四个人来,正是丁能通、黄梦然和白丽娜,另外一个人是首都机场贵宾室经理于欣欣。肖鸿林从飞机舷梯上走下来时,白丽娜手捧着鲜花第一个迎了上去。

"肖市长,辛苦了。"

白丽娜说完,一边献花一边像情侣一样挽起了肖鸿林的胳膊。肖鸿林接过白丽娜递过来的鲜花欣慰地闻了闻,然后随手递给了郑卫国。黄梦然把行李放入了奔驰车的后备厢里,丁能通亲自开车门,众人一起钻进了奔驰车。

这时,从飞机上下来一位特殊的乘客,这个人正是中纪委的刘凤云。她看着远去的两辆奔驰车摇了摇头,缓步走上了摆渡车。

刘凤云去东州是看望自己的老父亲的,她父亲是五十年代的全国劳模,文化大革命被打成了反革命,老伴死得早,老人一生凄苦,刘凤云一直想把老人接到北京,无奈,老人恋土,不愿意离开东州,所以,刘凤云一有空便往东州跑。

在机场贵宾室,于欣欣让服务小姐上了热手巾卷、果盘和饮料,并且沏了极品龙井。

"欣欣,我每次到北京都要麻烦你,什么时候给我个机会,到东州转转,到时候我请你听地道的二人转。"肖鸿林客套地说。

"那敢情好,不过东州毕竟是老工业基地,除了烟囱林立,还有什么好看的?"于欣欣和肖鸿林熟得很,说话的语调甜丝丝的,一举一动漂着职业女性特有的香甜味儿。

"是呀,让欣欣见笑了,不过只要欣欣肯赏光,我愿意为你修个大花园。"

"此话当真?"

于欣欣为肖鸿林的豪爽所折服,却不知道坐在旁边的白丽娜又嫉妒又羡慕。白丽娜是个崇尚权力的女人,她一直认为只有掌握权力的男人才是优秀的男人。肖鸿林虽然五十五六岁了,但是俗话说"米脂的婆姨绥德的汉",肖鸿林的老家就在陕西省绥德县,是名副其实的西北美男,这样的男人,白丽娜垂涎已久了。

就在肖鸿林乘坐的飞机刚刚落地时,市委副书记李为民眉头紧锁地走进了王元章的办公室,他刚刚开完清理烂尾楼书记办公会,参加会议的有市建口的各部门领导,给烂尾楼贷款的银行负责人,和拥有烂尾楼工程的房地产公司。散会后,市建行中山支行行长段玉芬反映给李为民一个情况,让李为民为常务副市长贾朝轩担起心来。李为民是个不吐不快的人,在市委班子里与自己最谈得来的还是市委书记王元章。

王元章热情地为李为民沏了杯茶,然后笑着说:"为民同志,情绪不太对头啊!"

"元章,我刚开完清理烂尾楼书记办公会,市建行中山支行行长段玉芬向我反映了一个情况,让我为朝轩同志捏一把汗呐!"李为民拉着脸叹道。

"为民,怎么,朝轩同志在北京学习也没闲着?仍然遥控指挥?"王元章不解地问。

"元章，贾朝轩不是遥控指挥，而是为所谓的民营企业充当保护伞！"李为民气愤地说。

"为民，民营企业是国民经济的重要组成部分，为民营企业保驾护航是好事呀！"王元章呷了一口茶笑着说。

"元章，你没明白我的意思，陈富忠的北都集团用一座烂尾楼做抵押，贷了三回款了，每次贷款都过亿，每次都是贾朝轩亲自批示给银行放贷，这次又批到市建行中山支行，段玉芬一直顶着没办，三个亿呀，这不是抢银行吗？如果这次再贷款给陈富忠，那座烂尾楼就是重复抵押第四次了。我告诉段玉芬坚决不准贷。"

李为民由于说得激动，手中即将燃尽的烟头险些烧了手指头。王元章一下子意识到问题的严重性。

"我早有耳闻，北都集团的陈富忠与贾朝轩走得很近，这个贾朝轩真让人担心呀！"

"元章，我听说贾朝轩在北京学习并不安分，活动得很厉害，连肖鸿林都坐不住了。"李为民叹气道。

"鸿林同志这次去北京走得很低调，也没和我打招呼，我担心他以其人之道，还治其人之身呀！"王元章慨叹道。

"元章同志，我觉得你在处理党政两家关系的问题上过于迁就，不能因为怕伤了党政两家的和气就容忍肖鸿林向市委闹独立，要批评指正，绝对权力的背后是绝对的腐败呀！"

李为民一向坦诚直言，但这几句话说得却很重，王元章眉头皱了皱，沉思良久说："为民你批评得对呀，这几年我为了维护班子的团结是过于软弱了，从改造市政府大楼不向市委打招呼开始，我就应该严厉制止。现在可好，他肖鸿林重大项目、重要资金问题一个人说了算，重要人事任免独断专行，简直成了党内个体户了。"

"元章同志，我建议你找鸿林同志好好谈谈，要敲山震虎啊！"

"好吧，忙完国际秧歌节，我就找他谈。"

李为民站起身看了看表说："元章，我来是想请你陪我看一看教师新村工程进展情况，提点意见，全市教师眼巴巴盼着住新房呢！"

"你不找我，我也要找你呢！许多教师对分房方案有意见，走吧，咱们边走边商量。"王元章一边说，一边示意秘书要车，两个人肩并肩走出办公室,走廊里响起了两个人爽朗的笑声。

6、疯牛病

在机场高速公路上,黄梦然和郑卫国开着奔驰 320 在前面开道,丁能通开着奔驰 600 紧随其后,白丽娜紧贴着肖鸿林坐在了后面。

看得出来,肖鸿林对白丽娜颇有好感,丁能通跟随肖鸿林多年,深知肖鸿林和老伴的感情一直不好,并不是肖鸿林官做大了瞧不上糟糠之妻,而是因为肖鸿林一直认为自己的婚姻是时代造就的不幸产物。

肖鸿林的老婆叫关兰馨,出身在工人家庭,高小毕业,文化不高。肖鸿林的父亲曾经是国民党的将军,平津战役中战死,就因为历史问题,肖鸿林大学毕业后被分配到工厂劳动改造,后又被错划成右派。关兰馨是在肖鸿林人生摔到最低谷时通过老工人介绍嫁给肖鸿林的,两个人风风雨雨过了大半辈子,也吵吵闹闹打了大半辈子。随着肖鸿林的官越做越大,也就越来越看不上这个拿不出手的老婆了。每次肖鸿林来北京,白丽娜因为搞接待工作都有机会陪同,时间久了,白丽娜心中悄悄生出了几分非分之想。

"老板,你刚刚对于欣欣说在东州修个大花园,这个主意不错,东州确实应该改一改傻大黑粗的形象了。"丁能通从后视镜看见白丽娜几乎将头靠在了肖鸿林的肩上,心想,真是个不知天高地厚的女人。

"能通,我也就那么一说,东州那鬼地方一年有半年冬季,只有杨树柳树活得好,种花能看几天?"肖鸿林无奈地叹道。

"老板,世界花博会每年都选一个城市举办,影响巨大,不如我们试着努力申请一下,拿到东州来办,这样既可以扩大东州在世界上的知名度,又可以打造东州的旅游产业。"丁能通非常清楚东州市作为老工业基地,城市建设欠账太多了,急需有一个龙头项目提升城市环境的质量。

"能通,你小子花花点子就是多,你别说,这还真是个好主意,比王元章那个什么国际秧歌节上档次上品位。好,这件事就由你先疏通疏通渠道,了解了解申办程序,真要拿下来,我升你做市政府副秘书长。"

"肖市长,丁主任早就该升副秘书长了,好多省会城市的驻京办主任都兼市政府副秘书长,这样办起事来代表市政府方便。"白丽娜不失时机地为丁能通溜缝儿。

"好、好,你这张嘴呀,快赶上王熙凤了。"肖鸿林说完拉着白丽娜的玉手开心地哈哈大笑起来。

肖鸿林走进昆仑饭店豪华套房时,被房间的摆设惊呆了。只见房间内所有的摆设都是"克隆"故宫里的家具。书柜里摆放的是楠木匣子包装的唐诗和四书五经,寝室里客人睡的是仿真"龙榻",会议室的沙发改成了"盘龙"宝座,墙上挂的是贴金浮雕"九龙壁",地上铺的是九龙毯。

"能通,这间豪华套房怎么布置得跟皇帝的行宫似的? 这条件比咱们东州宾馆的总统套可好多了。"肖鸿林惬意地坐在客厅里的"盘龙宝座"上,伸着懒腰说道。

"老板,这叫皇帝套房,在北京的五星级酒店是刚刚兴起的名堂,您如果喜欢,赶明儿咱驻京办鸟枪换炮了,咱们也弄一间,您来了住着也方便。"

丁能通一边恭维一边给肖鸿林点烟,白丽娜殷勤地沏了毛尖,端给肖鸿林和丁能通,然后知趣地躲进了小会议室。

黄梦然把行李送上来后就出去了,郑卫国去了自己的房间,客厅里只剩下肖鸿林和丁能通。

"能通,我这次到北京来是因为有件棘手的事,不得不来。"肖鸿林面色凝重地呷了一口茶,沉思半晌说道。

"老板,听您的口气像是出了什么事?"丁能通试探地问道,心里也是七上八下的。

"是啊,这个贾朝轩借着在北京学习的机会在北京大做我的文章,已经开始预谋夺权了。"

丁能通听后暗自吸了口凉气,心想,政府的一、二把手要是真斗起来,结果只能是两败俱伤。

"老板,消息可靠吗?"丁能通仍然不愿意相信这是真的,因为肖鸿林和贾朝轩越团结,对东州市的经济发展越有利,同时,对自己坐稳驻京办主任的位子越有利。

"这真是知人难,难知人啊,我好心好意推荐他到青干班学习,没想到他背后下手,竟然要把我这把老骨头打发到外省去,好歹毒! 好没良心啊！”

肖鸿林说得很动情，两道眉拧攒到一处，目光炯炯地望着窗外，神情充满了夕阳无限好只是近黄昏的感慨，容不得丁能通不信。

"老板，省里不是一直有意让您接任省长吗？难道贾朝轩会左右省委省政府的态度？"

"能通，亏你还是驻京办主任，贾朝轩在北京都做了些啥，你真的一点也不知道吗？他的手都快捅到天上去了。"

肖鸿林的口气异常阴寒，丁能通竟骇得打了个寒战，笑脸立刻就白了。其实，丁能通不是一点都不知道贾朝轩在北京的活动，只是他一直认为贾朝轩是一颗潜力巨大的政治新星，在北京为自己的前程奔波可以理解，所以，尽管贾朝轩与在东州起家的几位在京老领导打得火热，自己却并没有在意。想不到，贾朝轩把火玩得这么大，居然玩到肖鸿林的头上来了，未免有些不自量力了。

肖鸿林在东州经营快二十年了，是看着贾朝轩在政治上一点点爬上来的，早知如此，只要肖鸿林稍微用点心，贾朝轩就会夭折在摇篮里，如今看来，贾朝轩果然要飞起来了。

"能通，我给你个任务，在北京把贾朝轩给我看住了，我知道你跟他打得火热，你别忘了谁是你的老板，我要随时知道他的行踪。从明天起，你不要往我这儿跑了，就当我没来，把梦然给我留下当司机，我该动动老关系了，他瞒天过海，我只好釜底抽薪了！"

丁能通听得心下骇然，只是木讷地点点头。他最了解肖鸿林的性格了，平生笃信曾国藩的一句话："谋后而定，行且坚毅。"看来东州要地震了！丁能通脑海中这个念头一闪，迅速地权衡着自己的利弊得失。

其实，丁能通作为驻京办主任，应该能办领导想办到的事，能让领导见到想见的人，这只是最低要求。丁能通作为肖鸿林一手栽培的人更应该急领导之所急，想领导之所想。但是丁能通讲究做人要有原则，他最不希望自己卷入政治斗争的漩涡中，政治是讲究权谋的，但是他喜欢阳谋，不喜欢阴谋。丁能通心想，看来老板是挑眼了，否则，想见谁要见谁不会瞒着自己的。

丁能通懵懂之余，肖鸿林突然说道："能通，你先回去吧，晚饭你就在办事处吃，这样不会引起别人的注意。"

"老板,我本来要给你接风的。"丁能通面容窘迫地说。

"让白丽娜陪我吃就行了,别忘了我嘱咐你的话,把贾朝轩给我盯住了。"

丁能通重重地点了点头,又把白丽娜从小会议室叫出来,小声嘱咐几句,悻悻地走了。

7、搭桥

丁能通离开昆仑饭店并没有回驻京办,他被肖鸿林数落得心绪不佳,想约金冉冉出来坐坐,便情不自禁地往燕山大学方向开去。

奔驰车的车窗开着,凉风习习,让丁能通清醒了许多,他打开车载CD,整个车内弥漫着《夏日里最后一朵玫瑰》的优美旋律。

丁能通的心情逐渐回转过来,心想,驻京办就一个好,将在外军令有所不受! 他正按着金冉冉的手机号,手机却响了,他觉得很扫兴,只好接听。

"喂,哪位?"

"能通,我是陈富忠啊,我在北京呢,晚上有空吗? 我请你吃饭!"

"你到北京是客,我请你吧。说吧,想吃啥?"

"能通,我知道你一直惦记北京花园,那儿的上海菜不错,到北京花园吧。"

陈富忠一句话说到了丁能通的心里,丁能通清楚,即使市政府支持驻京办拿下北京花园,要想经营得好,必须有外资介入,陈富忠正在与香港黄河集团合作,在中山路地段联合开发五星级酒店,说不定这个陈富忠真能帮上什么忙。想到这儿,丁能通打消了见金冉冉的想法,加快了车速。

丁能通走进北京花园酒店时,陈富忠早就订好了包房,陪同陈富忠的,只有北都集团保安队长兼办公室主任,也就是陈富忠的保镖海志强。

陈富忠满脸堆笑地为丁能通斟满了酒,开门见山地说:"能通,大哥遇到坎了,你只要伸把手大哥就有救,大哥是义气人,你心里最清楚,受人滴水之恩,必当涌泉相报。"

丁能通知道,陈富忠找自己一定有事相求,东州市的领导陈富忠都能接触上,看来是要见国家部委办局的什么人。

25

"富忠,说吧,想见谁,只要我能办的绝无二话。"

"好,我就喜欢老弟这份爽快。你知道,我在中山路正与港商合作开发五星级酒店,资金一直很紧张,我求贾市长批了三个亿的贷款,可是段玉芬迟迟卡着不贷,我知道你老弟跟她是大学同学,关系不错,你给大哥说说情,贷了不就得了吗?"

丁能通没想到陈富忠在段玉芬那儿碰了钉子,但他心里清楚,段玉芬是个坚持原则的人,虽然与自己有一份特殊的情谊,真要让她违背原则,她未必买账。丁能通的确有些犯难了。

陈富忠似乎看出了丁能通的心理,给海志强递了个眼色,海志强赶紧从包里拿出了一张信用卡,递给陈富忠。

"能通,这是大哥的一点意思,整十个,别嫌少。"陈富忠说完把卡推给丁能通。

丁能通看了看这张金卡,笑了笑说:"富忠大哥还是老一套,钱是好东西,但我对钱看得不重,大哥要真想帮我,不如推荐我认识几位港商,特别是对投资酒店感兴趣的港商。"

丁能通心想,你陈富忠之所以在东州横晃,不就靠这几个臭钱吗?君子爱财,取之有道,想让我成为和珅,没那么容易,我可是研究和珅的专家,我丁能通赚钱靠的是智慧,不靠受贿,想害我,没那么容易!

陈富忠明白了丁能通的意思,心下一喜,说:"能通,与我合作的这家港商在香港实力雄厚,董事局主席黄翰晨先生可是东南亚一带有名的大投资家。要不,我给老弟搭搭桥。"

"富忠大哥,太好了,你费费心,一定要把这个桥搭成。"丁能通高兴地说。

"放心吧,香港有名有姓的老板十个有八个我能给你搭上关系。"

"富忠大哥,真想不到,你这舞台越折腾越大呀!"

"这不都是托朋友的福嘛,不瞒老弟,我之所以看中香港,是因为在香港,有无数个由血缘关系组成的家族集团,这些集团无不与金店、贸易公司、外汇事务所有着千丝万缕的关系,在香港,钱的来龙去脉几乎是无法追查的,尤其现在的银行已经高度国际化、复杂化。货币以电子的形式,在各大洲之间往来,一笔钱进了这样的迷宫,就像脏衣服进了洗衣机一样,出来的时候就干干净净了。"陈富忠卖弄地侃侃而谈,听得丁能通心里有些发紧。

"富忠,我当秘书时你就没少贷款,那些钱该不会是都进了洗衣机了吧?"丁能通揶揄地问道。

"能通,哪儿的话,大哥从来不干对不起朋友的事。那咱们就说定了,段玉芬就拜托老弟疏通了。"

陈富忠说完将手中的金卡扔给海志强,海志强毕恭毕敬地放进了皮包里。

8、拒绝

晚上十点钟,李为民的黑色奥迪车缓缓停在自家楼道门前,李为民疲惫地从车里出来,发现有一辆挂着北京牌照的奔驰320也停在自家楼道门前,这辆车很眼熟,他仔细打量一下,想起来了,这是东州市驻京办的车,自己去北京出差坐过很多次这辆车。

李为民心想,驻京办谁来了? 丁能通还是钱学礼?

想着想着已经走到了自己家的门前,他按了一下门铃,开门的是李为民的妻子吴梦玲。

"回来这么早,驻京办的钱主任来了,等你快半个小时了。"吴梦玲一边说,一边给李为民脱掉外套。

钱学礼从客厅讪讪地迎出来,满脸堆笑地说:"李书记,我回东州开会,顺便来看看您!"

钱学礼的到访多少让李为民有些意外。

"学礼呀,请坐! 回东州开什么会呀?"

"袁市长开了一个招商引资的市长办公会,涉及到驻京办,开了整整一个下午,我问过市委办公厅秘书处,说您陪国家环保局领导参观污水处理厂去了,估计晚上要宴请,回来的一定晚,我这才决定晚点来。"钱学礼肉头肉脑地说。

驻京办下到处长上到主任对每个副市级以上领导都熟得很,甚至与家属更熟,其实,钱学礼这次登门拜访,与李为民的妻子吴梦玲有关。

李为民与吴梦玲就一个女儿,在北京念大学,快毕业了,给女儿找一份可心的工作成了吴梦玲心头最要紧的事。她最了解丈夫,女儿的工作根本指不上李为民,家里的亲戚找上门来求李为民办事没有一个不碰壁的,夫妻俩为李为民不近人情这股劲儿,没少吵嘴,甚至闹过离婚,但是无济于事。

渐渐地吴梦玲理解了丈夫,她学会了用一种平凡的视角看待李为民的原则,起码不担心丈夫在经济上出问题。可是女儿是娘的心头肉,看着女儿为自己的工作着急心疼,吴梦玲也与李为民商量过,李为民的态度很简单:"梦玲,女儿大了,要相信女儿有能力自己闯世界。"

吴梦玲恼了,赌气背着李为民找到了钱学礼,吴梦玲之所以找钱学礼而没找丁能通,是因为她觉得钱学礼在北京工作时间长,连老婆孩子都跟着调到了北京,北京地面上一定比丁能通熟,人又精明,求钱学礼准行。

钱学礼接到吴梦玲的电话满口答应,他巴不得攀上李为民,如果自己有李为民这层关系,为自己撑腰,就足可以与丁能通抗衡了。

钱学礼动用了自己最重要的关系,终于为李为民的女儿找到了一份满意的工作,到《汽车报》做记者,月薪七八千块,但是钱学礼并未用电话通知吴梦玲,而是利用回东州开会之机,想亲自向李为民表功,顺便再参丁能通一本。

"学礼呀,招商引资工作,驻京办确实有得天独厚的优势,你们接触人多,信息灵,又与国家部委办局有着千丝万缕的联系,用心做工作确实能拉到大外商。但是为了招商引资而引资的做法我不敢苟同啊,比如今年东州市定为开放年,要招一千个项目,招一千个项目的依据是什么?不问青红皂白招一千个项目,对环境有没有什么影响,需不需要做做调研评价,明明是污染环境的项目,为了完成外资额照签不误,还要求每位副市长今年至少要带团在国外呆上一个月,这是招商引资还是出国旅游。社会主义市场经济也搞了十几年了,我们有些领导头脑中一点科学发展观也没有,靠拍脑门子做决策,迟早要摔跟头。"

李为民侃侃而谈,钱学礼的心事根本不在这儿,他见缝插针地说:"李书记,宏观决策当然领导定,我们只做具体工作,不过,李书记的观点我非常赞同,绝不能把东州搞成国外污染企业的转移基地。"

"是呀,招商引资工作说到底是为了发展经济,但是必须树立科学发展的理念,面对科学发展观,你们驻京办的职能也应该改一改,不应该只关注领导的迎来送往,应该向公共服务功能转变,不是为官服务,而是为民服务。"

"李书记,您知道丁能通这个人一向好大喜功,在驻京办搞一言堂,我曾经多次提议为进京办事难的东州群众做点实事,可是他不感兴趣,非要搞什么五星级驻京办,最近跟一个女大学生搞得火热,弄得驻京办工作人员私下里议论纷纷,影响很不好。"钱学礼不失时机地说出了想说的话,觉得非常痛快。

李为民觑了钱学礼一眼,重新点了一根烟说:"学礼,我这个人喜欢较真儿,查无实据的事我可不喜欢听,你说丁能通与一个女大学生搞得火热,是什么意思? 是情人还是朋友? 如果是正常的男女关系,却被别有用心的人利用,我如果偏听偏信,会不会害了一个好同志?"李为民一向对钱学礼的印象不好,觉得这个人蝇营狗苟的,相反觉得丁能通是个想干事会干事的人。

钱学礼被反问得有些尴尬,支支吾吾地说:"李书记说的是。"

吴梦玲听见李为民说话一点也不给钱学礼面子,端着水果走过来打圆场说:"为民,学礼可是为了女儿的工作来的!"

"女儿的工作怎么了?"李为民眉头一拧问道。

"李书记,是这样的,嫂子说孩子快大学毕业了,想在北京找个工作,正好有个机会我帮着搭了个桥,工作单位是《汽车报》,当记者,女孩子当记者满合适的。"钱学礼一脸得意地说。

"月薪七八千块呢!"吴梦玲满意地补充道。

李为民听后脸一下子阴沉起来,吴梦玲一看李为民的脸阴沉起来,顿时心里紧张起来,因为每次亲属求到他,他的脸都是先阴沉起来。为了女儿,吴梦玲这次不打算让步。

"学礼呀,这件事让你费心了,但是我相信我女儿有能力自己找到工作,我看去《汽车报》当记者的事就算了。"李为民语气坚定,看得出他虽然很生气,但仍然控制着自己不发作。

吴梦玲不干了:"为民,凭什么不去,现在大学生找工作多难啊,学礼给女儿找了这么好的工作,你不好好谢人家,还当场拒绝,你的原则就这么重要,女儿不是你的亲女儿?!"

"梦玲,你冷静一点,我相信我女儿会理解我的。"

"我现在就给女儿打电话,看看女儿能不能理解你。"

说完,吴梦玲就去内屋打电话。

钱学礼见场面尴尬,只好起身说:"李书记,孩子工作的事是大事,还是和嫂子好好商量商量,我告辞了。"

钱学礼没想到邀功碰了一鼻子灰,尽管李为民送到楼下,钱学礼仍然觉得自己像吃了个苍蝇似的。

李为民回到屋里时,吴梦玲正在嘤嘤地哭泣:"刚才我和女儿通话,说了你的意思,女儿当时就急哭了,我看你怎么和女儿解释。"

李为民定了定神,坐到吴梦玲的身边说:"梦玲,你不想一想,我如果不是市委副书记,他钱学礼会为我女儿出头找这么好的工作?"

"市委书记怎么了?市委书记就不是人?我和女儿沾过你什么便宜?天底下有你这样的父亲吗?"

吴梦玲说完,嚎啕大哭起来,李为民无可奈何地抽着闷烟,无奈地将妻子紧紧地搂在怀里……

9、聚会

东州市第五届国际秧歌节就要开幕了,丁能通借机回了趟东州,因为陈富忠求他的事,他不是很有把握,必须当面和段玉芬了解一下实际情况。

早晨,古城东州在朝阳的辉映下抖闪着鲜绿醒来了,它舒展四肢,层层叠叠的建筑群与飘渺的云天相接,在天野之间画上了一个灰蓝色的巨大圆圈。

由于历史上的原因,在东州城,俄式的、日式的房子仍然到处可见。好些房子都有尖顶,穹隆门,更有不少大建筑,镶嵌进了这些圆顶的瓶状、罂状的小建筑作为装饰,这就使它具有一种东欧情调。由于国际秧歌节的缘故,市里许多街道两侧的房子都油刷一新,显得生机勃勃。

就在东州市第五届国际秧歌节隆重开幕之际发生了一件意想不到的事情,市委副书记李为民的家被盗了。一时间谣言四起,有人说小偷从李副书记家偷走了几十万,还有人说李副书记家丢了一部金书,这部金书页页都是纯金的。老百姓最喜欢做谣言的主人,他们宁愿信其有,也不愿意信其无。

然而，丁能通的老同学、刑警支队支队长石存山接到报警赶到李副书记家后，他惊呆了，他和干警们不敢相信这是李副书记的家。因为在这片普通的居民小区里，这套普通的三居室寻常得就和普通百姓家没有什么区别，只是布置得干净典雅，书房里挂着一幅李为民亲手写的条幅，正是郑板桥的《卧斋听竹》：

　　衙斋卧听萧萧竹，
　　疑是民间疾苦声。
　　些小吾曹州县令，
　　一树一叶总关情。

　　石存山早就听说市委一直动员李副书记搬到常委大院去，可李为民就是不肯，他说与老百姓在一起住惯了，搬走了舍不得他们。在这儿住能听到真话。石存山过去不信，今天他被彻底感动了。

　　老同学难得一聚，丁能通一到东州就张罗请客，他是想找个由头，好请段玉芬出来。晚上，丁能通和衣雪在"天天渔港"订了包房。石存山是第一个到的，老远就听到了他爽朗的笑声。

　　"能通，你小子还知道回家呀，该不会沾了天王老子的仙气忘本了吧？"

　　"存山，是该好好说说他了，再不说他就快成陈世美了。"衣雪半嗔半怪地数落道。

　　"衣雪，他要是真成了陈世美呀，你就去找市委李书记，那可是个活包公，一准儿铡了他。"

　　石存山说完，逗得众人哈哈大笑。

　　"对了，偷李书记家的小偷抓着了吗？现在可是谣言四起呀！"丁能通好奇地问道。

　　"能通，常言说得好，再狡猾的狐狸也斗不过好猎手。在我老石手里，没有抓不住的贼。你别说，连贼都佩服李书记的廉洁。"

　　"存山，快说说李书记家到底丢啥了？"衣雪迫不及待地问。

　　"我说了你们可能都不相信，一条红塔山，两千块钱。"

　　"我就信，李书记就是这样的人！"

段玉芬接着石存山的话把,袅袅婷婷地走了进来。石存山的脸上掠过一丝红晕,两只眼睛像狼一样放着光。

在大学,石存山是学法律的,当过校学生会的体育部长,现在他在校运动会上创下的百米纪录还没有人能破。由于都是学生会干部,接触得多,石存山与丁能通、段玉芬就成了好朋友。在大学石存山就追段玉芬,但是当时段玉芬一直暗恋着丁能通,根本没有把石存山放在眼里。毕业这么多年了,石存山与前妻离了婚,两个人有一个儿子,由于整天打打杀杀的,一直没再找。

丁能通和衣雪有意撮合石存山和段玉芬,段玉芬一直不表态,也不知道她心里是怎么想的,不过石存山是王八吃秤砣——铁了心要娶段玉芬,今天,四个人相聚,也是丁能通和衣雪有意为石存山创造机会。

饭菜上齐后,众人开始闲聊。石存山总想讨好段玉芬,丁能通也想找话茬儿说说陈富忠贷款的事,只有衣雪无心无肺地瞎侃。

"玉芬,我们班女同学中,事业上最出色的就属你了,你看我都快成煮饭婆了。"

"你是我们学校的红玫瑰,就是谢了也带刺,还怕能通不要你。"

段玉芬说话的声调不紧不慢,却甜腻可人,让石存山油然而生幸福感。

"玉芬,能通这小子我了解,十个猴都不换,你想北京城都玩得转,衣雪真得加小心。"

"存山,怎么说话呢?罚酒!"丁能通没好气地说。

两个人干了以后,借着酒劲,丁能通壮着胆儿说:"玉芬,现在像存山这样的好人不多了,这小子在大学时就惦记你,都老大不小了,别拖了!"

段玉芬听了这话沉思良久,幽幽地说道:"能通,我们的事还是让我们自己解决吧。"

说完,她拿起酒瓶亲自给大家满上,然后举起酒杯说:"存山,来,我们一起敬能通和衣雪一杯。"

石存山赶紧端起酒杯像接到圣旨一样郑重地说:"能通、衣雪,这些年,你们两口子没少为我们的事操心,多谢了!"

这是丁能通和衣雪第一次看见段玉芬将一杯白酒干了,因为段玉芬从来不喝酒。他俩会心地互看了一眼,两个人心里明白,段玉芬已经接受石存山了。

趁着段玉芬高兴，丁能通赶紧为陈富忠说情。

"玉芬，北都集团贷款的事能放就放吧，反正主管市长有批示，拖着不办得罪陈富忠事小，得罪贾朝轩可就犯不上了。"丁能通话音刚落，段玉芬的脸色一下子就阴沉起来。

"能通，陈富忠在咱们东州各家银行总共贷了七个亿了，一分钱也没还，用一座烂尾楼做抵押，都抵押三回了，还要抵押，你说，这款让我怎么贷？"

丁能通没想到北都集团的账会这么烂，更没想到段玉芬会一点情面也不给。他沉默良久支吾道："玉芬，少放点呗，这样大家都有台阶。"

"能通，我不能为了给大家台阶下而放弃原则，要知道三个亿可不是个小数目，这可都是老百姓的血汗钱。"

段玉芬一点也不松口，石存山见场面有点僵，赶紧打圆场说："能通，我觉得玉芬说得对，我劝你少管陈富忠的事，我看这家伙不地道。市里有几起血案都与他有关，省厅打黑办已经开始注意他了，你小子别惹麻烦！"

丁能通心想，好你个重色轻友的石存山，你们两个还真般配！

"好了，算我没说，来，喝酒！"丁能通脑子转得快，行则攻，不行则退，犯不上为陈富忠得罪段玉芬，不过陈富忠不是省油的灯，他若是拿不到这三个亿怎么可能善罢甘休？想到这儿，他不禁为段玉芬担心起来。

"玉芬，要不换换工作吧，陈富忠是个不择手段的人，我怕你……"

"怕什么，邪不压正！"段玉芬掷地有声地说。

看样子石存山也想劝两句，见段玉芬一身正气，只好憋了回去，打圆场地说："有钱人有什么好，还是知足者常乐。想当年，起义领袖陈胜吴广给人打工的时候，一开始倒也安分守己，任劳任怨的，一副知天达命、勤勤恳恳的样子。后来很快就不知足了。一会儿自比鸿鹄瞧不起燕雀，还放出'苟富贵，勿相忘'的大话；一会儿又要推翻皇帝，号令天下揭竿而起什么的。贪心不足蛇吞象，结果不到三十就死了。我看那个陈富忠，也是不知天高地厚，哪天把火玩大了准把自己烧死。"石存山的话不伦不类诙谐幽默，逗得众人哈哈大笑。

酒席很晚才散。

10、常委会

石存山开车送段玉芬走了,丁能通与衣雪难得在一起散散步,两个人手牵手沿着青年大街缓步而行。每到一个小广场便锣鼓喧天唢呐声声,大秧歌已经潜移默化地深入到了东州百姓的生活。大老婆,小媳妇,三弯九动十八态,一举手、一投足,风情万种,看的人心旌荡漾,意乱神迷。

"能通,在北京呆惯了,是不是感觉东州像个大堡子。"

"雪儿,你别看大秧歌土,但是土得有韵味,土得比臭豆腐的味还浓。"

"东州确实土得比臭豆腐的味还浓,浓得让人闻了受不了,真该换个地方活活。"

"雪儿,要不我想点办法把你调到北京,省得我整天打光棍儿。"

"北京有什么好,我看你在北京呆了两三年,变得一身京油子味儿。能通,为了孩子,我想送儿子出国留学。"

"去哪儿?"

"去加拿大,我们电视台好几个同事都把孩子送到加拿大读书了,你在北京见的世面大,求这方面的朋友想想办法呗!"丁能通没想到衣雪突然有了让孩子到国外念书的想法,一点思想准备都没有。

"雪儿,我觉得孩子在国内上完大学再去比较好,留学的事应该慎重。"

"不好,反正你得想办法早点把孩子办出去。"

"雪儿,你容我好好想一想。"

正所谓久别胜新婚,衣雪想男人想得不得了,但是丁能通太累了,似乎公粮不足,但是女人是用来哄的,哄女人也是丁能通的拿手好戏。

东州市第五届国际秧歌节破天荒地遭遇了滑铁卢,办秧歌节的宗旨是"秧歌搭台,经济唱戏",但是秧歌台搭得挺好,经济戏却没唱好,招商情况不理想,大项目寥寥无几,协议只签下几个亿人民币。

市委书记王元章心情很沉重,在市委常委会议室,肖鸿林一言不发,王元章一根接一根地抽烟,还是李为民打破了僵局。

"元章同志,我觉得这次常委会应该好好反思一下我们这几年在办秧歌节上的得失，不能再这样蛮干下去了。其实，这几年广大干部群众对办秧歌节的意见不少，可元章同志，你就是听不进去，以至于造成今天劳民伤财的被动局面。"李为民说话一向对事不对人，王元章习惯了，并不介意。

"我同意为民同志的意见，我们讲文化搭台，经济唱戏，什么是文化，一切经济行为的终点都是文化。但这样的文化是先进的，我们不能说秧歌节作为乡土文化是一种不健康，但是起码代表不了我们这个五十多年来发展起来的老工业基地。文化是高雅的，但是搞不好也会给我们设下陷阱，东州文化的魂是什么，值得深思，但绝对不是秧歌。"市人大主任赵国光情绪激动地说。

"我不同意国光同志的意见。"市政协主席张宏昌说，"我承认这届秧歌节办得不太成功，原因有很多，我看最主要的就是一些人瞧不起乡土文化，同志们，乡土文化是我们的骨髓呀！这几年我们通过举办秧歌节让全国甚至世界了解了东州、关注了东州，成就了许多大项目，更开掘了全市的旅游资源，应该说秧歌节对这几年东州的发展功不可没。"

"张主席的心情可以理解。"李为民平和地说道，"让我说，靠秧歌是振兴不了老工业基地的，我们这些年名堂搞了不少，什么项目年，工业年，结构调整年，还有绿化年，今年又搞了个开放年，其实都是计划经济的思想和扭曲的政绩观在作怪。我认为市委该做好市委该做的事，政府该做好政府该做的事，尊重市场规律，实事求是，经济这台戏没有秧歌一样唱。"

李为民是个务实的人，当年省委下派李为民到东州做副市长，没想到东州人大代表欺生，对空降干部特别反感，结果在人代会上仅一票之差，输给了贾朝轩，为此，市委书记王元章和市人大主任赵国光都向省委做了检讨。省委考虑到李为民的能力和东州市的具体情况，委任李为民做了东州市委副书记。李为民本着实事求是的精神真抓实干，终于赢得了东州干部群众的信任。

因为王元章非常了解李为民的为人，知道他一切出于公心，从不工于心计，尽管李为民言辞较重，但语重心长。

贾朝轩特意从北京赶回来参加这次常委会，但是他一言未发。贾朝轩与李为民最大的区别就是，一个是在做官，一个是在做人。

贾朝轩是很讲究官道的，他从《资治通鉴》和《反经》等书中，早就总结了做官六法,就是大官小做,小官大做,闲官忙做,忙官闲做,虚官实做,实官虚做。

像今天的场面,贾朝轩早就看出来肖鸿林有意推波助澜倒戈秧歌节,只是一直在等时机,一旦肖鸿林发言,贾朝轩必须权衡利弊表个态。

其实,王元章是个敢作敢当的人,一向襟怀坦荡,年前在省里开会时,省委书记林白和他谈过话了,明年年底省里换届要他准备到省人大任副职,他不想在即将离开市委书记位置时,引起什么轩然大波。

"同志们,"王元章终于开口了,"大家的意见很中肯,特别是为民同志和国光同志的意见对我触动很大,我同意他们的意见,接受批评,愿意对这次国际秧歌节的失误负责。但是文化搭台,经济唱戏没有错,我希望大家能探索出一条新的思路,提升东州市的城市功能,提高东州市的城市品位。"

肖鸿林没想到王元章有勇气自我批评,他认为老搭档是在给自己台阶,于是借机将申办世界花卉艺术博览会的想法和盘托出,立即引起与会代表的热烈响应。实际上大家骨子里都反对办秧歌节,包括市政协主席张宏昌,但是官场上许多事情由不得自己的意愿来,必须由政治利益来决定。

贾朝轩觉得时机到了,他点上一支软包中华烟,深吸一口说:"很显然,'花博会'一旦申办成功必将给东州带来巨大的国际影响和综合效益,特别是像东州市这样的老工业基地可以通过举办'花博会',探索一条工业和绿化园艺相结合的可持续发展道路。我建议,将这件事作为重点工程,由肖市长亲自抓。"

"不,"肖鸿林口气坚决地说,"朝轩同志在北京学习,做国家有关部门的工作方便,又是主管副市长,我看这件事的申报准备工作就由朝轩同志来抓吧。朝轩,多让驻京办跑跑腿,丁能通还是能干点事的。"

贾朝轩没有想到肖鸿林把最难啃的骨头扔给了自己,因为申办成功了,功劳也不是自己的,如果申办失败了责任只能由自己承担。何况许多国家的优秀城市都在争办花博会,即便是国内的城市,南方的任何一个城市拉出来都比东州申办强,贾朝轩一时没表态。

"好啊,朝轩同志抓这件事很合适,我看就这么定了。这件事要充分发挥驻京办的作用,朝轩,丁能通正好归你管,这家伙在疏通关系上,是一把好手啊。"王元章肯定地说。

散会以后，肖鸿林让郑卫国通知丁能通到办公室来一趟。丁能通要回北京，正在机场办手续，接到郑卫国的电话后，只好从东州机场直接赶到了市政府。

"能通，申办'花博会'可以启动了，刚刚开完常委会。你知道这件事的重要性吗？"肖鸿林的目光霍地一跳，迅速闪了丁能通一眼。

"老板，我心里明白，这几年您让秧歌节闹得心里很苦，正可借'花博会'扬眉吐气了。"

丁能通故意不往点儿上说，官场上最忌讳凡事比领导高，领导拍拍你的肩膀叫平易近人，你若拍拍领导的肩膀叫犯上作乱；领导问问你们家的情况，叫嘘寒问暖，你若随便打听领导家里的情况，叫居心叵测。

"幼稚！"肖鸿林点了一支烟，走到窗前，望了一眼市府广场感慨地说，"能通，明年省里就要换届了。"

丁能通一下子就明白了，外界一直传说省委书记林白要调到北京，由现任省长赵长征担任省委书记，据说，王元章和肖鸿林都是继任省长的候选人，看来肖鸿林已经开始惦记这个位置了。

"老板，其实申办花博会也是一招险棋。"

"这话怎么讲？"

"老板，东州毕竟是个内陆城市，市容粗砺，比不得四季如春的南方。据我所知，花博会在许多国家的城市举办过，但都有一个共同的特点，气候条件湿润温婉，适宜花卉生长啊！"丁能通不无担心地说。

"在东州举办花博会确实是有很多不利因素，正因为如此，一旦成功才有轰动效应，我就是要将不利因素变成有利因素，地理位置固不可变，但可变化的空间是人的匠心。申办的事，我已经交给贾朝轩了，这段时间你全力配合他，不过别忘了我在北京跟你说过的话。"

一想起肖鸿林在北京跟自己说的话，丁能通就觉得自己正处在是非窝里，心情一下子灰暗起来，但脸上又不能表现出来，只是暗下决心以不变应万变。

丁能通与贾朝轩坐同一驾飞机回的北京，上飞机前，丁能通通知黄梦然开车来接他和贾朝轩；下飞机后，丁能通让黄梦然打车回驻京办，自己亲自开车送贾朝轩回党校。

在车上，贾朝轩说："眼下，你先考虑怎么才能申办下来花博会，在东州办花博会就好比让男人生孩子一样，难呀！"贾朝轩说完掏出软包中华烟，点上一支深吸了一口。

"贾市长，不难怎么显出英雄本色？"丁能通赔着笑恭维说，"充分利用你在党校的同学，这可是你最大的财富啊。"

"这话不假，我还真有同学在国家贸促会和商务部工作。"

"贾市长，要取得行业主管部门及审批部门的支持，这事就成一半了。"

"是啊，这回我们出国观光可有由头了。上届是在韩国首尔举办的吧，我们第一站就到那儿。正好我在党校学习快毕业了，你倒出空陪我和你大嫂走一趟。"

11、留言

回到驻京办，丁能通打开电脑，想看看有没有金冉冉的留言。不看则已，一看让他惊呆了。原来金冉冉像写她的情人刚那样，将自己与他在凯宾斯基发生的事也写在了心情留言上了。

凯宾斯基十七层的落地窗是通哥选择这儿的原因。亮马河太漂亮了，特别是在夜晚霓虹灯的映照下，让人觉得有些眩晕，我不知道这是暧昧，还是浪漫？总之，我对他的好奇和新鲜夹杂着些许刺激。自从刚伤害我以后，我是不相信男人的，更不相信有什么柳下惠！起初对通哥的蔑视源自对刚的报复心理，在凯宾斯基那一晚让我为自己的灰暗而羞愧，自责来自心底，却不知向谁道歉？是通哥？还是自己？北京城里有多少人在平静中享受着偶然的新鲜，我却因为羞愧而痛苦，是错误？还是需要？我也不清楚，但有一点是肯定的，我被他折服了，因为我那渺小的带着善良光环的好奇心在讥笑我的无知，感谢上帝，让我在这个世界上遇到了一个正人君子，我的哥哥！

丁能通对金冉冉的做法又好气又好笑，但是他最担心的是万一被别人发现这里的通哥就是丁能通，就糟了。这种事情是跳进黄河也洗不清的,谁能相信自己是为了救一个轻生的女孩而强忍欲火扮演了一回当代柳下惠呢。这简直是天方夜谭,一个无法让人接受的事实。

丁能通哭笑不得地拨通了金冉冉的手机,晚上约她一起吃饭。金冉冉忙于毕业论文,很长时间没与丁能通见面了,听到他的声音异常兴奋,两个人说好吃鱼。

丁能通开车去燕山大学的路上一直在想,金冉冉太不成熟了,还有点自作多情,但是面对这个在感情生命线上挣扎的女孩自己又不能不伸手帮她一把,如果自己现在冷落她,金冉冉一定会产生逆反心理,但是走得太近又怕她不注意影响,给自己惹来非议,甚至毁了自己的前程,钱学礼一直想利用女人搞自己的名堂,不能不防,怎么办?

实际上丁能通不喜欢女孩,特别是像金冉冉这种不成熟的女孩,他喜欢女人,果子成熟了才好吃。

想着想着,丁能通的脑海中一下子闪过钱学礼的肉脸,丁能通做贼似的不自觉地往后视镜看了一眼,这一看让他大吃一惊,果然有一辆奥迪车远远地跟着自己,他越看越像办事处的车。

丁能通加快了车速,心想,不管后面的车是不是办事处的,都要甩掉它。

可是,正值下班高峰期,本来就拥堵的交通,更是水泄不通,北京的交通是最让人头疼的,丁能通越着急,路堵得就越厉害。好不容易冲上立交桥,却发现后面的奥迪车拐进了一条小路,丁能通这才松了一口气。心想,看来是自己在吓唬自己,虚惊一场!

丁能通将车停在燕山大学附近的德莫利鲜鱼馆门前等金冉冉,不一会儿,金冉冉身穿粉色吊带纱裙,袅袅婷婷地走了过来。

丁能通赶紧下了车。

"冉冉,毕业论文还没写完?"

"没有,老师要求太严了,两遍都没过关。"

"都累瘦了,好好补补吧。"

"可不,天天吃学校的饭,我都馋死了,我要吃鲶鱼炖茄子。"

"好啊,今儿让你吃个够。"

两个人走进德莫利鲜鱼馆,找了个靠窗的位置坐下,菜很快就上齐了,金冉冉却不吃,只是凝视着丁能通,眼神中充满了困惑和疑虑,安静得像一滴水。

丁能通被看得发毛,问:"怎么了?"

"哥,你今天不太对劲儿!"

金冉冉话一出口,丁能通就紧张起来,他本来想等吃完这顿饭,好好教训一顿金冉冉,向她说明官场上的利害,如果她不听就决定不再与金冉冉交往,或许这是自己与金冉冉吃的最后一顿晚餐,然后一刀两断,但是他望了一眼金冉冉单纯的目光又有些于心不忍。

"冉冉,"丁能通一脸严肃地说,"我是你大哥,不是你的刚,不需要你在网上展示,我可不想成为你日记中的角色,你这样做会害了我的!"

金冉冉望着一脸肃容的丁能通,白里透红的脸蛋细嫩得像是刚刚出水的荷花,眼眶中却闪出了委屈的泪珠。

"这件事对你很重要吗?"金冉冉怯生生地问。

"不是很重要,是很严重!"丁能通激动地拍了一下桌子说,"冉冉,看来你不需要什么大哥,咱们认识纯属误会。我没想到你这么不懂事,一点也不懂得保护自己,将来走上社会怎么能让人放心! 依我看从今以后,你走你的阳关道,我走我的独木桥,这样对咱们俩都有好处。"

"只对你有好处!"金冉冉泪眼盈盈地嗔道。

丁能通默然不语,他心里很矛盾,其实,他并不想把事情做绝,因为刚认的这个妹妹不同凡响,他甚至从金冉冉特立独行的性格中看出了自己当年上大学时的影子。再加上金冉冉的身世很苦,与自己的身世同病相怜,有这样一个妹妹丁能通是巴不得的,丁能通从小丧父,根本就没有什么兄弟姐妹。想到这儿,他夹了一口鱼放进了嘴里,香嫩可口,他觑了一眼楚楚可人的金冉冉,心一下子软了。

"好了,冉冉,你根本不知道社会有多复杂,人心有多险恶!"

"哥,我错了,以后我再也不在网上乱写了,还不行吗?"金冉冉抹了抹泪花柔声道。

"好了,这事就算过去了,回去把网上的东西删掉,以后写什么都行,就是不能写我们之间的事,你哥我是官场上的人,你应该学会保护我。"

丁能通一脸肃然地说着,心里却很高兴,心想,冉冉虽然涉世不深,还是懂事的,有个妹妹真好。

"哥,人家都快毕业了,还没找到工作呢,要不让我去你的驻京办成吗?"

丁能通没想到金冉冉会提出这么个要求,他快速思索一会儿,迅速权衡了如果金冉冉到驻京办对自己的利弊,觉得这件事可以考虑,但必须摸清钱学礼的脉象,别让这家伙拿这件事做了文章。他猛然想起刚才来的路上那辆跟踪自己的奥迪车,激灵一噤,心想,何不以其人之道还治其人之身?

"冉冉,这件事容我再想想,反正离毕业还有些日子呢,哥会考虑你的工作去向的。"

金冉冉满面柔情地夹起一块鱼喂到丁能通的嘴里。

12、竞争

市政府常务会开了两次,大家众说纷纭一直确定不了花博会的选址。集中的意见有两种,一是建在绿树成阴的省级森林公园草河口风景区,这里由金桥区管辖;二是建在碧波荡漾的琼水湖畔。琼水湖是位于西塘区的一个大水库,是东州市四百五十万市民的饮用水。

应该说两个地点承办花博会都很理想,正因为如此,金桥区区长张铁男和西塘区区长何振东一大早就在肖鸿林的办公室争执起来。 41

"老何,我倒觉得花博会选址在琼水湖畔不合适,谁都知道市政府办花博会是要带动一方经济,特别是花博园周围的地价会翻几倍,到时候房地产首当其冲,琼水湖是东州市民的饮用水,一旦污染了后果不堪设想。"

"铁男,我倒觉得花博园选址在草河口风景区更不合适,那里是省级森林公园,封山育林的重地,一旦在那里大兴土木,不知要毁多少山林、破坏多少树木,那可是咱东州惟——一片森林。"

"何区长多虑了,我认为花博园建在草河口风景区,不仅不会破坏山林,而且会锦上添花。"

"张区长也过于费心了,花博园建在琼水湖畔不仅不会污染水源,还会涵养水源,正好是一举两得。"

双方是公说公有理,婆说婆有理,争得脖子粗脸红。肖鸿林被两个人吵得心烦意乱,因为花博会能不能申办下来肖鸿林心里并没有底,即便申办下来了,资金怎么解决也是个未知数。

"好了好了,别争了,看看你们两个,哪里还像个国家干部,简直是村长水平。眼下申办花博会的事情八字还没一撇呢,全市干部群众应该上下同心,全力申办,一旦申办成功,无论选址在哪儿,各个区都会受益,这么简单的道理都整不明白?"

正说着,秘书郑卫国走了进来。

"肖市长,省委林书记的内线电话。"

张铁男、何振东赶紧躲进小会议室回避。

肖鸿林走进郑卫国的办公室,拿起内线电话。

"林书记,我是肖鸿林。"

"鸿林同志,怎么搞的,一大早金桥区草河口的上百名农民就到省委上访,反对在草河口搞花博园,说你们要征几百亩地搞花博园。搞花博园是好事,但是不能伤害农民群众的利益。"很显然林白的口气很严厉。

"林书记,申办花博会仅仅是一个意向,八字还没一撇呢。选址还没纳入议程,草河口的农民是误听了谣言,我这就派他们区长去领人。"

肖鸿林听到这个消息,心里的火快顶到脑门子了。

"不用了,正好为民同志到省委办事,我顺便让他把人劝回去了。鸿林同志,抽空你和元章来一趟,我要专门听取你们关于申办花博会的汇报。"

肖鸿林预感到省委书记林白对东州市申办花博会未向省委汇报有看法,再加上草河口的老百姓提前给东州上了眼药,搞得市委市政府很被动。放下电话后,他怒气冲冲地走进小会议室,金桥区区长张铁男扒门缝儿听得一清二楚,早就惊得面如土灰了。

丁能通在北京就听说了肖鸿林大骂金桥区区长张铁男的事,驻京办是个中转站,什么消息都会在这里汇集,他预感到一旦花博会申办成功,各方诸侯都会为这块肥肉争得头破血流,驻京办也应该利用这次机会将北京花园运作下来。想到这儿,他脑海中闪过陈富忠和段玉芬,真不知道段玉芬是如何对付陈富忠和贾朝轩的。

13、子弹

市公安局是一座有着欧式风格的洋楼,矗立在解放路一片法国梧桐环绕的院子里,这些根深叶茂的法国梧桐不知是什么年代种下的,硕大的树冠掩映了这座欧式洋楼,高过树冠的楼顶上,巨大的警徽在太阳的照耀下闪着金光,森严的大院门口两名武警战士戎装威武,更增加了几分令人敬畏的神秘。

这里是东州市惟一种有梧桐树的地方,这些梧桐树在玻璃幕墙和钢筋水泥构筑的一片片高楼大厦面前就像一个个锁进了岁月保险箱的雍容华贵的少妇,让人感觉出这里的威严中透出的亲和。

东州市副市长邓大海因为兼任市公安局局长,所以很少坐在市政府大楼的办公室里办公,他几乎常年在市公安局的办公室里办公。

早晨,邓大海刚刚走进自己的办公室,发现办公室的办公桌上专门为副市级领导配备的红色内线电话响个不停,他以为是哪位市领导找自己有事,连忙拿起电话,打来电话的是市委副书记李为民的秘书小唐。

"您好!邓市长,出了一件大事,不得不向您汇报!"

"别着急,小唐,慢慢说,什么事?"

邓大海心中也激灵一下,他马上想到了李为民的安全。李为民是邓大海最钦佩的人,虽然是典型的知识分子,却和自己这个行武出身的人一个脾气,从不向恶势力低头,做人不卑不亢,做官一身正气,由于敢于碰硬,得罪了不少人。邓大海多次提醒李为民要注意个人安全,还特意为李为民安排了一位身手不凡的转业武警战士当司机,尽管如此,邓大海仍然不放心李为民的安全,因为李为民是个嫉恶如仇的人,这年头挡了谁的财路、官路都可能引火烧身。

"邓市长,我早晨整理群众来信时,发现有一封信很特殊,里面有硬邦邦的东西,打开一看是一颗子弹。"小唐的语气很紧张,好像嘴唇在发抖,看来他十分担心李为民的安全。

"小唐,看来你收到了一封恐吓信,信上怎么写的?"邓大海听到"子弹"二字,心头一紧,多年的办案经验告诉他,歹徒一定是冲着李为民来的。

"邓市长,恐吓信很简单,就一句话,'李为民,少管闲事,否则,小心你女儿的小命!'"

邓大海听后觉得事态严重,没想到对手要对李为民的女儿下手,这可是比对李为民下手都要歹毒。

"小唐，为民同志知道吗？"

"我怕他担心女儿，还没有告诉他，他正在王书记办公室，一会儿就能回来。"

"好，小唐，我马上过去，你让李书记等我！"

邓大海放下电话给刑警支队支队长石存山打了手机，命令他与自己分头赶往市委。

邓大海和石存山前脚走进李为民的办公室，李为民后脚就跟了进来。

"哟，大海，存山，你们不去抓贼，到我这儿来干什么？"说完，李为民掏出自己的"红塔山"每人发了一支。

"为民同志，有一件很严重的事情，你必须配合。"邓大海严肃地说。

"大海，听你的口气像在审犯人！"李为民开玩笑地说。

邓大海示意小唐把恐吓信给李为民看，小唐把带有子弹的恐吓信递给李为民。李为民看后眉头一下子紧锁了起来，他坐在沙发上，手里紧紧握着那颗明晃晃的子弹，看得出来这位有着铮铮铁骨的市委副书记，正在为自己心爱的女儿担心。

"为民同志，你好好想一想，最近触动了什么人的利益？"邓大海直指要害。

李为民思索了一会儿说："大海同志，以前我也接到过恐吓信，那都是对我本人的，这次我没想到他们竟然要将黑手伸向我的女儿！这封信一定与我最近清理全市烂尾楼有关，许多房地产公司靠贷款起家，而且不少公司用烂尾楼重复抵押，老百姓的血汗钱就这样白白蒸发了。"

"为民，能不能将这些房地产公司的名单给我？"

小唐将房地产公司名单递给邓大海。

"存山，"邓大海用命令的口气说，"排查，一定要抓住写恐吓信的黑手，另外迅速与北京市公安局取得联系，通报一下情况，让他们通知学校保卫处密切注意孩子的安全。为民，你给孩子打个电话，告诉她千万不要单独离开校园，最近一段时间，最好不要单独行动。"

石存山插嘴说："我通知一下驻京办，让丁能通也关照一下孩子。"

"大海，我求你们一件事，恐吓信的事千万不要扩大，更不能让梦玲知道，否则她会吃不下睡不着的，整日为孩子担心，梦玲要是急病了，我可连饭都吃不上了。"

"放心吧,为民,我用人民警察的荣誉向你保证,我决不能让坏人的阴谋得逞。我敢断定,这种事绝不是个别歹徒的行为,背后一定是有组织的犯罪集团。我多次在市政府常务会上提出对我市带有黑社会性质的犯罪苗头要早认识,鸿林同志认为我草木皆兵,怕对东州市的经济发展不利,甚至连办案经费也挪用,我真担心我们的工作走进'硬物质,软精神'的误区,长此以往,会为滋生黑社会犯罪的土壤创造条件。公安部一位领导曾经用一个三角形比喻当前带有黑社会性质的有组织的犯罪形势,他说,三角形底线是黑社会团伙,左面的斜线是用暴力在商海中获得的资本,右面的斜线是在政治上的保护伞,一根底线靠着两根斜线支撑,向上发展到顶端,就成为一股可以左右商海和官场的可怕的黑社会势力。形势是严峻的,为民同志,我希望你在市委常委会上呼吁一下,一定要高度重视打黑工作,否则会给东州改革开放和经济建设造成严重的危害。"

邓大海显然有些激动,因为这些话他不止一次地与肖鸿林说过,这位一心扑在经济工作上的市长,置若罔闻,甚至在邓大海顶撞了自己后,还有些逆反,邓大海越来越觉得肖鸿林独断专行,难以共事。

李为民非常理解邓大海的心情,他真诚地说:"大海,存山,谢谢你们为保全市平安做出的贡献,我个人的安危是小事,保卫东州改革开放和经济发展的成果、保卫东州人民的生命财产安全才是大事。"

邓大海起身告辞:"为民,恐吓信的事必须马上查,你要多注意安全。存山,我们走。"

李为民一直将邓大海和石存山送到楼下,望着两辆车远去了,李为民深深陷入了沉思。

14、相 约

这几天段玉芬老觉得有人在跟踪她,起初并没有太在意,后来她发现总有陌生人在她家附近闲逛,段玉芬有些害怕了,她想让石存山陪陪她,看看是不是自己太紧张了。

段玉芬自从与石存山确立关系后,两个人忙得很少压马路,段玉芬在电话里就埋怨过石存山:"怪不得你老婆和你离婚,嫁给你就跟守活寡一样。"好在段玉芬也是个事业型的人,两个人每天晚上都争取通通电话,慢慢地段玉芬理解了石存山,觉得石存山是个值得托付的男人,段玉芬的心里对石存山越来越喜欢,也越来越依恋。石存山也感到了段玉芬对自己动了真情,幸福得跟二傻子似的。

傍晚,两个人约好一起吃饭,石存山却晚了半个小时才到,这几天为了查清恐吓李为民书记的犯罪组织,石存山几乎到了废寝忘食的地步,他坐在段玉芬面前一脸的憨气不停地赔礼道歉。段玉芬嘴上埋怨,但心里并不真生气,两个人难得这么有情调,段玉芬要了一瓶法国红酒,石存山为了表示真心,连干三杯,一瓶法国红酒剩了个瓶底儿。

"存山,法国红酒是用来品的,不是用来饮的。"段玉芬娇嗔地说。

石存山凝视着段玉芬冰清玉洁的样子,内心充满了躁动。别看段玉芬三十多岁了,风韵却是由里及外地动人心魄,其实石存山很久没有欲望了,自从离婚以后,他的欲望就是工作,现在他不仅萌生了欲望,还迸发出了激情,他知道这是爱情的力量,眼前这份爱情来之不易,他惟恐再丢了。

"玉芬,我会用我的生命来爱你!"石存山恨不得把心掏给段玉芬看。

"存山,我从你身上体会到了一份塌实的爱,这份爱是朴素的,但也是沉甸甸的,我喜欢,我只希望和你手挽手肩并肩地融入生活。"段玉芬动情地说。

"玉芬,谢谢你对我的信任,我感激你对我爱的信任和理解。"石存山激动地说。

"存山,有件事我一直想跟你说,这些天我总觉得有人在跟踪我,我心里好紧张!"

"有这种事? 没事,这几天我派人注意一下,别紧张,有我呢!"

石存山脑海中一下子闪过恐吓李为民的那颗子弹,他不禁为段玉芬担起心来。就在这时石存山的手机响了,他接完电话一脸的抱歉。

"怎么了?"段玉芬温声问道。

"玉芬,连顿饭都吃不安生,指挥中心来电话,突发了一起绑架案,让我马上赶过去!"

"去吧!"段玉芬理解地说。

"玉芬,那你怎么办?"

"我一会儿去刘可心家吧,反正她也是个女光棍。"段玉芬笑着说。

"那你注意安全!"石存山说完,恋恋不舍地走了。

段玉芬自己又坐了一会儿,给刘可心打了电话,约她出来一起去酒吧坐坐,刘可心答应后,段玉芬结了账缓步走出酒店。晚风习习,她觉得很惬意,上了本田车,向酒吧一条街驶去,却不知道一辆黑色的奔驰尾随她而去。

15、赴宴

上午,东州市副市长袁锡藩到京,直接通知钱学礼接机,钱学礼与首都机场贵宾室经理于欣欣联系后,于欣欣打电话告诉了黄梦然,黄梦然感到袁锡藩进京过于神秘,便告诉了丁能通。

丁能通早就知道钱学礼与袁锡藩交往甚密,但以前进京都是秘书通知接待处,由接待处接机,大多都是钱学礼亲自去接,偶然丁能通也去接一下。但这一次,直接通知钱副主任,而且,钱学礼未与任何人打招呼,不能不引起丁能通的警觉,要知道钱学礼想当驻京办一把手之心至今未死。

下午,丁能通意外地接到了周永年的电话,邀请他吃晚饭,丁能通受宠若惊,很痛快地答应了。

放下电话,丁能通心里琢磨了半天,一直想请周永年吃饭,今天却送上门来了,一定有事求我,会是什么事情呢？

丁能通百思不得其解,他索性不再去想,选了好几身衣服都不太满意,照了照镜子,觉得身上穿的这身衣服最合适,竟情不自禁地笑了。丁能通觉得,不管周永年求自己办什么事,只要办了,这个高枝就算攀上了。

酒店订在了贵宾楼,丁能通西装革履地走进包房时,周永年和刘凤云两口子笑脸相迎,十分热情。

大家寒暄后落座,服务员开始走菜,菜上齐后,居然每人上了一份蟹黄翅。酒过三巡菜过五味后,丁能通开始打探消息。

"周大哥,我们省明年换届,不知王元章和肖鸿林谁有机会接任省长？"

周永年一眼就看穿了丁能通的心思,但他是个组织原则性很强的人,由于有事相求,不好驳了丁能通的面子,只好说了句模棱两可的话。

"两个人都有可能,又都没有可能。"

"周大哥,你这话太让人费解了！"

"我的意思是说,还有一年多的时间,什么事情都有可能发生。"

"能发生什么事?除非中央空降一位。"

周永年听后哈哈大笑起来。

刘凤云一直沉默不语,微笑着看着丈夫与丁能通对话,见丁能通有些失望,给丁能通斟了一杯五粮液。

"周大哥、刘大姐,今天请老弟吃饭一定有什么事吧?"丁能通开门见山地问。

"能通,我和你大哥真有一件重要的事想求你。"

丁能通竖起耳朵,目光霍地一跳说:"大姐尽管说,只要老弟能办的,一定办好!"

"我和你大哥有两个儿子,老大生出来就是个痴呆儿,十三四岁了,智力只相当于三四岁的孩子;老二聪明可爱,今年五岁了,我们俩为了这两个孩子操碎了心。你大哥父母过世得早,我在东州只有个老父亲,老人指望不上,这些年,我俩只好雇保姆,可是始终没有太可心的,不是素质太低,就是好吃懒做,有的背着我们俩还虐待老大。还有的偷东西,我和你大哥为保姆的事伤透了脑筋。今儿我就是想请你帮我们物色一位好保姆,素质高一点,最好是大专生什么的,你知道现在大学毕业生找工作都很困难,人品好一些,我们可以给高一点工资。如果干得好,能融到我们家里来,过几年我和你大哥或许能为她找个好归宿。"刘凤云一口气说完,充满期待地看着丁能通。

"我当是什么事呢,周大哥,刘大姐,这件事包在我身上了,一个月内保证搞定。"丁能通如释重负地说。

周永年和刘凤云听了都露出喜悦的神情。

丁能通开着奔驰驶过长安街,晚上十点多了,天安门广场上仍然有许多游客流连,他透过车窗望了一眼悬挂在天安门城楼上的毛主席像。

丁能通刚把车开到驻京办,手机响了,驻京办的院子里安静极了,只有十几栋营房门前的灯昏黄地亮着,丁能通稳了稳心神,看了看屏幕上的来电显示,是衣雪,他如释重负地松了口气。

"喂,雪儿,啥事?"丁能通温柔地问道,语气就像刚洗过澡很惬意地躺在沙发上看电视。

"能通,你在哪儿呢?"衣雪的口气像是有些恐惧。

"我在办事处呢,孩子睡了?"

"睡了,能通,玉芬好像出事了!"

"什么?什么?你说什么?"

"玉芬好像出事了!"

"出什么事了?"

"都说她和办公室主任携款潜逃了。"

"扯淡!别人不了解玉芬,你还不了解玉芬吗?她根本不是那种人!"

"反正玉芬失踪了,有说逃到美国的,有说逃到加拿大的,不知为什么,我总有一种不祥的预感。"

"石存山怎么说?"

"他那么忙,我一直也没联系上他,你抽空给石存山打个电话吧。"

挂了衣雪的电话,丁能通呆呆地站在驻京办的院子里良久,脑子里不时闪过陈富忠胖乎乎的脸。

玉芬的失踪会不会与陈富忠有关?

丁能通反复在心中重复这一句话,他情不自禁地拨了石存山的手机,居然关机,又往家里拨了电话,没有人接。丁能通茫然了,他点上一支烟,未抽几口就扔在了地上,又重重地碾了一脚。丁能通回到八栋六号房,没洗漱就躺下了,他却辗转反侧,怎么也睡不着,直到天快亮时,才沉沉地睡去。

16、讨教

丁能通上午十点钟才起床,在食堂吃饭时白丽娜告诉他市委副书记李为民来了,丁能通急才问:"怎么没人通知我?"

白丽娜嫣然一笑说:"丁主任,你还不了解李书记,什么时候不是悄悄地来,悄悄地走,从不给我们添麻烦。"

丁能通心里最清楚,东州市委市政府虽然在北京设立了驻京办事处,但是由于条件有限,档次不够,许多副市级以上领导很少有人住在驻京办,大多是由驻京办预定好五星级酒店,然后去机场接送。只有市委书记王元章、副书记李为民和副市长邓大海是例外,他们每次来都住驻京办,而且从不在首都机场贵宾室停留,更不允许将车停在飞机底下摆阔。

"李书记现在在哪儿?"丁能通草草吃了几口饭问。

"听说是中组部在中央党校有个会,去开会了。"白丽娜妩媚地说。

丁能通刚要给李为民的秘书打手机,手机却响了。他看了看来电显示,竟然是贾朝轩。

"你好,贾市长!"丁能通赶紧接听电话。

"能通,李为民来了,晚上在驻京办好好安排一桌饭,我要和李书记叙叙旧。"

"放心吧,贾市长,我一定安排好。"

丁能通挂断手机心想,有意思,李为民和贾朝轩在东州官场上是公认的一对冤家,他俩坐在一起吃饭一定很有戏。不过石存山来电话让自己多关心一下李书记女儿的安全,问他到底怎么回事也不细说,由于太忙,自己竟然没当回事,李书记这一来,丁能通心里觉得很愧疚。

"丽娜,你好好准备一下,晚上贾市长在驻京办请李书记吃饭。"

"头儿,贾市长从来不在咱驻京办吃饭,今儿怎么了?"

"这还不明白,贾市长要是在五星级酒店请李书记吃饭,李书记能去吗?"

"头儿,李书记是不是太不近人情了?"

白丽娜无法理解李副书记的"慎独",在她眼里,李为民是个个性极强的怪物,只讲原则,不讲人情,没情趣,没意思。

自从白丽娜上次在昆仑饭店陪过肖鸿林之后,丁能通发现这个漂亮女人变化很大,好像底气也足了,气韵更有味道了,浑身散发着诱人的幽香,好像能融化掉任何成功男人。

下午下了一场小雨,北京城像被洗了一遍,清爽了许多。傍晚,夕阳挂在电视塔尖上,天空一片昏红,一只鹰状的风筝在空中盘旋着,给人一种休闲的感觉。

丁能通和白丽娜下午四点钟就站在驻京办门前等候,等了一个多小时,才看见黄梦然开着奔驰缓缓驶进驻京办大门,丁能通和白丽娜赶紧上前开车门,一边下来的是贾朝轩,另一边下来的是李为民。

"丽娜,今儿准备得怎么样? 要把你们驻京办酒店的拿手菜都上来,我要和李书记享享口福。"

"白经理,别听贾市长的,越简单越好!"李为民温和地说。

"贾市长、李书记,到了办事处就到了家里,在家里吃饭当然是家常便饭了,不过,二位领导都是不常回家的人,当然要丰盛一点了。"

白丽娜的话甜滋滋的,说到了贾朝轩的心里,贾朝轩摸着光秃秃的脑袋,很欣赏地说:"能通,丽娜越来越干练了,说起话来滴水不漏。"

丁能通谦恭地笑了笑,然后把两位领导让进了包房,包房内布置得典雅明亮,墙上挂着两幅喷绘画,正是草河口森林公园风景和琼水湖畔风光,两幅画一下子让人有一种身处东州的感觉。

今天掌勺的大师傅不是驻京办自己的厨师,丁能通接到贾朝轩的电话后,就给北京花园总经理田伯涛打了电话,跟他们借一位大厨,丁能通怕北京花园糊弄自己,亲自开车去北京花园选了一位。所以,今天晚上的菜全是五星级水平。

很显然,今晚的菜让李为民有些不悦,他平时很少吃请,即使必须宴请的贵宾,李为民也很节俭,今天确实让李为民重新认识了驻京办。

东州市无人不晓得李为民罢宴的故事。那是李为民到任东州后参加的第一个"两会",上午大会开幕式后,中午人大代表和政协委员到东州宾馆就餐,当秘书小唐陪着李为民走进宴会大厅时,李为民穿过摆满了美酒佳肴的不下百桌的酒宴大厅,来到常委席,但他没有就座,而是走到大厅的一个角落,要满脸堆笑跟过来的市人大办公厅主任在这里另摆一桌,他要和小唐一起吃工作餐。四大班子领导被李为民搞得很尴尬,市人大办公厅主任更是一脸的无奈,但李为民坚持要吃工作餐,四大班子领导在李为民的带动下,谁也不好意思再吃酒席,纷纷要求吃工作餐。

从那开始,市人大主任赵国光和市政协主席张宏昌发出倡议,今后东州市每年的"两会"无论是领导还是人大代表、政协委员,一律吃工作餐。

事后,市委书记王元章专门为李为民罢宴召开了市委常委会。王元章在会上说:"我为李为民同志的罢宴叫好!为民同志罢宴是需要政治勇气的,他罢了宴,又没有给国光同志和宏昌同志太大的难堪,既恪守了温良恭俭让的民族美德,又坚守了不准大吃大喝的纪律,赢得了市人大代表和市政协委员们的一致好评。"

市人大主任赵国光说:"如果各县(市)区都能出现像李为民同志这样敢于罢宴的领导干部,我相信中纪委关于反腐倡廉的诸多文件在我们东州就可以省却了,起码可以把反腐部分的'反对大吃大喝、不准公款请客'

的条目删节下来了。"

省委书记林白和省长赵长征听说李为民在"两会"期间罢宴的事情后,特意召开了全省电话会议,要求全市各市县区学习东州的做法,在"两会"期间不摆宴席,只吃工作餐。随后省里也召开了"两会",上千名人大代表、政协委员吃的都是工作餐。

贾朝轩太了解李为民了,在北京请客,只能在驻京办请,否则,根本请不动。

李为民这次进京心里很高兴,他因为辞掉了钱学礼为女儿找的工作搞得父女关系有些紧张,再加上恐吓信的事,让李为民心中充满了对女儿的愧疚,他一直想找机会到北京看看女儿。终于有机会进京开会,他迫不及待地去看了女儿,没想到女儿给了他一个天大的惊喜,女儿告诉他,自己以全额奖学金考取了美国加州一所商学院攻读 MBA。李为民听后高兴极了,他一直认为女儿像自己,不服输,一定会凭着自己的能力闯世界,果然让自己这个不称职的父亲言中了。李为民能够欣然应允贾朝轩请客,与自己的心情好也有关。

贾朝轩似乎看清了李为民的心思,夹了一片甲鱼放到嘴里说:"为民,如今假东西太多了,只有王八是真的,还他妈的叫甲鱼。"

贾朝轩的话逗得白丽娜咯咯直笑,丁能通一口酒也差点喷出来。李为民却不以为然。

"朝轩,你这话未免太偏激了,改革开放二十多年了,我们国家翻天覆地的变化是真真切切的,是任何人无法否认的。"李为民说话的口气凛然,而且说完独自将一盅白酒一饮而尽。

"为民,我这次在党校学习才知道,关于改革方向问题理论界争论很大,许多人对一些领域的改革开始质疑,比如,医改基本不成功是事实吧?大量国企被低价出卖,转让给私人也时有发生吧。目前在我们党校学员中正在悄悄进行一场对于医疗、教育、住房改革等社会问题和改革方向的大讨论。"

"讨论好啊!"李为民对这个话题很感兴趣,"道理不辩不明,前进中尽管有困难,但不能停顿,倒退没有出路。目前,群众中反映比较强烈的有贫富差距、地区差别的拉大,生态环境恶化,权力腐败严重,社会治安混乱,以及卫生、教育、住房改革中出现看病贵、上学贵、房价高、就业难等问题。这些问题我认为并不是改革的错，恰恰相反，是改革遇到阻碍，难以深入，难以到位的必然结果。其中，一个重大阻碍，就是既得利益层使改革的整体效率被曲解成部门利益，地方利益，让权钱交易畅通无阻，愈演愈烈。就连这小小的办事处也快成了各种利益的情报中心，地方政府的大使馆，甚至成了地方领导的'行宫'。"丁能通没想到李为民的观点如此犀利，竟不给他这个驻京办主任留一点情面。

"为民，你如何看待端起碗吃肉，放下筷子骂娘这种现象？"

贾朝轩最近正在写毕业论文，丁能通早就看出了端倪，他发现贾朝轩今晚名义上是请李为民吃饭，实际上是带着毕业论文中的问题来讨教了。

"骂什么呢？骂土地被征用、旧房被拆迁，骂教育医疗收费太高，骂买不起住房、找不到工作，骂贪官太多、司法腐败，骂治安太乱、安全无保障，骂信息不透明不对称、办事不民主、等等，所有这些问题，我们东州市都有，这正是社会公共品供给不足的问题，公众越来越需要一个高效、廉洁、平等参与、公平透明的公共领域。可是，我们的思路和工作不在这些问题上下功夫，却热衷于形象工程、政绩工程、招商引资工程，一句话，都是权力市场化造成的。我建议你们青干班每届都应该组织去恭王府看看，这样你们对权力是把双刃剑认识更深刻！"

丁能通听到"恭王府"三个字，感觉自己与李为民英雄所见略同，不禁暗自得意。

"深刻！深刻！为民不愧是搞理论出身的，字字珠玑呀！"

很显然，李为民的才学让贾朝轩甘拜下风，贾朝轩亲自给李为民斟满了酒说："为民，在申办花博会这件事上，你怎么看？"

"这个问题，省委书记林白同志专门听取了元章书记和肖鸿林市长的汇报，林白同志的意见是东州申办花博会对提升城市功能、扩大知名度、开发旅游资源等方面都有好处，只是有一点担心，就是千万不要打着保护生态环境的旗号大搞开发，结果是严重破坏了生态环境。现在花博会的申办工作刚刚开始，各种利益集团就开始叫劲了。朝轩，你人虽在北京学习，但身子却已经处在利益漩涡的中心了。你要随时提高警惕呀！"李为民的话语重心长，贾朝轩却不以为然。

"为民言重了，这件事挂帅的是鸿林同志，元章同志做后盾，你我不过是马前卒，有什么警惕不警惕的，把活干成干好就完了。"

"你能摆正自己的位置,我很为你高兴,来朝轩,我敬你一杯!"

李为民敬完贾朝轩又亲自给丁能通和白丽娜倒了酒,然后说:"能通、丽娜,是不是觉得我这个人太古板、太原则? 其实,原则是个宝呀,是护身符,你们驻京办最讲拉关系的,有些人不惜血本结交权贵,这些人也可能获得一时的荣耀,但是也可能悔恨终生啊,恭王府的和珅就是一个例子,什么原因,忘记了原则。来,我敬你们俩一杯!"李为民说完哈哈大笑,一饮而尽。

宴席终于散了,黄梦然开车送贾朝轩回党校,李为民要去看望一位老同学,丁能通要开车送,李为民拒绝了,他自己打车走了。

月光下,就剩下丁能通和白丽娜两个人。

"头儿,这两天我得请假去趟东州。"白丽娜柔媚地说。

"丽娜,你又不是东州人,家又不在东州,去东州干啥?"丁能通狐疑地问道。

"人家办点私事!"白丽娜忸怩地嗲道,神情既有憧憬又有羞涩,还带着一丝目空一切。

丁能通隐约猜到几分,心想,兔子终于出窝了,便笑了笑说:"去吧,工作交代利索!"

17、人头

石存山这几天非常苦恼,因为自从上次约会半路分手后,段玉芬就失踪了,这让他回想起那天段玉芬说有人跟踪她的话,让他有了一种不祥的预感,他心中极为懊悔! 这几天关于段玉芬携款潜逃的谣言满天飞,都传到了刑警支队,一切都像有人预谋好了一样,命运似乎又跟石存山开了一个致命的玩笑。

石存山想尽一切办法找段玉芬,段玉芬果然消失得无影无踪。这让石存山心中的不祥预感越来越强烈,但他又不愿意承认这种预感,连续几个晚上,喝得酩酊大醉,连李为民接到恐吓信的案子都放下了,其他案子就更懒得问。有人把小报告打到了副市长邓大海那儿,一大早,邓大海就把石存山叫到了办公室。

"我说你小子这几天怎么回事? 失恋了? 快四十的人了,失恋就失恋呗,瞧你那没出息样!离开女人活不了啊?"

邓大海骂骂咧咧地扔给石存山一支烟,自己也抽出一支,石存山给邓大海点上火,自己也点上。

"局长,别饱汉子不知饿汉子饥,整天打打杀杀的,哪个女人敢跟我?"石存山叫局长惯了,从来不叫邓大海市长。

"怎么,你还有理了?好几个大案迫在眉睫,你不闻不问,恐吓信的案子我向市委李书记夸下海口,限期破案,你怎么的?想拆我台呀?"

"局长,瞧你说的,谁拆台呀?我只是觉得段玉芬失踪很蹊跷,弄不好不是被绑架了,就是被人害了。"

"有什么根据?我们没接到任何报案,再说了,这些年携款潜逃的银行工作人员还少吗?"邓大海严厉得不容置疑。

"局长,段玉芬是我的大学同学,我了解她,她根本不是那种人。"

"你了解,彼此有点好感就叫了解?我们俩天天在一起我也没看透你,乱弹琴。"

邓大海的话未说完,有人在门外报告。

"进来!"邓大海说。

"邓市长,黑水河大桥下发现了碎尸,指挥中心请石支队长出现场!"

"前几个大案还未破,怎么又出了碎尸案?石存山你给我振作精神,55否则,我饶不了你!快出场吧!"邓大海不耐烦地说,"有什么情况随时和我保持联系!"

"是!局长。"石存山"啪"地行了个军礼,顺手把邓大海桌子上的香烟揣在自己口袋里走了。

黑水河大桥上停着十几台警车,闪着红蓝相间的警灯。桥上桥下围满了人,石存山正在指挥警察工作。河面上有三只橡皮筏,筏上的人在河里打捞着什么东西。

原来,一个农民在河里打鱼,打上来一个编织袋,以为捞到什么宝贝了呢,兴奋地打开一看惊呆了,编织袋里是颗腐烂恶臭的人头,就赶紧报了案。

石存山觉得既然人头在河里,很可能肢体也会在河里,便迅速组织人力打捞,捞了两个多小时,一个警察跑过来报告:"石队,又捞上来一个编织袋。"石存山心里咯噔一下,心想,看来这个编织袋里是胳膊腿。

"走,过去看看。"石存山表情冷峻地说完,大步走向河岸。

当警察们打开编织袋以后,所有在场的人都惊呆了,因为编织袋里仍然是一颗腐烂恶臭的人头。

石存山心想,这可是两起碎尸案了,或者就是案犯连杀了两个人。

石存山命令干警继续打捞,可是捞到傍晚也没有发现新的情况,石存山紧蹙眉头,拨通了邓大海的手机。

"局长,我们在河里捞了一天,一共捞上来两颗人头,却没有发现身子,歹徒十分残忍,两颗人头似乎都被硫磺水烧过,局长,下一步怎么办?"

"存山,立即成立专案组,先让法医尸检,然后我们会同技侦处分析一下案情。"

"是,局长。"

石存山心情沉重地命令干警们收队。

第二章 工于心计

18、放风筝

　　周末一大早，丁能通把工作交接给黄梦然，自己开车去燕山大学接金冉冉，两个人约好今天一起去天坛放风筝。

　　当金冉冉从校门走出来时，丁能通眼前一亮，俏丽的马尾辫显得金冉冉活泼美艳，粉红的小衫衬得白皙的脸庞如人面桃花，撩人的牛仔短裙包裹着女孩迷人的曲线，雪白修长的玉腿，勾勒出无限性感。丁能通暗自感叹，果然是江南出美女。

　　金冉冉在车上格外小鸟依人，自从丁能通在德莫利鲜鱼馆威胁要与她断绝兄妹关系后，金冉冉再也不敢在网上乱写，人也好像成熟了一些。

　　"哥，你带了个什么样的风筝？好看不？"

　　"一只凶猛的老鹰！"丁能通做着鬼脸说。

　　"不要，不要，你不知道人家是属兔子的。"

　　"我还是属蛇的呢。"

　　"哥，蛇吃兔子，我在你手里是死定了。"

　　"我这只蛇呀，为了保护兔子，与老鹰殊死搏斗，终于壮烈牺牲。"

　　"不许瞎说，"金冉冉用玉手捂了一下丁能通的嘴说，"我就你这么一个哥哥，要让你好好活着，好陪我去后海泡吧，去三里屯蹦迪，去雍和宫烧香,去北海划船,去恭王府沾福气……".

"好好好,我都快成你手里的风筝了,还不是你想在哪儿放就在哪儿放。"

"才不是呢,我是你手里的风筝,我这个傻妹妹哪天你不喜欢了,把线铰断,我就自己飘了……"

说着说着金冉冉触动了心事,竟情不自禁地落下泪来。

"冉冉,还是我做风筝吧,哪天你不喜欢我这个一身官气的哥哥了,也不用把线剪断,团巴团巴随便找个垃圾筒把我扔了就行了。"

"讨厌!"丁能通语气诙谐,竟把金冉冉给逗乐了。

周末的天坛公园放风筝的人很多,天空中飘荡着各式各样、五颜六色的风筝,漫天飞舞的风筝与天坛公园的美景交相辉映,构成了一道亮丽的景象。

天空中飘飞的大多是花蝴蝶、蜻蜓、蜜蜂,丁能通和金冉冉放飞的却是一只乌黑的老鹰,天空中顿时增加了一些紧张的气氛。

金冉冉高兴极了,望着空中张牙舞爪的老鹰纵情地笑着,引来许多游人的目光。丁能通难得有这样的雅兴,整日里迎来送往、勾心斗角,难得有一个天真可爱的小妹妹给自己解闷,只有和金冉冉在一起是最轻松的,心里也是最慰藉的,官场上混久了,太需要精神的梳理,金冉冉成了丁能通散乱心灵的一把木梳。两个人坐在草坪上,仰望着越飞越高的风筝,沉浸在难得的欢乐中。

"哥,如果这草坪上一个人也没有,就我们俩该多好!"

"你不怕我欺负你?"

"还不一定谁欺负谁呢!"

"冉冉,我不是个好人。"

"我知道,但你也不是一个十足的坏人,只是有点邪而已。"

"邪离恶可不远。"

"我不怕,因为我是魔,百恶不侵。"

"这么说,我们俩在一起就是恶魔!"

"人本来就是魔,每个人心中都有个魔。"

"冉冉,你心中的魔是什么?"

"爱!"

"这么说你相信爱情？"

"当然，如果人没有爱，赢了世界又会怎样？"丁能通听到金冉冉这句意味深长的话心里微微一颤。

官场上逐鹿权力的人有爱吗？他忽然想到和珅的爱，和珅爱的是"帝心"，"帝心"爱的是江山，然而，从古到今，爱江山的人哪个不更爱美人？肖鸿林不就拜倒在白丽娜的石榴裙下了吗？那么自己在北京摸爬滚打，心中的爱为的是什么？衣雪，还是儿子？抑或是别的什么？

丁能通猛然想起段玉芬，如果段玉芬嫁给自己，生活会是什么样？他不敢想，因为这个曾经深深爱过自己的女人，已经成了一个谜。

想到这儿，丁能通有些沮丧，情不自禁地收起风筝线，由于心不在焉，收着收着，竟然挂在一棵古松枝上，那古松高大挺拔，松枝墨绿，像是个年长的老人沉默不语。

古松顶上的枝桠间，一个喜鹊窝内猛然飞出两只花喜鹊拼命地攻击还在空中飘飞的风筝，风筝离喜鹊窝不过两三米，金冉冉兴奋地跳起来。

"哥，那两只喜鹊真的把风筝当成老鹰了！"

丁能通也不可思议地看着眼前的景象，不知所措，两只花喜鹊轮番攻击风筝，风筝在风的作用下，忽左忽右，忽上忽下，真如一只偷袭喜鹊窝的贼鹰。

59

两只喜鹊为了保护家园奋不顾身地向贼鹰攻击，叫声充满了愤怒和警告。不一会儿，就围上来许多人看鸟与风筝大战，个个脸上充满了好奇，丁能通拽了一下活蹦乱跳的金冉冉，示意她离开。

"哥，想办法救救风筝，都快被喜鹊啄烂了。"

"冉冉，一个破风筝，咱不要了好吗？"

金冉冉噘着小嘴说："好吧，通哥，我饿了，咱们吃卤面吧。"

"好吧！"

两个人手拉手刚要走，丁能通的手机响了，来电显示是贾朝轩的电话。他赶紧接听。

"能通，你小子在哪儿泡妞呢？办事处的人都不知道你去哪儿了。"

"贾市长，我和几个朋友刚要吃饭。"

"别吃了，赶紧到我这儿来一趟，我有要紧事和你商量。"

"好，我马上到！"

丁能通挂断手机,猛然想起周永年和刘凤云拜托自己的事,这几天他一直煞费苦心地为这两口子选人,一直也没有合适的人选,他认真看了看眼前活泼可爱的金冉冉,心想,冉冉是苦出身,人又很机灵,毕业到驻京办没什么前程,现在大学生找工作难得很,不如劝她去刘凤云家干两年,周永年关系广,说不定将来能为冉冉找个好工作。

在送金冉冉回学校的路上,丁能通试探着说出了自己的想法:"冉冉,你不是想求我给你找工作吗?"

"对呀!"

"我找到了! 不过岗位很特殊!"丁能通看了看金冉冉说。

"哥,我怎么觉得你好像要打我的鬼主意噢!"

"放心,哥不会害你的,只会保护你。"

"就像喜鹊保护窝一样保护我吗?"

"当然,不过任何人要想有一个好的前程都要牺牲一些东西。"

"牺牲什么?"

"牺牲两年时间,两年后,你可能有一个满意的前程。"

"哎呀,你就别卖关子了,快说吧!"

"我说了,你别生气,而且要答应我认真考虑。"

"我答应!"

"我有个好朋友,在中组部工作,人很好,关系广,地位也高,前两天要求我为他们找一个大学生保姆,他们承诺,干好了,可以帮助找个好工作。我本想把你安排在驻京办工作,可是驻京办整天迎来送往的,是个大染缸,我觉得你去驻京办没什么前程,不如委屈两年,或许结果会更好!"

"哥,我是大学生,不是家庭妇女,你怎么能让妹妹去给人家当保姆?"金冉冉警觉地问道。

"当保姆怎么了? 干家政的大学生保姆还少吗? 这样的人家多少人想去还去不上呢。"

"我不去!"

金冉冉眼泪像珠子一样滚落下来,两个人心里叫劲,再也没说话,一路上默然无语。到了燕山大学门口,金冉冉默默地下了车,重重地关上了门,头也不回地走了。丁能通望着金冉冉修长的腿,心里说不出什么滋味。

丁能通赶到党校房间时,贾朝轩的老婆韩丽珍正在打扫卫生。

"哟,大嫂来了,啥时候来的,怎么也不通知老弟一声?我好去接你。"

韩丽珍是东州市人民医院院长,典型的贵夫人形象。

"能通,你还不了解你大哥这个人,凡事不愿意声张。"韩丽珍一边换床单一边说。

贾朝轩递给丁能通一支烟,自己点上火后示意丁能通坐下,两个人一左一右坐在沙发上。

"能通,你上次跟我说有个玩古玩的朋友手里有明朝的'永子'围棋,是真的吗?"贾朝轩的口气蛇蛇蝎蝎、鬼鬼祟祟的。

"当然了,我朋友是玩古围棋的行家,那围棋我见过,明朝的货。"

"哪天约我见见这个人,如果货不假,我就要了。"

丁能通讪讪地一笑说:"没问题。"心想,货的价格不菲,贾朝轩会送给什么人呢?

"能通,我这阵子没少跑中国花卉协会、国家贸促会和国家商务部,他们已经答应全力支持东州市申办花博会,刚才我已经和肖市长通了电话,他答应让你陪我去首尔走一趟,到那儿取取经。"

"太好了,贾市长,正好韩国我有朋友,接待不成问题。"

"那好,事不宜迟,你抓紧办票,我们用私人护照出境。"

"私人护照?"

"对,你大嫂也跟着去,这样不引人注意。"

"好吧,我抓紧办。"

"能通,为了不让驻京办的人知道,顾怀远陪你大嫂来,我都没让他住在驻京办。"

"安排到哪儿了?"

"怀远和你大嫂都住在王府井大饭店了。我们走后,你把奔驰车给怀远,这小子在北京还得替我办点事,从韩国回来以后,让他陪你大嫂一起回去。"

贾朝轩对丁能通千叮咛,万嘱咐,让丁能通心里很紧张。出国考察搞得像出国潜逃似的。

"能通,"韩丽珍终于忙完,她手里拿着抹布说,"前几天衣雪去医院了。"

61

丁能通心里一紧问："大嫂，衣雪去医院干什么？"

"瞧你们两口子，东一个西一个的，孩子发烧，衣雪也不找我，还是值班主任跟我说的，我赶紧去急诊室看，没什么大事，我安排到病房打了几天点滴，好了。"韩丽珍说得眉飞色舞，一副表功的样子。

"大嫂，你说这衣雪，孩子病了也不跟我说一声。"

"还不是怕影响你工作嘛，再说，你远水解不了近渴，有大嫂呢，出不了差头。"

韩丽珍咯咯笑着走进卫生间涮抹布，贾朝轩朝丁能通身边凑了凑说："能通，来，咱俩杀两盘，最近我又研读了两本棋谱，还没试过身手呢。"说完亲自将棋盘摆在茶几上，两个人一白一黑杀将起来。

19、探病

早晨，一抹瑰丽的晨曦，洒入荡着浪涛的黑水河，河面上的薄雾为古老的东州城蒙上了一层神秘的色彩。明晃晃的太阳悬起来后，东州城被映得躺在了地上。高楼大厦横七竖八地互相枕藉着，仿佛呻吟，又像挣扎。鸽群在空中转着圈，仿佛是城市里的惟一一首散文诗。

王元章这几天病了，一大早起来后静静地靠在床头挂吊瓶。自从上次省委书记林白找他谈话以后，他一直思考一个问题：一旦自己离任，谁比较合适接替自己？

王元章在政坛上打拼了一辈子了，虽然经历过多次起起落落，但还算平稳，没有栽过什么大跟头。眼下，东州的经济发展虽然势头良好，但是国企改革仍然困难重重，把这样一个大市交给什么样的人掌舵，关乎八百万人民的生活幸福，对全省的经济发展也尤为重要。看来省委没有空降一位市委书记的打算，只要中央没有异议，这个市委书记只能在东州现有领导中产生。

王元章脑海中像放电影一样，东州市副市级以上的领导一一闪过，终于定格在三个人身上：这三个人就是肖鸿林、李为民和贾朝轩。

这些年，肖鸿林在国际秧歌节的问题上一直与自己叫劲，终于得逞了，但是花博会真的能拉动东州的经济吗？东州的地理环境搞花博会不会是霸王硬上弓？肖鸿林的架势不像是在东州，看来这老伙计野心不小啊,任省长的可能性不是没有,但中央的用人政策一直在往年富力强、德才兼备的年轻同志倾斜,肖鸿林虽然比自己小一岁,但是也算不上年轻干部了,如今也是一相情愿呀!

在王元章眼里,接替市委书记最理想的人选是李为民。此人刚直不阿,工作务实,为人坦诚,原则性强,就是缺少灵活性。会变通,就更理想了。

贾朝轩看上去比李为民精明许多,此人也确实聪明,也许是小聪明,总觉得聪明得诡道,好像人生的价值是靠官位的大小来体现的。想当年,在与李为民争副市长的时候,在人大代表中做了不少手脚,东州交给贾朝轩这样的人还真有点不放心呢!

不过,省里似乎对贾朝轩很重视,在送贾朝轩还是李为民去北京学习的问题上,最终省委书记林白同志还是推荐了贾朝轩,青干班可是培养我党高级干部的摇篮啊!

然而,王元章又似乎觉得林白同志另有一层深意,贾朝轩就像一匹脱缰的野马,党校犹如牧场,好好驯驯这匹野马或许能成为良驹,看来李为民在林白同志的眼里早就过关了。

王元章正胡思乱想之际,有人敲门。

"请进!"

李为民笑眯眯地捧着一盆鲜花走了进来。

"王书记,好点了吗?"

"是为民啊,打了几天吊瓶,好多了。"

王元章像是疲惫得很,李为民进来,他想起身握手,可是欠了欠身子,就支撑不住了,吃力地靠在了床头上。

"元章,你太累了,好好躺着吧。"李为民搬了一把椅子坐在床边,颇为关切地说,"抱歉啊,元章,我真不知道你病得这么厉害!听秘书说这几天高烧一直不退啊!"

"不就是感冒吗,没事,没事,快说说这些天的工作吧!报纸上说这几天长征省长来东州检查工作,也没有人向我汇报一下情况。"

"元章,你病成这样就别惦记工作上的事了,长征同志这次来是专为煤气开栓的事。"

"煤气开栓怎么了?"

"我也很震惊,我们东州竟然有十五万户居民,开栓费交了,有的都交了十几年了,但是却一直没有开栓,很多开发公司不仅挪用了居民的开栓费,而且态度还极其蛮横。长征同志接到很多居民的上访信,这次是专门到东州现场办公的。城市建设和管理工作由贾朝轩主管,这么大的民生问题以前怎么从来没有人提过?"

"朝轩在的时候问题都被压下去了,他在北京学习压不住了,自然就暴露出来了。说起来这是几届政府遗留的问题,有历史性的,不能全由贾朝轩同志负责。"

"但是……"李为民话说了一半,一想到王元章还在病床上,又把话咽回去了。

"为民啊,我知道这个问题解决起来要得罪很多人,是个费力不讨好的差事,但是万事民为先,我们失职呀,对不起这十五万户居民呀!我给肖市长写封信,你给捎去,这个问题必须解决。"

王元章显得很激动,执拗地让秘书准备了笔和纸。李为民劝不住,只好由着他。其实王元章完全可以和肖鸿林通个电话,但是,李为民心里清楚,肖鸿林这两年越来越不把市委放在眼里,简直就是党内个体户。王元章给肖鸿林写信是为了表示对这个问题的高度重视。

王元章一口气写完信交给李为民,李为民郑重地放进包里。

"为民啊,申办花博会的事有进展吗?"王元章一边咳嗽一边问道。

"朝轩同志这一段在北京活动得很有效果,得到了中国花卉协会、国家贸促会和商务部的大力支持,全国想申办花博会的城市有二十多个,这次能够得到国家的支持不容易呀!攻关是朝轩的长项啊,肖鸿林把申办的任务交给他算是找对了人了。"

20、许诺

飞机在湛蓝的天空中翱翔,机窗外几朵乳白色的云,停在天空,动也不动,很像蓝色的海面上浮着洁白的帆。

贾朝轩微闭双目惬意地靠在沙发上,似睡非睡,丁能通坐在他身边翻着一本飞机上提供给头等舱旅客的时尚杂志,韩丽珍坐在贾朝轩的后面欣赏着窗外美景。

空中小姐送来热咖啡打断了贾朝轩的沉思,他一边喝着咖啡一边小声问:"能通,最近有人告我的刁状,你分析分析会是谁呢?"

丁能通没想到沉思良久的贾朝轩会突然冒出这么一句,一时不好回答,应酬地反问道:"贾市长,会有这种事?"

"省纪委的一个朋友给我捎的口信,说有人写我的匿名信,递到了中纪委,中纪委反馈到了省纪委。"

"没透露告的什么方面的问题?"丁能通诡谲地问道,心里闪过刘凤云在贵宾楼请他吃饭时说的话。

贾朝轩没有正面回答丁能通的问题,只是说:"领导干部也是人,谁还没有点爱好,有些人啊,就是靠整人过日子,以为把别人整倒了,自己就能上去,也不想想整人的人有几个有好下场的?"

丁能通听着贾朝轩的话像是有所指,但不知道他指的是肖鸿林呢,还是袁锡藩,又不便戳破,只是苦笑道:"贾市长,既然犯了小人,就不得不防啊!"

丁能通话音刚落,有人拍了一下他的肩膀,丁能通吓了一跳,回头一看,竟然是陈富忠。

"是我通知富忠一起去的,有富忠陪着方便。"贾朝轩赶紧解释说。

"能通,港商我可给你打好招呼了,什么时候过去见个面。"陈富忠皮笑肉不笑地说。

北京花园一直是丁能通的一块心病,陈富忠的第一句话就说到了他的心上,他心想,贾朝轩答应我在东州为驻京办划一块地皮,何不借此机会再加把火?

"贾市长,北京花园方面我已经谈妥了,同意我们控股,经营方由我们找,正好富忠联系好了港商,现在是万事俱备只欠东风,就差你大老板大笔一挥了。"

贾朝轩呷了一口咖啡沉默了一会儿说:"那好,你相中了东州哪块地了?"

"贾市长,驻京办净为各位领导服务了,没有功劳也有苦劳,咱好不容易张了一回嘴,给就给块好地呗!"

"能通,你大哥是个爽快人,你相中哪儿了,说出来,朝轩会答应的。"韩丽珍溜缝儿地插了一句,"富忠要的中山路那块地就是一个例子。"

"可不,大哥这个人吐个吐沫就是钉,仗义!"陈富忠眉飞色舞地恭维道。

"贾市长,我相中纺织厂那块地了,地点好,不用动迁,搞开发准赚!"

"能通,你小子狮子大开口啊,富忠早就看上这块地了,一直跟我磨唧,我都没答应,我把中山路那块地批给他了,我一直想留着纺织厂那块地盖市政府大楼。你看咱们市政府那座老楼,土不土,洋不洋的,虽然肖鸿林上任后进行了改造,仍然代表不了东州市形象,既然你老弟开口了,我只好忍痛割爱了,就这么着吧,回头你们驻京办打个报告,我批一下。"

贾朝轩卖了半天关子,搞得丁能通的心忽上忽下的,终于吐口了,丁能通的心才放下来。他惦记这块地也不是一天两天了,心想,有了这块地,驻京办摇身一变就成了五星级酒店了,东州历任驻京办主任,我的政绩是最大的,我丁能通的脸就露大发了,既是东州市正局级干部,又是五星级酒店的董事长,不用贪,富与贵终于统一了,真不枉自己往恭王府福字碑前跑过无数次。

"贾市长,您是驻京办的大恩人,从今以后,丁能通一定会急领导之所急,想领导之所想,全心全意为领导服务。"

贾朝轩听后嘿嘿笑道:"能通,你知道我为什么欣赏你吗?"

丁能通摇了摇头。

"在你心中把我摆的和肖市长一样重,而且从不在我们之间做文章。"

丁能通在官场多年,一直在政治漩涡中挣扎,他之所以能立得住,关键的本事就在于他从不搬弄是非。做驻京办主任既是在是非窝子里,又远离了所有是非,他喜欢人生的辩证,他认为,和珅当年要是读了马克思的辩证法,一定能保住性命。因为多数人欲望横流,少数人无欲则刚,他是取中间的,叫做欲有止境,人生得意须尽欢不可,但是,人生得意适度欢无妨。

在大学时,丁能通读过钱钟书先生的《写在人生边上》,里面有一段话,让他记忆犹新:

快乐在人生里,好比引诱小孩吃药的方糖,更像跑在跑狗场里引诱狗赛跑的电兔子,几分钟或几天的快乐赚我们活了一世,忍受许多痛苦,我们希望它来,希望它留,希望它再来——这三句话概括了整个人类努力的历史。

就因为钱钟书的这段话,丁能通一下子理解了快乐的意义!

21、爽

肖鸿林自从在北京与白丽娜有过一夜之欢后,找到了爱情的感觉,这让他兴奋不已,他甚至产生了一种可怕的想法,能否与关兰馨离婚?

肖鸿林一个人站在办公室窗前,望着市府广场周围的车水人流沉思,这时,副市长袁锡藩迈着大八字推门走了进来。

"鸿林,想什么呢? 这么深沉?"袁锡藩心情畅快地问道。

"噢,是锡藩啊,坐!"

肖鸿林将手一让,顺手掏出烟递给袁锡藩。两个人点着烟,郑卫国赶紧进来给两位领导倒了茶,然后又退了出去。

"锡藩,尝尝我的正宗铁观音。"

袁锡藩端起茶呷了一口。

"不错,不错。鸿林,听说为民被恐吓了?"

"为民被恐吓也不是一次两次了,他那个脾气不改,早晚得出事。"   67

"听说恐吓信里还有子弹。"

"有这事? 邓大海这个副市长是怎么当的? 主管公检法的副市长连市委副书记的安全都不能保证,还埋怨我不追加办案经费,让我看,公安局长他别兼了,换人算了。"

"鸿林,大海有大海的难处,市政府常务会上关于办案经费问题,大海提过三次了,难免大海有想法。"

"说一千道一万,财政太紧张了,用钱的地方太多,教育要求追加经费,农业要求追加经费,财政的盘子就这么大,你让我怎么办?"

"要么怎么说发展才是硬道理呢,鸿林,我听说贾朝轩去韩国了?"

"是啊,上届花博会是在首尔举办的,我让他去取取经!"

"可是有人在首尔机场看见了韩丽珍和陈富忠,他们怎么也跟去了呢?"袁锡藩冷笑着说,"而且他们出境未经外办办手续,用的是因私护照。"

"这个贾朝轩擅自违反外事纪律,搞什么鬼?"肖鸿林一本正经地说。

"鸿林,这还不明白吗? 他在北京学习期间就多次到澳门去赌,这次去首尔少不了要过过赌瘾啊!"

肖鸿林眉头舒展了一下,旋即又皱了起来。

"锡藩,你说他去澳门赌的事能是真的吗? 咱们毕竟是空口无凭呀!"肖鸿林毫不掩饰地问。

"钱学礼在葡京赌场看见过他,这还有假?"袁锡藩舔了舔嘴唇嗫嚅道。

"锡藩,这件事要慎重,毕竟涉及咱们东州市政府的名誉,万万不要轻易抖搂出去。"

"鸿林,千万别学项羽呀!"

"眼下还谈不上,锡藩,我从北京方面得到消息,林白同志有可能进京,一旦林白同志进京,谁有可能接任省委书记?"

"如果中央不空降的话,最有可能的有两个人。"

袁锡藩说完顿了顿,一双鼠眼看着肖鸿林。

"哪两个人?"肖鸿林迫不及待地问。

"一个是省长赵长征,一个是常务副省长刘光大。"

肖鸿林见袁锡藩没有分析到自己,脸上闪过一丝不悦。

"你认为王元章有没有可能?"

"鸿林,不瞒你说,如果长征同志接任林白,你和王书记还真有一博。"

"此话怎讲?"

"在咱们省,就省长一职来说,没有人能与你和元章抗衡啊!"

"所以我特别重视花博会啊!"肖鸿林长长地透了口气,款款地说道。

"鸿林,花博会可以作为启动东州经济的发动机,你这着棋要是下成了,元章恐怕不是你的对手。"

"所以正是用人之际,贾朝轩还得用,只要他知道收敛就行,别把事做绝了。"

"也好,只要你能接替长征同志,我愿尽犬马之力。"袁锡藩一双鼠目霍地一跳,将手中快吸完的烟狠狠地捻在烟灰缸里。

已经是下半夜了,首尔的街路上仍然灯火通明、车水马龙,汉江两岸的夜景更是绚丽夺目。鳞次栉比的摩天大楼彰显着城市的繁华喧嚣,市区内的浓阴下,古老的宫殿、庙宇,同直入云霄的现代化建筑交相辉映,显示了首尔既古老又现代的时代风貌。

在首尔高丽大酒店地下娱乐城内,贾朝轩和韩丽珍兴奋地在老虎机前手舞足蹈,旁边站着满脸堆笑的陈富忠和一脸漠然的丁能通。

突然服务小姐瞪大眼睛用英语说:"夫人,您的运气好旺啊!七个红七,我们这里半年都没有一次呀。"

丁能通赶紧翻译给贾朝轩和韩丽珍听,两个人听后很高兴。

"我太太赢了多少?"贾朝轩眉飞色舞地问。

丁能通把贾朝轩的话翻译成英语,又跟服务小姐嘀咕了几句,然后说:"小姐说,嫂子赢了两万五千美金。"

韩丽珍高兴得叫起来。

"丽珍,趁你手气旺,多玩一会儿,我太累了,回房间休息一会儿。"

"富忠、能通,你们陪你大哥上楼吧,我再玩一会儿。"

陈富忠和丁能通陪贾朝轩上了电梯。

"大哥,"在电梯里,陈富忠说,"嫂子看得紧,来一趟你咋也得尝个鲜呀!"

22、碎尸

石存山率领干警在黑水河大桥卜捞上来的两颗人头,经法医鉴定是女性。市公安局非常重视,成立了以石存山为组长的专案组,但是由于案子出现的突兀,没有一点线索,工作陷入被动的局面。

就在石存山一筹莫展之际,突然出现了重大转机。一个捡破烂老头在赵家沟派出所报案,说在赵家沟垃圾场,刨出两具无头女尸。石存山得到消息后,立即率领干警赶到赵家沟垃圾填埋场。

此时,警察已经把现场包围,许多警车停在垃圾填埋场周围,围观的群众很多。两辆警车从远处驶来,停在现场外,石存山率几名刑警下了车,分开人群,直奔现场。

石存山来到编织袋前,仔细察看后,问:"目击证人在哪儿?"

"就是他!"赵家沟派出所所长把捡破烂的老头领过来。

"大爷,当时是怎么个情景?"石存山温和地问。

"当时我在这儿刨破烂,突然刨出个编织袋,我以为里面有什么值钱的东西呢,打开一看,臭烘烘的,是尸体!我就报了案。"捡破烂老头面色紧张地说。

"石队,两具尸体都被肢解了,分别装在两个编织袋里,已经严重腐烂。"赵家沟派出所所长补充说。

石存山心想,又是两个编织袋,会不会与那两颗人头有关?

"你们抓紧处理现场,特别是尸检报告,要尽快做出来,我回局里向局长汇报。"石存山对几个干警说。

市公安局指挥中心早就向邓大海做了汇报,此时,他在办公室里一边抽烟一边围绕碎尸案在沉思,石存山急匆匆地闯了进来。

"局长,我敢肯定这两具女尸跟那两颗人头有关。"

"我也正在想这个问题。"邓大海从黑色高背靠椅上起身,端起茶杯呷了一口。

"局长,你觉得这两具女尸与段玉芬、刘可心失踪仅仅是巧合吗?"

"思路是对的,但我们需要证据。等尸检报告出来后,我们开个案情分析会。存山啊,我有一种不好的预感,东州的天要下雨了。"邓大海放下茶杯掏出烟递给石存山一根,两个人点上火面面相觑地吸着。

"局长,无论怎么变,都是共产党的天,翻不了船的。"

"理是这么个理,但我们也不可轻敌呀,别忘了黑恶势力的保护伞从来都隐藏在暗处,你们专案组的同志要处处小心!"

"请局长放心,誓死保卫东州人民的安全!"

石存山的表情刚毅果敢,大义凛然,其实,石存山的内心一直在流泪,因为他已经预感到段玉芬的失踪与这两具女尸有着必然的联系。看来段玉芬是被东州的黑恶势力害死的,而且这股黑恶势力非常强大,强大得连副市长、东州市公安局局长邓大海都不敢小视了。石存山将对段玉芬的爱埋藏在心底,暗下决心,一定要把碎尸案查个水落石出。

贾朝轩爱下围棋,为了投其所好交流感情,陈富忠也偷练了一手好棋,而且养成了一个人摆围棋的习惯。从韩国首尔回到东州后,陈富忠心情一直不好,因为他已经得到一个不太好的消息,北都集团已经引起市公安局的高度关注。

陈富忠一个人在办公室一边沉思一边摆着围棋,有人敲门。陈富忠没抬头,只是说了声:"进来!"

门开了,进来的是海志强。陈富忠按下一粒棋子,示意海志强坐下,然后从老板台上的高档雪茄盒中抽出一支雪茄,海志强赶紧给他点上火,陈富忠使劲吸了几口,然后重新坐在沙发上。

"志强,又听到什么消息了?"

海志强略显不安地说:"大哥,两具尸体公安局都找到了。"

陈富忠听后脸上的肌肉微微地抽动了一下。

"你们他妈的干事什么时候能利索点?每次都得给你们擦屁股。"

海志强毕恭毕敬地说:"大哥骂的是。"

"他们一时还找不到目标,等等再说吧。"

"可是……"

"可是什么?"

"大哥,这几天有几个条子鬼鬼祟祟地在大厦周围晃。"

"你听说过以其人之道,还治其人之身吗?咱们也派几个弟兄守在刑警大队门口,记住,千万别暴露了。"

"是,大哥。"

"从现在起,让你手下那帮兔崽子都给我收敛点,别再给我捅出什么新娄子来。"

"放心吧,大哥。"

"我让你找的人找到了吗?"

"大哥,我把人带来了。是东州中医学院刚毕业的大学生,人长得漂亮。父母都是农民,老爹还得了尿毒症,每天都要做透析,缺钱。"

"缺钱好啊!"陈富忠将半截雪茄掐灭,接着说,"人呐就怕没有需求,据说市委副书记李为民就是这样一个人。这样的人不好对付,还有那个段玉芬,但凡有点需求也不会落得这么个下场,所以说,人有点需求既为自己留了后路,也为别人行了方便,何乐而不为呢?好了,把人领来让我看看吧。"

海志强应承着出去了,陈富忠情不自禁地拿起一粒白子,却举棋不定,半天下不去这粒子,其实,陈富忠的心思根本没在棋上。

陈富忠一直孤身一人，虽然身边美女如云，但玩完也就忘了，他一直深信，人生有两种东西是用来玩的，一是女人，二是政治。

政治这辈子无缘玩了，但是陈富忠却玩起了官员，他下决心要掌控一批手握重权的官员，只要将这些人的要求满足，便可为我所用，他暗自得意，想不到自己还是个会用人的高手。

但是最近他睡觉总是做噩梦，经常从睡梦中吓醒，出一身冷汗，内心的孤独让他特别渴望在自己身边有个女人陪着，而且是素质高一些的良家妇女。他讨厌那些给钱就让上的轻浮女子，找就找一个受过良好教育的。

找这样一个女人，陈富忠并不想讨她做老婆，而是做保姆，陈富忠从来也没有过建立家庭的想法，因为自己从小浪迹天涯，谁知道什么时候还会再度浪迹天涯。

海志强把女孩领了进来，陈富忠示意他出去，自己轻轻地关上了门。女孩惴惴不安地站着，陈富忠仔细打量着眼前的女孩，只见她穿着朴素，典型女大学生的打扮，长得俊秀，却没有一点雕琢，只是皮肤不白，却是细腻柔滑，没有任何人为的雍容之气，却纯得浑然天成。

陈富忠心想，看来这还是一块未雕琢的美玉呀！

"陈总好！"女孩突然怯生生地问候了一句。

"叫什么名字啊？"陈富忠温和地问道。

"林娟娟。"女孩回答得很简单。

"好，名字很好听，娟娟，听说你父亲病得很重？"

林娟娟听后沉默不语，眼睛略有湿润。

"留下吧，你父亲的病会好起来的。"陈富忠情不自禁地拍了拍林娟娟的肩，和蔼地说。

23、肥肉

丁能通拿到纺织厂那块地的批文后，在驻京办惹起了轩然大波。第一个找丁能通的就是白丽娜，她非要当驻京办房地产开发公司总经理。

丁能通并不看好白丽娜，尽管这个女人不仅会施展万种风情，而且在搞人际关系上也是八面玲珑，但是，丁能通觉得白丽娜更适合酒店管理。

将来驻京办一旦入住北京花园,白丽娜是最好的帮手。

丁能通把道理翻过来调过去讲了多遍,白丽娜就是听不进去,最后竟抹起了眼泪。白丽娜的眼泪让丁能通一下子清醒了,白丽娜最近一到周末就请假去东州,而且每次回来都千姿百媚的,莫非她非要做这个房地产公司总经理,是醉翁之意不在酒,而在于山水之间?

第二个找丁能通的是黄梦然,黄梦然是丁能通最得力的左膀右臂,这几年接待工作搞得有声有色,特别是与首都机场和北京火车站的关系处理得游刃有余,为自己的脸上争了不少光彩。但是,由于黄梦然与老婆长年两地分居,他要当这个房地产开发公司总经理无非是为了与老婆团聚,这样既一家团聚了,又可以捞上一把。

然而,接待工作是驻京办的半个天,黄梦然要是走了,一时还真没有合适的人选接替他,所以,丁能通不给黄梦然半点念想,当场拒绝,搞得黄梦然闹了好几天情绪,最后,丁能通亲自给黄梦然老婆打电话,让两个人在北京团聚了几天,才缓解了黄梦然的情绪。

所有的人都会认为丁能通会兼任这个房地产开发公司的总经理,丁能通也认为自己是最佳人选,但是,丁能通是读过《和珅传》的人,他深知驻京办主任搞房地产开发的敏感性。

和珅的最大失误是什么都想得到,到最后什么都得到了,但是命没了。佛家有言,舍得舍得,不舍就不可能得。

经过认真思索,丁能通终于想到了一个最佳人选,启用这个人,丁能通可谓是处心积虑,因为一旦启用他,不仅满盘棋活了,而且自己也缓解了与对手之间的矛盾。

在驻京办班子会上,丁能通全力推荐钱学礼担当东州驻京办房地产开发公司总经理。钱学礼不知道丁能通葫芦里卖的什么药,一时不敢表态,但心里对这个位置觊觎已久。

钱学礼本来就从心里嫉妒丁能通,恨不得丁能通出点什么事,但是自己的后台是副市长袁锡藩,硬碰硬根本不是丁能通的对手,何况丁能通人如其名,不仅能力强,而且消息灵通,善于沟通,精于变通,上通天,下通地,倍儿精倍儿灵的,想扳倒丁能通难得很。

钱学礼一直想务色一位市委常委做后台,早就想打李为民的主意,但是李副书记这条船实在是不好上,说不定自己人在东州,常能见到李副书记,机会才会多一些。

钱学礼想来想去只有从女人方面找线索,因为丁能通是个标准的美男子,又孤身一人在外,难免不拈花惹草。

起初钱学礼发现白丽娜对丁能通有点意思,但令钱学礼不解的是,为什么两个人一个是干柴,一个是烈火,凑到一起居然点不着。

这让钱学礼大失所望,苍蝇不叮无缝儿的蛋,丁能通不露破绽,自己即使是苍蝇也无处下蛆。于是,他采取了最卑鄙的手段,就是跟踪,果然大有收获,他发现了丁能通与一个叫金冉冉的女大学生打得火热。

但是,钱学礼是个聪明人,他清楚,以丁能通的诡道不会不警惕自己的,何况仅仅凭捕风捉影找到点拈花惹草的痕迹,不能把丁能通怎样。

钱学礼萌生了从长计议、惹不起躲得起的策略,可是没等自己想好去处,丁能通却让出了一条金光大道,这不能不让钱学礼敬佩丁能通的魄力与胸怀。

钱学礼觉得这是丁能通向自己扔了一块肥肉,尽管这块肥肉没有道理扔给自己,可是机不可失,失不再来,何不接住这块肥肉吃了再说呢?不对,会不会肉里下了毒呢?钱学礼怎么想都觉得丁能通没有下毒的必要,这么说他在向我示好吗?想到这儿,钱学礼竟有些惭愧了。

24、公关

散会后,黄梦然偷偷地把丁能通叫到一棵大杨树下。

"什么事?神神秘秘的?"丁能通不耐烦地问。

"头儿,金桥区区长张铁男来了,要见你!"黄梦然的表情像承诺了什么,很怕丁能通不答应。

"他来见我能有什么事?"丁能通疑惑地问。

金桥区是东州市的农业大区,惟一值得吹嘘的就是草河口森林公园,自从设立为省级森林公园后,封山育林搞得不错,多少开发商盯着这块宝地要盖高档别墅、盖五星级酒店,都被市人大常委会主任赵国光挡了。

然而这片森林长的都是摇钱树,就连张铁男都垂涎欲滴,刚好有个千载难逢的机会,就是东州市政府申办花博会,如果地址选在草河口森林公园,那么金桥区就会一摘农业大区的帽子,转而成为旅游大区。

但是自从上次张铁男被肖鸿林骂得狗血喷头后，不敢再去捅大老板的腰眼，张铁男是个玲珑得剔骨挖髓的人，他灵机一动，想起了曾经给肖鸿林做过贴身大秘书的丁能通。

　　张铁男知道自从丁能通做了驻京办主任后，所有去北京的领导都由他接待，他不仅可以做肖鸿林的工作，还和贾朝轩处得不错，他甚至可以和市委书记王元章说上话，而且他还是申办花博会的主要成员之一，所以，只要把丁能通拉过来，让他全心全意地为金桥区说话，无疑起到画龙点睛的作用。

　　"梦然，莫非这家伙是为花博会而来？"丁能通警觉地问。

　　"看样子像。"

　　"不行，不行，这家伙上次让肖市长骂得够呛，到我这儿曲线救国来了，你就说我不在北京。"

　　"不行啊，头儿，我已经告诉他你在北京了。"黄梦然为难地说。

　　"好吧，好吧，他准备在哪儿见我？"丁能通不能让自己的部下坐蜡，只好答应。

　　"晚上，在东三环顺峰海鲜请你吃饭。"

　　刚打发了黄梦然，手机响了，是贾朝轩的秘书顾怀远打来的。丁能通是市长秘书出身，他知道领导秘书是小鬼，常言道，阎王好见，小鬼难缠，何况顾怀远是老秘书了，与自己是一拨儿的秘书，可是自己已经是正局了，他才混到正处，心态一直不平衡。 75

　　自从贾朝轩在北京学习后，顾怀远从东州到北京来回飞，早班飞过来晚上飞回去也是经常事，有时候住两天替贾朝轩做作业。

　　一晃快一年了，丁能通与顾怀远处出了感情，他觉得顾怀远这个秘书做得比自己辛苦，贾朝轩是个工于心计的人，比肖鸿林难伺候。

　　但是，顾怀远本人很出色，他为贾朝轩做的作业为贾朝轩赢得不少荣誉，顾怀远很少求自己办什么事，今天突然来电话像是有什么事。

　　"怀远，在东州还是在北京？"

　　"能通，我在东州呢，你什么时候能回东州？"

　　"暂时回不去。"

　　"回来给我打个电话，咱们几个秘书在一起聚一聚。"

　　"有事吧？"

"对,西塘区区长何振东想见见你。"

"怀远,我明白了,金桥区区长张铁男已经到北京了。"

顾怀远听了丁能通的话顿了一会儿说:"能通,看来让你为难了,不过还是见见吧,谁都不容易。"

顾怀远挂断电话以后,丁能通心中涌出一股莫名的悲哀,觉得张铁男和何振东都很可怜,因为他忽然意识到,自己如果不做这个驻京办主任,处境会不会像这两位诸侯一样,为了一点点地方利益而工于心计呢?

丁能通知道张铁男与何振东以前是大学同学,如今却成了博弈的对手,后来丁能通才知道,去省委上访的群众是何振东的计策,因为上访的群众不是草河口的农民,而是西塘区的农民,张铁男却被肖鸿林无缘无故地骂了一顿。

何振东的坏使得绝,却一直不承认上访的群众是西塘区的,后来李为民将上访群众劝回后,上访群众作鸟兽散,也就无从查证,此事不了了之。

在酒桌上,张铁男大骂何振东是奸臣,丁能通微笑不语,他知道,这种场合只有倾听是最好的办法。张铁男发了一阵子牢骚后,请丁能通为金桥区斡旋花博会之事,还说代表金桥区七十万百姓感谢他。

丁能通苦笑道:"张区长,我会认真考虑你的话的,不过我只是个跑堂的,能力有限。"

"能通,你当秘书时,咱们就处得不错,你可没少到我那儿打猎。"

丁能通心想,我也没少去琼水湖钓鱼呀。原来北京一些部委办局的处长局长司长,时兴到外地度周末。东州没什么名山大川,只有草河口森林公园和琼水湖两块风水宝地,这些人都是冲肖鸿林来的,大多都是丁能通陪着打猎钓鱼,有时候忙不过来或有与肖鸿林关系极密切的,就由肖鸿林的儿子肖伟陪着。

肖伟是肖鸿林惟一的儿子,是华宇集团的董事长,在东州,论实力,能与北都集团抗衡的民营企业,只有肖伟的华宇集团了。

"铁男,咱们公事公办,从我个人观点看,如果非要在两个区选一个的话,我倾向金桥区,因为琼水湖毕竟是东州市民的饮用水,一旦去的人多了,必然会产生污染,不适宜选为花博会的地址。"丁能通坦诚地说。

"能通,冲你这句话,我敬你一杯,你随意,我干了!"张铁男说完将五粮液倒进一个啤酒杯,然后一饮而尽。

"铁男,既然你来北京了,我劝你见见贾市长,他说话的分量可非同小可呀。"

丁能通这句话的意思是想把球踢给贾朝轩,只要张铁男拜会了贾朝轩,就不枉北京之行,自己也就不是焦点了。

"可是我听说贾市长倾向于在琼水湖选址。"张铁男为难地说。

"铁男,工作是人做的,常言道,礼多人不怪嘛!"丁能通诡谲地笑了笑说,"张区长,我得先走一步,还要接待一位重要客人,不能再陪你了,改天我请客!"

丁能通说完起身告辞。张铁男见自己的目的已经达到,也不再挽留,客气地说:"好,能通,我知道你们驻京办迎来送往忙得很,咱们后会有期。"

25、保姆

初夏的夜晚,北京城笼罩在一层昏黄的灯雾中,各种各样的霓虹灯交相辉映,红墙在漫漫霭霭的灯雾中显得沉静安详,没有人会联想到几百年的沧桑,不知这红墙见证了多少篡权夺位、宫闱密杀之事。

好多天没有金冉冉的消息了,看来那天说的那件事确实伤害了这女孩的自尊心,丁能通知道,凡事强求不得,或许经过一段时间的考虑,她会想通的。因为道理很简单,人往高处走难免要做出点牺牲,自己是在尽一个老大哥的职责,与其找一个没前程的工作,不如先结交可以提供美好前途的贵人,金冉冉出身贫寒,一直想出人头地,怎么可能想不明白呢?

丁能通五粮液喝多了,他回到驻京办倒头便睡,简直睡得昏天黑地,以至于床头柜上的电话响了半天他才惊醒,丁能通懵懵懂懂接了电话,却惊得他一下子醒了。

"哥,做保姆的事我同意了!"

丁能通一骨碌从床上爬起来说:"好好好,我安排!"

东州初夏的夜晚并不宁静,黑水河畔一座高级别墅内还亮着昏黄的灯,陈富忠在卧室里斜身靠着床头,嘴里叼着一支烟尽情地吸着。林娟娟衣着零乱,披头散发地坐在沙发上嘤嘤地哭泣。

第二章

陈富忠不耐烦地说:"好了,你别哭了,有什么好哭的,女人一辈子早晚都得有这么一回。"

"要不是为了我爸的病,我才不会到你家来呢,我本来应该在医院工作的。再说,我是来当保姆的,不是来当情妇的。"

"娟娟,"陈富忠轻蔑地说,"保姆也好,情妇也罢,你成了我陈富忠的人,我就不会亏待你。你要知道,没有大笔的钱,你爸的命是保不住的,你总不希望他辛辛苦苦供你上大学,你还没报答,他就死掉吧,只要你安心跟着我,说不定我给你爸换个肾,他的老命就保住了。"

娟娟渐渐地停止了哭泣。陈富忠伸手去拉她细嫩的手,娟娟挣了挣,也没挣脱,陈富忠像是摸着一件宝物。

"娟娟,"陈富忠温声地说,"你不知道,我陈富忠是从死人堆里爬出来的,最懂得珍惜。想当年,我十四岁从安徽要饭到东州,吃了多少苦,当时我可是东州的乞丐头儿,海志强就是我从乱刀下救出来的,我胳膊上的几条刀疤就是为了他留下的。打天下,拼事业,这个世界,连拔一根草,也要凭实力。"

陈富忠的话让林娟娟震动了,她没有想到眼前这个肉乎乎粗鄙的男人竟有一番不同凡响的经历,她慢慢地抬起头凝视着陈富忠,眼神里有惊讶、有怀疑,也有些认可。

"好了,别委屈了,穿好衣服,我请你吃夜宵好吗?"陈富忠摸着林娟娟的秀发说。

林娟娟收起复杂的目光,点了点头。

26、红袖

为了找到理想的港商合作经营北京花园,在韩国首尔时,丁能通就与陈富忠约好,回国后一起去一趟香港。

陈富忠如约来到北京,就住在北京花园总统套。丁能通进屋时,陈富忠手里竟拿着一本快看到一半的金庸武侠小说。

"稀罕,陈老板,什么时候成了读书人了?"

"能通,"陈富忠一本正经地说,"别小看你大哥,从古到今,无论什么时候,像韦小宝这样的小人之侠都能成功。"

丁能通定睛看了看,原来陈富忠看的是《鹿鼎记》,心想,陈富忠说的有道理,官场上像韦小宝这样的人,大有人在,可惜自己没有韦小宝的本事。在这皇城根儿下,看惯了红墙绿瓦,越发觉得韦小宝才是驻京办主任的最佳人选。

　　"富忠,看过《笑傲江湖》吗?"

　　"就是贾市长推荐我看《笑傲江湖》后,我才迷上金庸小说的。"

　　"噢,贾市长为什么推荐你看《笑傲江湖》?"丁能通好奇地问。

　　"贾市长说,《笑傲江湖》里有政治原理。"

　　"富忠,你一个做生意的研究政治干什么?"

　　"老弟,政治在中国是最大的国情,当官的要讲政治,做生意的更要讲政治,否则你的企业无法立足!"

　　陈富忠的话让丁能通很吃惊,怪不得这家伙在东州能成为一个响当当的人物,果然不同凡响。丁能通忽然对陈富忠有些刮目相看了。

　　"富忠,香港之行你觉得还差什么?"

　　"还差东风。"

　　"谁是东风?"

　　"贾市长呗,这件事必须贾市长出面才有力度。"

　　丁能通有些豁然开朗:"对呀,贾市长主管驻京办,他代表市政府出面比我代表驻京办出面力度大得多,贾市长一起去的确是东风,就怕贾市长在党校脱不开身啊!"

　　"老弟,我们俩出面请他出山,哪有脱不开身的道理,再说,他在党校快毕业了,没那么紧张了。"

　　"富忠,我看还是你说好,要不你先给他打个电话!"

　　丁能通敏锐地感觉到,陈富忠开口,贾朝轩一定答应,何况贾朝轩好玩得很,香港是个花花世界,只要陈富忠在,保证能找到贾朝轩的兴奋点。陈富忠与贾朝轩通完话后,异常兴奋。

　　"能通,你猜贾市长在哪儿呢?"

　　丁能通预感到贾朝轩没在党校,而且有应酬。

　　"在哪儿?"

　　"说是在长城饭店见一个好朋友,今天是这个好朋友的生日。我说这个生日我来给过吧,他说好啊,你来吧! 走,我们去长城饭店!"

丁能通和陈富忠打车去了长城饭店，一路上，让他想起许多给领导过生日的往事。生日在官场上是门艺术，也是个由头，自己给肖鸿林当秘书时，用一个小本子记录了与肖鸿林有利益关系的所有领导的生日，夫人的生日，甚至领导父母的生日，而且随时提醒肖鸿林，肖鸿林会酌情应对。生日是官场上联络感情的纽带，也是升迁敲门的最佳契机。也不知贾朝轩今天给谁过生日。

走进长城饭店豪华套间，丁能通愣住了，贾朝轩穿着睡衣，身边坐着一位二十七八岁的漂亮女人，她正在给贾朝轩削水果。

女人披肩长发焗成了微红色，自然地鬈曲着，肤如瑞雪，齿白唇红，一袭粉红吊带长裙露出雪白的香肩，特别是鼓溜溜的胸脯，像两瓣被切开的西瓜，倒扣在一起，深深的乳沟让人浮想联翩。这女人丁能通认识，正是东州市电视台著名节目主持人苏红袖。

早就听说苏红袖与贾朝轩关系暧昧，今日看来远不是暧昧可以说清的。丁能通脑海中一下子浮现出韩国首尔的那个夜晚。

苏红袖和自己的老婆衣雪都在东州电视台工作，而且是好朋友，衣雪却从未对自己说起苏红袖与贾朝轩的关系，看来两个人的关系隐藏得蛮深的。

丁能通在这种场合见到苏红袖，有些尴尬，苏红袖却落落大方地说："丁哥，老也不回东州，是不是有相好的了？雪姐可有意见了，让我到北京盯着你呢！"

苏红袖给丁能通一个下马威，媚声媚气地将剥好的猕猴桃递给贾朝轩，自己也将一半翠绿的果瓣放到嘴里，一边用纸巾擦着手，一边秋波荡漾地看了一眼丁能通。

"红袖，我和富忠可是特意来给你过生日的，你可不能当克格勃。"丁能通半开玩笑地嗔道，心想自己到北京来偷情还倒打一耙，讲不讲理呀！

"红袖，生日想怎么过，要不要哥哥给你找个小白脸呀？"

陈富忠毫不避讳地动了粗口，苏红袖像是经常与陈富忠开这种玩笑，樱唇一噘说："富忠大哥，小白脸我不喜欢，有没有像你一样的猛男呀？"

"红袖，别拿我开玩笑，你是不是故意在我大哥面前给我上眼药？大哥，这丫头越来越野了，你也不好好管管！"陈富忠告饶地说。

贾朝轩一边抽烟一边笑眯眯地说："富忠，今儿是红袖的生日，吃完饭去'天上人间'乐乐吧!"

"没问题,大哥,我和能通还有事和你商量。"陈富忠单刀直入地说。

"什么事,说吧!"贾朝轩今天的情绪格外好。

"贾市长,北京花园与港商合作的事,富忠给搭好桥了,想请你出面代表东州市政府去香港给驻京办壮壮势头。"丁能通赶紧借机说了主题。

贾朝轩呷了一口茶想了半天没说话,陈富忠赶紧跟上一句:"大哥,我一直想请你去香港逛逛,就是没有机会,正好借这次机会,好好玩玩香港。"

"富忠,香港我去过多少次了,没什么好逛的。"贾朝轩很显然对香港失去了新鲜感。

"大哥,你每次去都挂个团长的衔儿,忽忽拉拉一大堆人,能看着啥,上次港商领我登了一把赌船,简直是海上天堂。"

贾朝轩听得眼睛瞪得溜圆的,兴奋地问:"香港还有这种地方?"

"当然了,船上哪国的美女都有,聚在一个玻璃房子里,你在外面能看见里面,里面却看不见外面,你可以随便选,还有个好听的名字,叫'海上金鱼缸'。"

"富忠,你小子是不是一个也没放过呀?"贾朝轩贪婪地问。

"大哥,咱是正经商人。"陈富忠淫邪地看了一眼苏红袖说。 81

"轩哥,要去我也去,我可得看住你,不看着你非染上脏病不可。"苏红袖媚声媚气地说。

丁能通没想到陈富忠扔出这么一张牌,就像鱼饵一样,使贾朝轩一下子就上钩了,丁能通心想,这个陈富忠果然了得。

给苏红袖过完生日,丁能通称驻京办有一摊子事,便没去"天上人间",在北京丁能通最怕去的地方就是"天上人间",这里不仅花钱如流水,而且特别容易碰上熟人,自己大小也算是个官,"天上人间"对自己并不是天上,说不定去的是地狱,所以在北京这几年,丁能通最忌讳的就是"天上人间"。

何况,在苏红袖面前丁能通总是有些放不开,这个女人不是省油的灯,她自己没家没业,一旦胡诌,衣雪保准信以为真,贾朝轩偷情虽然不避讳自己,但是丁能通也不想知道太多,眼不见心不烦,躲了也许对谁都是件好事。

从"天上人间"回来,贾朝轩并没有回党校。

苏红袖面色红润地洗着澡,淋浴冲在她娇嫩的脸上,她用手揽着飘逸的秀发,尽情地享受着温热的水丝淋在脸上,那么惬意,那么畅快,那么幸福……

卧室里,贾朝轩身穿睡衣,从皮包里拿出药瓶,取出一粒伟哥,用水服下,然后美美地躺在床上,惬意地点上一支烟,深深地吸了一口,吐着烟圈儿,烟圈儿弥漫着慢慢地散开,渐渐地模糊,贾朝轩的意识却都集中到了下身,因为那里已经开始发胀,搭起了高高的凉棚,贾朝轩偷偷地笑道:"妈的,美国佬的玩意儿真他妈的好用!"

苏红袖从浴室里出来,用一条毛巾擦着湿漉漉的秀发,媚态逼人地坐在贾朝轩的身边。贾朝轩的目光像狼一样霍地闪了闪,然后慢慢脱掉了自己的睡衣……

"宝贝,肖伟最近还缠着你吗?"贾朝轩的眼光幽幽地闪动着,望着苏红袖粉莹莹的鹅蛋脸。

"缠着,烦死我了!"苏红袖水杏眼如秋波一样荡漾,樱唇温润,笑靥生晕地说。

"我与肖伟谁更生猛?"贾朝轩不怀好意地问道。

苏红袖默然良久,突然掩面而泣,说道:"轩哥,说过多少次了,你还是不相信我……"

贾朝轩见苏红袖当真了,便捧起她的脸温声地说道:"红袖,你别生气,我并没有恶意,我的意思是既然他喜欢你,咱们就将计就计从他那儿多了解一些肖鸿林的情况,要知道知己知彼百战百胜啊!"

"你舍得我?"苏红袖嗫了嗫鼻子问。

"红袖,政治斗争是最残酷的,既然你跟了我就不能同床异梦。"贾朝轩的口气阴冷,表情也有些瘆人。

苏红袖非常了解贾朝轩,也深知他的政治抱负,她小鸟依人地问:"轩哥,这次学习完,能不能再提一格?"

"我们班有的同学还没毕业就升了。"贾朝轩慨叹地说,"咱们东州的情况不同。肖鸿林是想借花博会干出点政绩来,明年省里换届想当省长,王元章是个没有野心的人,虽然也有当省长的可能,但更有可能去省人大,将来在东州有资格跟我竞争的只有李为民了。"

"肖鸿林都五十五六岁了,野心还不小。轩哥,李为民在老百姓中的口碑可比你好多了。"

"口碑好有什么用,关键还是上面得有人。"

"轩哥,我把话说在前头,你升官,我高兴,不过,我图的可不是你这些,我爱的是你这个人,我从来没把你当市长,只把你当成我的爱人。"苏红袖搂着贾朝轩的脖子柔媚地说。

"那不行,做我的女人必须有政治头脑。"

"我不,我是女人,不是政客,你听见了吗?"苏红袖娇嗔地说。

"听见了,宝贝儿。但是别忘了你是政客的女人。"

27、省驻京办

傍晚快下班时,李为民推开了王元章办公室的门,王元章紧锁眉头,正在看一封群众来信,看样子这封信让王元章的心情很沉重,多年的从政生涯让王元章养成了喜怒不形于色的性格,紧锁眉头足以说明王元章生气了,而且是很生气。

"元章,什么信,让你紧锁眉头啊?"李为民温声问道。

"为民,你来得正好,你先看看这封信。"李为民接过王元章手中的信,简单地看了几眼笑着说,"这封群众来信我也接到了,我正是为此事来找你的。"

"为民啊,关于全市农村近千所小学危房改造的资金早就拨下去了,怎么还会出现下雨天孩子上不了课的情况,下面这些县长、乡长胆子也太大了,连给孩子们修校舍的这点钱也敢挪用。"王元章用手指使劲点了点桌子。

"元章,我准备下去摸一摸情况,搞搞微服私访。"

"你准备怎么去?"王元章关切地问。

"我和小唐坐长途汽车先到皇县,然后再搭老乡们的农用三轮车,这样可以摸到真实情况。"

"为民,开车下去不是跑的地方更多一些?"

"开车动静太大,怕看不到真实情况。"

"为民,天太热了,你再考虑考虑。"

"放心吧,元章,下乡我可是轻车熟路。"

清晨,天还没大亮,李为民和秘书小唐就登上了由东州开往皇县的长途客车。

东州市驻京办即将从低矮的营区平房搬入五星级的花园酒店的消息,很快传到了省驻京办主任薪泽金的耳朵里。

省驻京办坐落在北京潘家园一带一座老式五层楼里,周围都是居民区,如果没有独立的小院和楼顶上省驻京办的牌子,还以为是住宅楼呢!

有些省的驻京办早就是五星级酒店了,薪泽金本来就觉得脸上很没面子,好在省委书记林白和省长赵长征进京从来都住在这里,一方面让薪泽金脸上有光,另一方面,也让他心里不塌实。

因为各省的驻京办大楼光不光鲜,蠹在那儿比着呢,搞个五星级的省驻京办,是薪泽金梦寐以求的事。然而自己在省驻京办工作十多年了,一直没有圆了这个梦,想不到,丁能通到市驻京办不到三年,就要鸟枪换炮了,这无疑是给自己上了眼药。

硬件被甩在后面了,软件就更不是对手了。自从丁能通任东州市驻京办主任以来,也不知他用了什么手段,与首都机场和北京火车站的关系处得无比融洽,简直是如鱼得水,每次副市级以上的领导来,车都可以开到停机坪或站台上,然后领导进贵宾室休息,工作做得漂亮体面。

然而,省里领导来京,省驻京办接待处只能在接站口等待,有一次,常务副省长刘光大和东州市常务副市长贾朝轩同机,贾朝轩是坐着停在停机坪上的大奔走的,而刘光大是自己坐摆渡车走出来的,尽管刘光大什么话也没说,但是薪泽金觉得颜面扫地,一点面子也没有。薪泽金为改善省驻京办的形象煞费苦心写了个报告,专程回东州到省政府向赵长征省长汇报。

当薪泽金的奥迪车停在省政府大院小白楼前时,他又犹豫了,关于省驻京办搞不搞五星级酒店的问题,省政府常务会上议过几次,一直是两种意见:同意和不同意,而且两种意见势均力敌。不过,省长赵长征的态度一直很暧昧。正因为如此,省政府对扩建省驻京办的事,一直没有明确意见。

薪泽金望了一眼小白楼,心想,还是争取说服赵省长同意,因为,省驻京办的形象如何从一个侧面说明了省里的经济实力，何况常务副省长刘光大是非常赞同的，光大同志认为清江省是工业大省，省驻京办一定要与工业大省的形象相匹配。这次薪泽金找赵省长汇报，就是刘光大授意的。

在赵长征秘书小王的安排下，薪泽金走进了赵省长的办公室。赵长征一边通电话，一边示意薪泽金坐，秘书小王给薪泽金倒了茶，然后退了出去。

赵长征放下电话问道："泽金同志，不在北京做你的大使，跑回省城为什么呀？"

薪泽金因常年在北京接待这些大领导，也不拘束，呷了一口茶说："赵省长，我这次回来是特意向您汇报工作的。"

"泽金同志，你的主管领导是光大同志，向他汇报了吗？"赵长征温和地问道。

"上次光大同志到北京开会，我专门向他做了汇报，光大同志的意见是让我向您专程汇报一次。"薪泽金捧着茶杯略显激动地说。

"噢，什么事情这么重要，连光大同志都处理不了，还要专程向我汇报。"赵长征端起自己的茶杯喝了一口茶水问道。

"赵省长，东州市驻京办很快就要搬进五星级酒店了，省驻京办的形象太逊色了。光大同志让我们拟了一个扩建驻京办的方案，想请您看一看，希望得到您的批示。"

赵长征接过薪泽金送上来的方案，戴上花镜仔细看了一遍，默谋良久，摘下花镜肃然问道："这么说光大同志对这个问题赞成喽？"

"是的，赵省长，刘省长始终主张将现在的省驻京办拆了，然后通过招商引资的方式在原有地址上建一个五星级的，K省驻京办就是这么办的，离我们驻京办不远，气派得很。"

"气派得很，泽金同志，我看你的思想有点问题呀，省政府常务会议过两次，我始终没有表态，是因为我一直在反思驻京办的功能，泽金，你知道驻京办的历史吗？"

薪泽金懵懂地摇摇头，他不理解新建驻京办与驻京办历史有什么关系。

"驻京办的历史起源可以追溯到封建王朝的同乡会和会馆，在封建社会，京城的会馆、同乡会的功能不外乎沟通家乡与京师之间的联系，接待

85

来京出差的地方官员及进京赶考的家乡学子,维护家乡人民在京的合法权益等。"赵长征的口气悠长深远。

"赵省长,这些功能现在的驻京办都有啊!"薪泽金插嘴道。

"是啊,从上世纪九十年代初,各省、自治区、直辖市的驻京办有的在北京兴建集联络、接待和服务功能于一体的办公大楼,这些占据京城黄金地段的驻京办事机构一般以省命名,有的还是星级豪华酒店,我们省当时没有跟风,而是买了一座老楼改造成了二星级酒店,使用至今。你老薪也在那儿工作了十几年了嘛。"

"可是,赵省长,有些省市驻京办都在与时俱进,我们省的驻京办落伍了,跟不上形势了。"薪泽金见赵省长反对的态度坚决,有些激动。

"泽金同志,正因为这些年各省市驻京办互相攀比,才造成了非常不好的影响,你知道老百姓管驻京办叫什么吗?第二行政中心、大使馆、行宫,连国家审计署审计长都批评驻京办在跑'部''钱'进。是的,驻京办也成了公款接待大本营,我知道驻京办个个神通广大,想建五星级只要省政府同意,明年大楼就能盖起来,但是在市场经济大潮推动下,驻京办的功能必须随之改变。"

"赵省长,各地都在强化驻京办的功能,我们总不能弱化吧?"

"起码你这个驻京办主任不能整天陷在应酬和接待事务中,要在信访、社会协调、解决我省公民进京人员的困难方面拓宽空间,要强化民本内涵,少搞些名正言顺的特殊化。"

薪泽金建五星级驻京办的设想破灭了,他失望地走出赵长征的办公室,但仍不死心,心想,新建不行,可以在扩建、改建上做文章。于是,他灵机一动,又钻进了刘光大秘书的办公室。

28、县驻京办

就在薪泽金在省城活动新建驻京办大厦的时候,东州市皇县县长林大可和县驻京办主任罗小梅找到了丁能通。

林大可和罗小梅拎了不少皇县的土特产推开了丁能通常住的八栋六号房。林大可当兵出身,是一个豪爽的人,长得五大三粗的,说话也瓮声瓮气的。

罗小梅据说是皇县第一美人,是通过招聘选拔到县驻京办主任位置上的,起初在县电视台做主持人,与丁能通脚前脚后进的京,三十岁左右,长得娇小妩媚,看上去精明干练。

两个人一进门,林大可身上就带进来一股风尘仆仆的汗臭味,罗小梅却是香气扑鼻,这一香一臭搞得丁能通晕晕乎乎的,不知二人不请自到,要唱什么双簧戏。

服务员为两位倒了毛尖茶,又上了水果盘出去后,丁能通问:"林县长无事不登三宝殿吧?"

"能通主任,说实话,我和罗主任还真有要事相求。"林大可开门见山地说。

丁能通闪了一眼罗小梅,罗小梅马上送上来一眼秋波,丁能通像被电了一下,赶紧闪开,心想,这女人不简单,眼睛会勾魂。丁能通与罗小梅虽然都在北京,但平时各忙各的,所以打交道并不多。

丁能通掏出一支烟扔给林大可问:"皇县在东州可是财大气粗,我这个小驻京办能帮什么忙?"

"丁主任,"罗小梅柔声细语地说,"听说市驻京办就要入住北京花园了,林县长的意思是你们搬走后,老市驻京办能不能让给我们做县驻京办,我们现在的县驻京办条件太差了,想改善改善。"

87

丁能通心想,好灵通的消息呀,我还没行动,他们却先下手了。

"罗主任有所不知,市驻京办这个位置原来是个军营,现在这块地也是市政府租部队的,如果我们搬到北京花园,这块地恐怕就要还给部队。如果你们想要这块地,我可以给你们搭个桥,你们再与部队谈。"

"能通,"林大可圆睁二目道:"这么好的地块为什么不买下来呢?"

"林县长,"丁能通笑了笑说,"这是前两届政府的事,据说当时七百万就可以买下来,但是市政府舍不得拿这笔钱,现在恐怕一个亿人家也未必肯卖了。"

"可惜,真可惜!"林大可抱憾地说。

"林县长,买我们是买不起了,我们可以接着租啊!"罗小梅柔媚地建议道。

林大可想都没想便附和道:"对,对,对,能通,你给搭搭桥,我们县可以接着租。"

丁能通心想,这个林大可还真有点意思,罗小梅只是这么一说,他就同意了,看来什么样的英雄都过不了美人关呢。哪个英雄要是过得了美人关,一定是得了生理疾病。

"好说,为家乡服务是我们驻京办义不容辞的责任,对吧,罗主任?"丁能通圆滑地说。

"丁主任,我们皇县驻京办以后还要仰仗市驻京办的大力提携,市驻京办就拿我们县驻京办当你们下属单位,就叫我小梅好了。"

罗小梅妩媚地一笑,丁能通暗自佩服这女人的美丽,心想,早知道皇县有这等人才,先下手挖来,不过,看样子现在挖已经来不及了。心中不免有些遗憾。

"小梅,天下驻京办都是一家人,何况咱们都是为东州服务呢!"

"可不是嘛,我听说在北京大大小小的驻京办有三千多家,这家伙,你们要是联起手来,谁也不是对手呀!"林大可赞叹道。

"丁哥,我听说,在北京还有全国省市区驻京办协会,每年都搞联谊活动,不过好像只招收市一级会员,什么时候组织活动了,也请丁哥领我们见识见识。"

罗小梅不一会儿的工夫就改了口,搞得丁能通心里痒痒的,心想,这女人真是做办事处工作的天才,天生的尤物。

"这两年也向县市政府及企业的驻京办敞开了大门,小梅要是不嫌弃,改日我把协会的理事长介绍给你认识认识,那可是不得了的人物,手里的联络图可以纵横天下。"

林大可似乎对联络图几个字特别感兴趣,睁大眼睛说:"丁主任,以后这样的神人多往我们县领一领,我林大可忘不了兄弟的好!"

"林县长有魄力,当今世界是经济全球化时代,哪一级政府如果不重视驻京办的建设,就是不懂得与时俱进。要知道,驻京办在古代的前身是会馆,中国国民党就是孙中山在湖广会馆里建的,鲁迅先生的《狂人日记》也是在绍兴会馆里创作的。当时的会馆主要集中在北京的崇文、宣武二区之内,以宣武区最多。由于有了众多的会馆,汇集了大量的文人学者,还产生了宣南文化,而宣南文化又是北京文化最主要的组成部分,现如今,大多数会馆成了居民大院,甚至成了危房,很令人遗憾哪。"丁能通卖弄地说。

"丁哥,你可真有学问,原来驻京办是由古代的会馆衍生的,这么说驻京办文化也应该成为一种文化现象载入史册了。"罗小梅由衷地叹道。

　　"驻京办以会馆的形式存在可以追溯到明代甚至更早,只是'文革'时期被查封掉了,改革开放以后,驻京办如雨后春笋般地从省级发展到县级,有些人认为太多太滥了,但这是形势发展的需要,不足为奇。你们想,北京是首都,全国各地为了与中央各部委联系获取信息,观察动向,自然少不了驻京办,况且,有些领导进京后,颇有到了北京才知道官小的感触,有了驻京办,就像有了家,再加上招商引资的需要,怎么可能离开驻京办!"丁能通颇有感慨地说。

　　林大可很有同感,"是啊,所以请丁老弟与皇县多亲多近,拉我们驻京办一把,小梅,别忘了向丁主任多请教呀!"

　　"丁哥,赏个面子,一起出去吃顿饭吧。"罗小梅妩媚地邀请道。

　　"不行,不行,明天我陪贾市长去香港,改天吧,等从香港回来后,我做东。"丁能通诚恳地谢绝道。

　　林大可见丁能通确实为难,豪爽地笑道:"小梅,想着这件事,等丁主任从香港回来后,告诉我一声,我专程从皇县飞过来,请丁主任。"正说着,林大可的手机响了,他一看是皇县政府办公室王主任打来的。

　　"王主任找我什么事?"

　　"林县长,你赶紧回来吧,市委副书记李为民在皇县微服私访,检查中小学危房改造情况,县教育局把中小学危房改造资金挪用装修县教育局大楼,李书记正在县政府会议室大发雷霆呢。"

　　林大可听后气愤地说:"县教育局胆子也太大了,连我这个县长都敢瞒,你照顾好李书记,我明天就飞回去。你告诉李书记,我当面向他检讨,并保证皇县一个月内没有一所学校有危房!"林大可挂断手机,无奈地说,"能通,让你见笑了,我才离开两天,县里就出这么大的事。"

　　双方又寒暄了一会儿后,林大可和罗小梅才告辞。

　　丁能通送走林大可和罗小梅,心里感觉空落落的,他打开笔记本电脑,进入金冉冉的心情日记,发现很长时间不写日记的金冉冉最近又写了一篇短文,题目是《今生不再做情人》。

　　刚,上辈子我一定是欠你的了,所以今生要用我的肉体来偿还,用肉体还了还不够，还要用感情还，可是你只需要我的肉体，不珍视我的感情，竟然要求我做你的情人！情人本来就是享受沉沦的，我们只能厮守在黑夜，太阳还没有来得及放出它的第一道光，露珠还在花朵上做着黎明的梦，你便逃了，枕边还留着你的气息，然而，就连这点气息也袅袅散去，看来我们终究是要散去的，晚散不如早散，从今以后我不再做你的情人，要做就做妻子。佛说，今生嫁你的人，是前生葬你的人！我不嫁你，因为我要葬掉我们的情。我走了，百转千回望望你，忽然想起李商隐的《锦琴》："此情可待成追忆，只是当时已惘然。"

丁能通久久望着笔记本电脑的屏幕，异常生气，他看出来了，那个叫刚的男人又去纠缠金冉冉了，看来两个人仍然藕断丝连，不过这篇日记说明冉冉已经下决心离开他。丁能通在对刚的无耻气愤的同时，也有些责怪冉冉太儿女情长，受了伤害还不吸取教训。想到这儿，丁能通给金冉冉打电话，他想以兄长的身份提醒她几句，金冉冉的手机居然关机。

29、紫气东来

李为民在皇县政府会议室大发雷霆后，让县政府办公室王主任准备了几辆自行车，他逼着主管教育的牛副县长和县教育局秦局长与他一起骑车下乡。他要让这两位不谋正事的领导亲眼看看孩子们在什么样的校舍里读书。

一连走了四五个村子，已经是晚上八点多了，王主任想请李为民和小唐就近吃饭，李为民说："前面就是天沟乡了，我们看完那里的学校后，去乡政府吃工作餐吧。"

几个人又骑了半个小时自行车才到了天沟村小学。几个人停好自行车，推开破篱笆门进去，有几间教室。一间一间推开门进去，王主任打着手电照着，每间教室都破得四处透风，窗户上塑料薄膜扯碎了，在夜风中哗哗作响。

李为民要过王主任手中的手电筒，照了照屋顶，屋顶透见了天上的月亮，李为民拍了拍教室破旧的墙壁，看了看月光下毫无修建痕迹的冷清的学校，痛心地说："各位领导，你们忍心让自己的孩子在这样的教室上课吗？"

牛副县长、秦局长一脸的尴尬,牛副县长说:"李书记,昨天我已经接到林县长的电话,命令立即整改,他正从北京往回赶呢,要当面向您检讨!"

"他的检讨我不听,我要的是行动,秦局长,你这个教育局局长面对这样的校舍在装修豪华办公室,你能坐得住吗?"

"李书记,我们错了,马上改。"秦局长哭丧着脸说。

"改?危房改造资金用在装修办公大楼里了,怎么改?我告诉你,一个月后我还来,如果你们跟我做官样文章,对不起,你们到危房校舍去办公,孩子们到县教育局机关大楼去上课。"

李为民说完,骑上自行车向天沟乡政府骑去,几个人骑着自行车消失在夜色中。

飞机快着陆时,丁能通睡醒了,从机窗向外望正是下午时分,天空晴得像一幅画,天是蓝的,海也是蓝的,偶尔有几个小岛从海水中露出轮廓,点点白帆在海面上点缀着。

从天上看,大屿山像极了女人用的手袋,联通香港本岛的两座桥好像白色的带子,岛的形状稍有椭圆的意思。因为新机场跑道是填海建成的,齐刷刷的,正像一个手机袋,斜附在手袋上。

七八年前给肖鸿林当秘书时,陪肖鸿林到过一次香港,那是召开东州国际秧歌节新闻发布会。在丁能通看来,香港永远是在变化的,看不到它的沧桑,只能感觉到它的繁荣,因为这是一个表面繁华拥挤,骨子里又有几分傲气的城市。

贾朝轩、陈富忠、苏红袖和丁能通上了香港黄河集团总经理水敬洪的子弹头面包车,穿过繁华街路,水泥森林如过眼烟云,丁能通一下子想到了上海,觉得两座城市比起来,香港有些旧了,然而正是这份旧,让丁能通觉得香港越来越有味道。

很显然,贾朝轩与水敬洪早就认识,只是没有陈富忠与水敬洪那么熟,陈富忠与水敬洪互称陈哥、水哥,起初丁能通很纳闷,怎么对方都称彼此为哥,还是苏红袖好奇地问过后,水敬洪解释完,丁能通才明白。

原来东南亚大老板之间成了好朋友,为表示尊重,不论大小,一律互称兄长,丁能通心想,看来陈富忠与水敬洪熟得已经不分彼此了。

奔驰停在香港黄河集团总部大楼前,水敬洪亲自引领众人走入电梯,在四十楼电梯口,香港黄河集团董事局主席黄翰晨先生亲自迎接贾朝轩。丁能通心想,如果自己和陈富忠来的话,是绝对见不到这位名震海内外的商界泰斗的。

在黄翰晨先生豪华宽阔的办公室,众人分宾主在圆形沙发上落座。透过明亮的落地窗,是繁华的维多利亚海湾,让人望一眼就会赞叹不已,因为香港是彩色的。

"贾市长,上次我去东州承蒙陈先生的引见,你的豪爽热情深深地打动了我,给我留下了深刻的印象啊!"黄翰晨显然对贾朝轩的印象不错,才会亲自接见大家。

"黄先生一向目光高远,东州是虎踞龙盘之地,风水好得很,有东方鲁尔的美誉,您在东州投资,我会全力做好服务的。"

贾朝轩的谈吐让丁能通有些刮目,因为贾朝轩表现的风采不像是一座省会城市的常务副市长,更像是与黄翰晨一样的大老板。

"东州确实是一个投资的好地方,经过考察,我毅然决定与陈先生共同投资建一座东州最好的五星级酒店,我听敬洪说,你们驻京办有意投资北京花园,希望与我们合作,既然贾市长出面了,我们一定慎重考虑。"

"黄先生,北京花园的硬件设施是一流的,地点也非常好,只是多年来经营不善,如果香港黄河集团能够介入,我们驻京办一定会精诚合作,黄河集团的酒店管理水平是世界一流的,我相信,有香港黄河集团的介入,北京花园一定会创造奇迹的。"

"借贾市长的吉言,我们会派考察小组对北京花园作全面评估,请贾市长放心,我们是不会放过任何发财的机会的。"黄翰晨说完爽朗地大笑起来。

"太好了,我这次来特意请我省的全国著名书法家布衣老先生为您写了一幅字,我知道您特别喜欢书法,希望您能喜欢这幅字呀!"

贾朝轩说完,丁能通和陈富忠赶紧展开画轴,画轴上呈现"紫气东来"四个大字,力透纸背,刚劲飘逸。

"好书法,好书法,贾市长,这份礼物很珍贵啊!"

黄翰晨欣赏了一番后,水敬洪小心翼翼地收起画轴。黄翰晨从自己的书柜中取出四本精美的大画册送给贾朝轩、陈富忠、丁能通和苏红袖。

"贾市长,这是一本关于我生平经历的画册,画册扉页上已经题签了我的名字,送给你们做个纪念吧。"

众人连声称谢。

"敬洪啊,"黄先生接着说,"贾市长难得来一趟香港,你好好安排贾市长看看香港。"

"黄先生,香港我来过多次,早就领略了香港的繁华呀!"

"哎,很多人都觉得香港是一座商业城市,忽略了它在文化和艺术上的成绩,其实,香港最大的魅力在于不同文化的兼容并蓄,无论是艺术还是建筑等多方面,都体现着东西方文化交融的特点。贾市长,看香港可不能走马观花呀,我建议你们去中环的花园道圣约翰教堂看看,那座教堂以十三世纪英国哥特式建筑为蓝本,它的屋顶有锯齿围墙,又有修长纤窄的光顶窗,还有支撑屋顶的木构架,家具、屏风都有十九世纪流行的维多利亚式的图案,很值得一看。"

丁能通感慨这位商界泰斗内在的修养,相比之下,贾朝轩和自己都太浮躁了。

"贾市长,到香港观光,只要留意一砖一瓦,就不难发现不少古建筑,正是这些东西,让香港这个地方体现出厚重的文化气息。"水敬洪补充道。93

"黄先生,难得见到您,能和您合个影吗?"苏红袖柔媚地说。

"没问题,我们大家一起合个影吧。"

黄翰晨说完,叫进自己的女秘书为大家合影拍照。

晚宴上,水敬洪请大家吃了最好的干捞翅,五个人打车来到维多利亚港,苏红袖在绮丽温情的夜风中,显得如女神般温秀,贾朝轩兴奋极了,五个人乘坐天星小轮,欣赏港岛夜景。

维多利亚港夜色的美丽,无疑是荡气回肠般的精神享受。白天的一场小雨,洗得天上、海上和地上都清清净净的。到了夜里,空气清新极了,极目天舒,清清楚楚地瞧见几团白云仿佛是贴在山巅和楼顶一般。一切的困乏、烦忧和无聊都荡然无存,只留下轻盈通透的灵性和着清新的海风自由舞动。

两岸灿烂的灯火勾画出维多利亚港的轮廓,头顶上各种招牌的霓虹灯竞相闪烁、跳跃,把港口装饰得富贵豪华。

　　长达数里的灯色中,变动着的只有两处:中环广场尖顶上的一小节霓虹灯不住地转换色彩;中环中心从下往上渐密的横条状图案渐渐地变色,依着红橙黄绿青蓝紫的次序,一轮一色。

　　蓝色的海水在夜幕中慢慢变暗,不远的群山也渐渐融入了苍穹,夜色中的维多利亚港有着万般的风情,那荡漾在对岸的灯火忽明忽灭,珠光宝气般闪烁着妖媚。看着水中摇曳的万家灯火,听着水上悠扬的笙歌管弦,香港在浓夜里活泼泼地香艳起来。

　　"能通,桥给你搭好了,能不能成,就看你的本事了。"贾朝轩站立船头双手叉着腰说,苏红袖挽着他的左臂。

　　"感谢老板对我们驻京办的关怀,我一定全力以赴促成此事!"丁能通也很兴奋,他迎着海风信誓旦旦地说。

　　"富忠,我看明天白天也不用水敬洪陪着了,我陪红袖买几身衣服,晚上咱们就上赌船。"

　　一提到赌船,丁能通心里就发紧,此行的目的是促成与香港黄河集团合作,丁能通对赌船毫无兴趣,但是躲也躲不掉了,明天只好硬着头皮上了,想到这儿,丁能通有一种上贼船的感觉。

　　"轩哥,我都等不得了。"苏红袖柔媚地说。

　　"红袖,上了赌船我怕你下不来了。"陈富忠色眯眯地说。

　　"为什么?"苏红袖嗔道。

　　"因为你长得太漂亮了,我怕你被船长收到'海上金鱼缸'里!"陈富忠说完哈哈大笑。

　　"轩哥,你也不管管他,净欺负人!"

　　众人说笑间,船靠了岸,丁能通回望海市蜃楼般的夜色,有一种悠然如梦的虚妄,但他不愿意醒来,因为夜香港的繁华与风情,浪漫与绮丽实在美得化不开,道不清,难怪世人对荣华富贵如醉如痴,看一眼晶莹剔透的维多利亚夜色就全明白了。

30、花宴

　　李为民在农村跑了一个星期,非常疲惫地走进家门,这次微服私访他觉得收获很大,在检查中小学危旧房改造情况的同时,李为民顺便对农民增收问题进行了调查,他觉得影响农民收入增长的因素正在发生重大变化,过去行之有效的通过增加农产品产量、提高农产品收购价格来增加农民收入的办法已经明显失效,从根本上解决农民增收困难的问题须有新思路。

妻子已经一个多星期没有见到丈夫了,听说今天晚上丈夫回来,吴梦玲回到家就赶紧买菜做饭,想好好犒劳一下丈夫。

柔和的灯光下,妻子还是显得那样年轻俏丽、楚楚动人,女儿长得太像母亲了,一想到女儿,李为民心中就油然而生自豪感。平日里,不管有多忙,也不管有多累,只要一回到这个家,只要一回到这欢乐温馨的氛围里,所有的烦恼和沉重立刻就烟消云散了。如今女儿翅膀硬了,要飞到大洋彼岸求学去了,夫妻俩既为女儿高兴,心中又觉得空落落的。

李为民一进家门就发现妻子今天格外动人,"梦玲,几天没看见年轻了!"

"今天韩丽珍过生日,中午吃完饭后,请我们几个女同学到她们医院下属的美容院做了个美容。"吴梦玲和韩丽珍从小学到中学都是同学,两个人从小就要好。

"梦玲,以后这样的便宜少占,朝轩和丽珍可不是省油的灯,我一直替他们捏着把汗!"

"好了,我知道了,快洗澡吧。"

李为民痛痛快快地洗了个淋浴,吴梦玲温柔地说:"为民,饿了吧?看我给你做了什么好吃的了?"

李为民穿着睡衣,走到饭桌前,他先用鼻子闻了闻,兴奋地打开沙锅盖,"小鸡炖蘑菇,太好了梦玲,快来趁热吃!"

夫妻俩一边吃饭,吴梦玲一边说:"为民,女儿托钱学礼捎回来一个包,我忙着给你做饭还没来得及看。"

"女儿捎什么给咱们?"

"还不是一些不愿意穿的衣服,要去美国了,不能什么都带去。"吴梦玲温柔地看了一眼丈夫,起身去拿包。

"梦玲,吃了饭再看吧。"

吴梦玲神秘地说:"为民,说不定有女儿的照片,也不知是胖了还是瘦了。"

一提到女儿的照片,李为民也兴奋了,催着吴梦玲快打开,吴梦玲打开包后,发现除了女儿的衣服外,还有一个牛皮纸袋。

"这是什么?"吴梦玲脱口问道。

"快打开,说不定女儿的照片就在这里。"吴梦玲赶紧打开了牛皮纸袋,不打开则已,打开一看,里面竟是两捆崭新的人民币。

"这是怎么回事?"李为民警觉地问。

"我也不知道。"

吴梦玲一紧张,从牛皮纸袋里掉出一封信,李为民一把抢过来打开一看,就几句话:

李书记,我听说孩子要去美国读书了,很为她高兴,这两万元人民币是我这个当叔叔的一点心意,权且给她当路费吧。钱学礼即日。

李为民看后,一巴掌拍在饭桌上骂道:"这个钱学礼,竟敢公然向我行贿!"

吴梦玲捡起震落到地上的信看后说:"为民,钱学礼也是好意,爸这些年有病花了咱不少积蓄,再加上女儿上学,要不咱就……"

"梦玲,你真糊涂,亏你还是个人民教师,爸平时常讲,吃人家的嘴短,拿人家的手短,我李为民的党性就值两万?"

"那这钱怎么办?"

"怎么办? 既然送来了,就别想再拿回去。"

吴梦玲不解地看着丈夫。

"好了,梦玲,这件事由我来处理,饭都快凉了,快吃饭吧。"

李为民说完,滋溜滋溜地喝着鸡汤,吴梦玲不知道丈夫葫芦里卖的什么药,一头雾水地看着他。

薪泽金从东州回到北京后,心里一直有个疙瘩,丁能通用什么办法搞到北京花园的呢? 薪泽金想弄明白,他和钱学礼都在北京混了十几年了,熟得很,薪泽金心想,钱学礼与丁能通关系微妙,也许从他嘴里能套出点真东西。

想到这儿,薪泽金心生一计。薪泽金心里清楚,丁能通这小子猴精猴精的,难对付得很,而且背后还有肖鸿林做靠山,惹不起,肖鸿林明年年底换届很有可能接替赵长征,说不定到时候丁能通还能升,他这么能干,顶了自己这个省驻京办主任的位置也不一定。

薪泽金已经五十三岁了,他有一个最大的心愿就是在省驻京办主任这个位置上干到退休,因为他早就把老婆孩子办成了北京人,而且安排了比较好的工作。

薪泽金从骨子里喜欢北京,在中国最有钱的人不是福布斯名单上的人,而是隐藏在北京山里的豪华别墅里,动不动就看一场几千元美金一张票的洋演出、出入的场所都是像美国骷髅会一样神秘的名人富人俱乐部。这些人背景神秘、深厚,不显山不露水,很少公开自己的身份,有头有脸打点自己生意的却是自己的喽啰,这些人的背景就像大海,要多深就有多深,人家活得才叫富贵。

薪泽金喜欢北京的文化氛围,能在北京立足的人都是有本事的人,自己在北京混了十多年了,省里的大小事情只要与北京有关的,都得薪泽金出面,就因为这一点,他与省市领导的家属子女混得滚瓜烂熟,省里的事没有他薪泽金不清楚的了,可是东州市驻京办来了个丁能通,让薪泽金颜面扫尽。

过去,东州市驻京办没少仰仗省驻京办,丁能通来了以后,抢尽了风头,大有掉过来的势头,薪泽金确实有些不安了。

这些年,随着改革开放的不断深入,各省市区县的驻京办主任那是八仙过海,各显神通,驻京办主任在十几年前还像个官,现在随着自主经营自负盈亏的面越来越大,驻京办主任越来越像个国企领导,地方政府只负责编内人员的工资,其他资金由驻京办自筹,这无疑给驻京办提出了新的课题,也给驻京办主任提供了新的机遇,俗话说,变则通,不变则殆。

对于驻京办而言,等靠要的时代一去不复返了,只有积极开拓,不断探索,勇于改革,才能跟得上时代的发展。你赵长征不给驻京办出路,我薪泽金可以自己找。

薪泽金非常了解钱学礼的秉性,只要有漂亮女人,嘴就把不住门儿。薪泽金想,这个女人必须是圈里的,这样才有共同语言,他想来想去,想起了东州市皇县驻京办主任罗小梅。那可是一个可以让任何男人看一眼就着迷的女人,钱学礼也熟悉,想到这儿,薪泽金狡黠地笑了。

　　爱是一时的,恨却可以是久远的,自从金冉冉被刚伤害以后,她觉得自己的心被男人伤得已经千疮百孔了。她本来是想认真做一个情人的,因为她懂得两个人真心相爱不一定要结婚,因为婚姻和爱情原本就是两码事,我们在邂逅相逢时用我们自身的想象做材料塑造的那个恋人,与日后作为我们终身伴侣的那个真实的人毫无关系。

　　金冉冉骨子里的暖被这个叫刚的男人化做了冷,又被丁能通融化成水,但刚只要肉体,根本没有真爱。女人是水做的,天生灵秀,经过深思熟虑,金冉冉发现丁能通让自己做保姆听起来太冷酷,实际上是为自己好,金冉冉骨子里喜欢挑战自己,从小就有出人头地的梦想。

　　北京这座城市的繁华与上海不同,北京是男人的野心推动运转的,上海起码有一半是靠女人的名利心滋润的;北京的胡同里飘荡着奴性,大街上充斥着野性,无论野性还是奴性,都是征服者的游戏,带有男人身上的汗臭味;上海的雨丝是阴柔的,那法国梧桐的树影都是婆婆的。

　　丁能通给金冉冉呈现了一片新的天地,金冉冉甚至对这片天地有了一种莫名的憧憬,这种憧憬搅得她坐立不安,茫茫然的,她特别希望丁能通给她打个电话,最后还是忍不住自己先拨通了丁能通的手机。

　　薪泽金既没把晚饭安排在哪个驻京办餐厅,也没安排在什么五星级酒店,而是找了一家极有特色的花味餐厅。因为这家餐厅是专门以烹调各类鲜花为特色的。在北京可以吃遍世界,想吃什么都有,而且一定做得是全国最好的。

　　薪泽金站在花宴仙庄门前等候,抽了两支烟的工夫,一辆红色本田车停在他的面前。先是从车门中伸出一只红色的休闲凉鞋,然后就是修长的美腿。

　　罗小梅从车上下来时,仿佛身体在香水中泡过一样,浑身都是风情,浑身都是暧昧,浑身都是秘密,由不得你不心跳,粉色短袖小衫配白色短裙,修长的玉腿,让人觉得此时的黄昏像盛开在栅栏上的粉红色蔷薇一样弥散着芬芳。

　　"小梅,今晚的鲜花宴与你太般配了。"薪泽金垂涎地恭维道。

　　"薪主任不愧是省级领导,连请客吃饭都这么有情趣。"

两个人并肩走进桃红柳绿的餐厅,仿佛走进了鲜花店。

"小梅,这家的鲜花宴别具特色,如果不事先预定,根本没有位子。"

"太好了,鲜花美容养颜,薪主任,你可真会请客。"

两个人走进包房,餐桌正中是一个造型精致的鲜花篮。薪泽金将手一让,请罗小梅落座,服务小姐倒上菊花茶,罗小梅妩媚地一笑问:"薪主任,钱主任怎么还没到?"

"马上就到,这家伙刚从东州回来,好像丁能通去香港了,他们驻京办就忙活钱学礼一个人了。"

薪泽金打着圆场,心想,东州的局面很复杂,何不借机了解点东州的情况。

"小梅,东州要办花博会,你们皇县没争取一下?"

"争取也没用,市里几个郊区都快打出人命了,特别是金桥区和西塘区,其实,我们皇县在东州是养花大县,花卉已经有了产业基础,没办法,离市区太远,市里不会考虑的。"

"小梅,东州驻京办与北京花园谈得怎么样了?"

薪泽金无心问花博会的事,他最关心丁能通是如何空手套白狼的。

"薪主任,丁主任的办法咱们俩谁也学不了。"

"为什么?"薪泽金不服气地问。

"因为你我都没给领导当过秘书,都拿不到特殊政策。"

"丁能通拿到了什么特殊政策?"

"薪主任,你能在东州拿到一块最好的地吗? 你能以这块地做抵押贷到款吗?"

"有了好地当然好贷款了。"

薪泽金心想,既然东州市驻京办搞了一块好地,我小舅子是搞房地产开发的,何不借机让我小舅子捞一把。

"你能不停地抵押不停地贷款吗? 这叫资本运营,就拿这次香港之行来说吧,常务副市长亲自出面联系港商投资,薪主任,你能请动常务副省长刘光大去香港拉港商吗?"

"小梅,说话得给老薪留点面子,据我所知,刘副省长非常支持省驻京办的新建工作。"说话间,钱学礼胖乎乎地走了进来,光秃秃的光脑壳被鲜花映得五颜六色。

"老钱,你来晚了,得罚酒啊!"薪泽金嗔道,然后一个手势给小姐,让她上菜。

很快,小姐就端上来一盘又一盘的鲜花菜肴:油炸成金黄色的银雪鱼上,撒的是点点玫瑰花瓣;鲜嫩洁白的茭白被切成薄片状,和粉红的鲜桃花炒在一起;啤酒蟹里加入了金黄色的菊花,清香怡口。紧接着什么木棉花炒酱豆米,小百合花酸腌菜汤,凉拌棠梨花,水煮芭蕉花,真可谓红的似血,白的如玉,黄的呈金,蓝的赛钻石,几乎所有的颜色都在竹篾编制的餐桌上集合了。

"小姐,真是太棒了,这些鲜花是怎么运来的?"罗小梅兴奋地问。

"都是从云南空运过来的。"服务小姐回答。

"小梅,这家店老板是昆明人,总店在昆明。"薪泽金得意地说。

"将来咱们东州搞花博会时,在花博园附近开一家这样的酒店一定赚钱。"钱学礼诡谲地说。

"钱主任,你这个想法太好了,要不咱们仨合股干吧!"罗小梅认真地说。

"老钱,有小梅当总经理肯定发!"薪泽金附和道。

"一言为定!"

钱学礼端起酒杯说完,挨个杯子碰了一下,然后一饮而尽!薪泽金暗自观察,发现如果用花比喻女人,罗小梅就是万花丛中的牡丹,钱学礼见了这朵牡丹就像换了一个人,酒也不停地干,话也不停地说,看他的眼神就知道,这家伙邪念在不停地升腾,薪泽金心想,时候到了。

"老钱,听说你改抓房地产开发了?"

钱学礼用餐巾纸抹了抹油嘴,两片厚厚的嘴唇不停吧嗒着说:"妈的,万事开头难,我刚从东州回来,老薪有资质好的工程队吗?"

"老钱,你算问着了,我小舅子就是包工头子,资质没的说,老钱,俗话说,肥水不流外人田,哪天我介绍你们认识认识。"薪泽金一心想从老钱那儿分一杯羹,没想到这个蠢货送上门来了。

"钱大哥,我表弟也是搞工程的,常言道,见面分一半,这么好的事别落下小妹呀!"罗小梅一个秋波送上去,钱学礼肉乎乎的脑袋一下子涨得通红。

"小梅,没说的,有大哥的就有小妹的。"

钱学礼肉乎乎的手轻轻拍了一下罗小梅粉嫩纤细的香臂，三个人会心地哈哈大笑起来。

　　第二天早晨一上班，李为民就让秘书小唐找到钱学礼，即使在北京也让他马上飞到东州。小唐拨了半天钱学礼的手机，都是关机的状态，只好打电话到驻京办办公室询问，办公室工作人员说，钱副主任正在飞往东州的飞机上，大约十点钟落地。小唐只好用短信通知钱学礼到东州后立即到李书记办公室。

　　十点钟，小唐接到钱学礼的电话："唐秘书，李书记找我呀？"钱学礼还猜不出李为民找自己的用意，但他隐隐地感到与他送的两万块钱有关。

　　"钱主任，李书记一直在等你，你快过来吧。"

　　钱学礼惴惴不安地推开李为民办公室门的时候，自己送的两万块钱就放在办公桌上，钱学礼怯生生地说："李书记，您找我？"

　　李为民正在批阅文件，他头也不抬地说："坐吧，钱主任。"

　　钱学礼预感到李为民要向自己发难，心里紧张得不得了，他为了掩饰内心的紧张，点了一支烟，但是点烟的手微微有些发抖。

　　许久，李为民才冷冷地说："钱学礼，你本事不小啊，敢给我李为民送现金，一送就是两万块，两万块是个什么概念？最高人民检察院关于行贿101罪的立案标准，行贿数额在一万元以上就可以立案。"李为民把两万元钱往钱学礼面前一扔，"点点看少不少？"

　　钱学礼脑门细汗渗了出来："李书记，我是诚心给孩子拿点路费，没想到惹您发这么大火。"

　　"学礼呀，我如果公事公办，你现在就得拿上你的钱到市纪委说清楚，可是我不想把事情做绝，既然你的钱送来了，我也不能给你退回去，我给你一次将功补过的机会。"

　　"李书记，您说，您说，我听您的！"

　　"一会儿离开我办公室后，把这两万块钱寄到皇县天沟村小学去，那里的孩子正在透风露天的校舍里上课，下不为例，否则，别怪我李为民不客气。"李为民肃然地说。

　　"李书记，我照办，我一会儿就寄，立刻就寄。"

　　钱学礼恨不得赶紧离开李为民的办公室，他做梦也没想到世界上竟然有李为民这样的人,一点人情世故也不讲。

其实,李为民完全可以公事公办,那钱学礼很可能为这两万块钱丢了前程,李为民今天的做法恰恰充满了人情味,他是想敲山震虎,治病救人。

钱学礼灰溜溜地走了,李为民长长地舒了口气,他走到窗前,望着市委大院那个用花岗岩制成的大门楼子,越发感到它朴素、坚定、大气、雄浑厚重。

第三章 适者生存

31、贿赂

贾朝轩一行从香港回来没有回北京而是直飞东州。因为在香港,贾朝轩就得到消息,省委组织部下来一个考察组,是专为他和李为民来的。

这让贾朝轩非常警觉。因为在东州政坛上,没有人不知道有两个人政治前途无量,一个是自己,另一个就是李为民。

省委组织部在贾朝轩不在东州之际,不声不响地下来考察贾朝轩和李为民,葫芦里卖的什么药,不能不让贾朝轩警觉。

其实,贾朝轩骨子里一直瞧不起李为民,因为李为民这个人人情世故从不放在眼里,干巴巴、硬邦邦、冷冰冰,一点情趣也没有,坚持原则已经到了不可理喻的地步。

据说市委机关没有人愿意给他当秘书,更没有人愿意给他当司机,因为一点油水也捞不着。李为民就像个工作狂,搞得秘书、司机一天到晚死累死累的。

就说住房吧,所有副市级以上干部都住进了常委大院,市委机关事务管理局几次做李为民的工作,他就是不搬,到现在还住在居民区里。机关干部都佩服他的魄力和干练,但对他不尽人情的劲儿,都打怵。

不过,老百姓都说李为民好,因为不管多大的事,只要是老百姓的事,他碰上了准管到底,有时候撕破脸皮搞得下属一点脸面也没有,还经常在大会小会上说老百姓的事没小事,一副很正经的面孔。

据说李为民从未洗过桑拿,现在仍然坚持在市委机关澡堂洗澡,也没去过歌厅,这种人也没有娱乐细胞,谁也别想请他吃个饭。

上次在北京贾朝轩请李为民吃饭,也是借李为民住在驻京办的机会,许多人理解不了李为民的生活方式,贾朝轩背后叫他"李克思"。

与贾朝轩相比,李为民是从上面派下来的,属于空降干部,在东州的根基与贾朝轩没法比。贾朝轩是一点一点从基层干上来的,当过街道办事处科员,社区科科长,街道办事处副主任、书记,区商业局局长,区长助理,区长,市建委主任、党组书记,市政府副秘书长,市长助理,副市长,市委常委,常务副市长,每一个台阶都没有落下,付出了艰辛的努力。

贾朝轩最大的特点,是关心下属,凡是跟他干过的干部,无不以我是贾市长的人自居,机关干部大多都知道跟贾市长干活不白干,贾市长这个人知道下面人苦,有什么好处从来不忘了大家,所以在机关干部中,贾朝轩要比李为民有人缘。贾朝轩认为,只要下面基础牢,上面再有人拽,则仕途之路光明无限。

贾朝轩回到东州先向王元章汇报了花博会申报的情况,又向肖鸿林汇报了香港之行港商有意投资北京花园之事,贾朝轩从这两个党政一把手的神态中并未发现什么异样,心里平静了许多。看来省里这次考察不过是例行公事,并没有什么特殊情况,在东州更没有掀起什么轩然大波。

贾朝轩回到了自己久违了的办公室,惬意地坐在高背皮椅上,点上一支烟正想着心事,秘书顾怀远进来了。

"贾市长,刚才你去肖鸿林市长办公室时,陈富忠打来电话,说一会儿过来。"

贾朝轩心想,刚和这小子分手,又来干什么?

"他没说什么事?"

"没有。"

两个人正说着话,有人敲门,顾怀远开门一看,正是陈富忠。陈富忠的表情略显紧张,与顾怀远打了招呼后,很快就闪进了贾朝轩的办公室。

顾怀远觉得陈富忠有点不对劲,像是出了什么事,但又猜不到是什么事。摇摇头走出办公室去秘书一处取文件去了。

贾朝轩见陈富忠满脸堆笑地走进来不太对劲儿，就问："富忠，出了什么事了？"

陈富忠谦卑地从皮包里拿出一把钥匙说："大哥，肖伟在琼水湖畔开发了一片别墅，请法国设计师设计的，建的真他妈好，我给你弄了一栋，这是钥匙，早就想给你，你老不在家。"

贾朝轩接过钥匙掂了掂，说："不光这事吧？"

陈富忠心虚地说："大哥，从香港回来我才知道，敢情，段玉芬被人杀了，还有办公室主任，叫刘可心。"

"富忠，我回来后，邓大海就跟我说了，据说，手段极其残忍，老弟，这事不会与你有什么关系吧？"贾朝轩隐隐约约地觉得陈富忠是为此事而来的。

"大哥说哪儿的话？咱现在有头有脸的，哪能干这种下三烂的事？只是段玉芬当时贷款确实为难过我，公安局找我了解点情况也很正常，只是刑警支队的石存山凭啥老监视我呀？整几个便衣警察跟他妈的特务似的，老在我家和北都大厦晃。"

"你怎么知道石存山派人监视你？"贾朝轩冷冷地问。

"大哥，老弟是在江湖上闯过来的人，哪条道上没有朋友？"

"富忠，你说实话，段玉芬的死确实与你没有关系？"贾朝轩目光如炬105地看着陈富忠问。

"大哥，不做亏心事，不怕鬼叫门，你我都不信了？"陈富忠镇静地说。

"富忠，段玉芬挡了你的财路，我怕你手下的人又犯老毛病，平时对海志强他们管得严点，那小子不是个省油的灯。"

"放心吧，大哥，海志强没有我的话，什么事也不敢做。"

"富忠，既然什么事也没有，公安局找麻烦也不怕，什么时候我请邓大海吃顿饭说说。"

贾朝轩无限怅惘地吸了一口烟，一点点地喷着烟圈，烟圈越来越大，渐而消失无形。贾朝轩觉得自己就在一个无形的圈子里，这个圈子里有一种场，像磁石一样吸着自己，无力摆脱，只好随着磁场转，越转越小。渐渐的，深度近视镜后面，一双疲惫的双眼紧紧地闭上了，房间里传出了呼噜声……

32、怜香惜玉

夜深了，黑水河在月光的映照下从它那宽阔柔软的胸怀里舒出一口气，于是忘记了一天的暑热和烦恼，它像一位慈祥的母亲，对两岸所发生的一切都给予谅解和宽恕，它静静地展开肢体，仿佛要准备入睡了。

海志强把奔驰车停在陈富忠的别墅前，陈富忠没有马上下车，他沉思半晌道："志强，这段时间一定要小心，让弟兄们都先散了，给他们拿点钱，让他们到南方散散心，需要回来时再回来。"

"大哥，贾市长怎么说？"海志强试探地问。

"贾市长怎么说你不用问，把你该干的干利索就行了。"陈富忠不耐烦地说。

"知道，大哥！"海志强恭敬地应道。

"志强，记住，没有过不去的火焰山，什么风浪咱们没经过，何况咱们还养着一批掌权的人呢。"陈富忠说完点上一支烟抽了几口，然后慢慢推开车门。

陈富忠走进家门时，林娟娟一个人在客厅里正抹着眼泪。林娟娟见陈富忠进来赶紧擦掉眼泪，起身迎接。

"怎么了？"陈富忠把烟按在茶几上的烟灰缸里问。

"没怎么。"林娟娟显然有些怕陈富忠。

"不对，明明刚擦干眼泪嘛，我这个人最怜香惜玉了，见不得女人流泪。"陈富忠一把搂住林娟娟，端详着林娟娟的玉脸说。

"忠哥，白天去医院看我父亲，他的情况不太好，所以有些伤心。"林娟娟无助地说。

为了救父亲，林娟娟委屈自己把身子给了陈富忠，接触时间长了，她发现陈富忠也有很脆弱的一面，经常在夜里像个孩子似的被吓醒，嘴里不停地喊"娘、娘"。

林娟娟心想，这是怎样一个男人？为什么会对娘这么依恋？慢慢地她习惯了陈富忠的冷酷，知道这冷酷背后一定有常人没有经历过的落寞。

"娟娟，你知道你为什么能留在我身边吗？就是因为你这份孝心，想伺候我的女人太多了，但是有你这份孝心的太少了。如今，红颜不再薄命,而是薄情啊。现在的女人,只要有好处,就什么都不管了,你知道,我这辈子就追求两大快感,一是花钱本身,二是对女人发泄的快感。不过,自从我俩睡过以后,你居然是个处女,这是我没有想到的,不瞒你说,不是一流的女人我是不要的,不过,我从来没有拥有过处女,你是第一个。你是不是想说我是个流氓?对,我是一个流氓,漂亮的女人永远是我这种流氓的猎物,不过,既然跟了流氓,与其跟小流氓,不如跟我这种大流氓,除了跟我这种流氓以外,还有一条路就是跟有头有脸的衣冠禽兽,比起这种人,我觉得我要坦白,这就叫五十步笑百步吧。"

陈富忠滔滔不绝地说完,捏了一下林娟娟的脸蛋,林娟娟听得杏眼圆睁,樱唇微张,她从来没有听说过如此江湖的奇谈怪论,她被陈富忠彻底征服了。

"忠哥,你为什么不结婚呢?"林娟娟好奇地问。

"结婚?"陈富忠愣了一下说,"在这个世界上,我只爱一个女人,这就是我娘。她老人家为了不让我饿死,自己却饿死了。"陈富忠说到这儿,顿了半晌,继续说,"在这个世界上,再也没有什么可以吃的时候,人就像狗一样,会吃人,而狗不会吃狗。所以有人骂人时说你连狗都不如,那纯粹是对狗的侮辱。娟娟,你没挨过饿,你不懂,凡是挨过饿的人只有两种可能,要么成为盲流,要么成为流氓。你愿意嫁给我这样的流氓吗?"

107

"我只知道没有你,我爸早就死了。"林娟娟低着头说。

"那是你用肉体换来的,没有哪个女人能忍受自己的丈夫每天都在换女人。娟娟,哥今天情绪好,去拿瓶洋酒,陪我喝两杯。"陈富忠脱下T恤衫往沙发上一扔说。

"拿什么牌子的?"林娟娟在酒柜前不知所措地问。

"随便,反正都是他妈的鸟语,我也看不懂。"

33、官道

贾朝轩斜靠在床上捧着《雍正王朝》看得正起劲儿,韩丽珍端着一杯热牛奶推门进了卧室。

"朝轩,累了一天了,怎么还不睡?"韩丽珍把热牛奶递给贾朝轩问。

"丽珍,不看《雍正王朝》不知道,原来我身边缺一个邬思道啊!"贾朝轩蹙额叹道。

"朝轩,是不是你身边的人你没留神?我看丁能通、顾怀远都是深藏不露的人。"

韩丽珍与肖鸿林的老婆关兰馨不一样,这个女人要是生活在刘邦的时代,就是吕后,生活在唐朝就是武则天,心不仅比天高,而且主意也正,是贾朝轩的贤内助。

贾朝轩在北京与许多大人物搭上关系,都是韩丽珍的功劳,而且韩丽珍的心肠也不像一般的小女人,整天看着老公像个醋坛子,韩丽珍对贾朝轩与女人的关系问题上,从来都是睁一只眼,闭一只眼,比如贾朝轩与苏红袖的关系,以韩丽珍的精明不会不知道,但是韩丽珍从未发过难,韩丽珍心里有数,贾朝轩搞多少女人也离不开她,她实际上就是贾朝轩的女邬思道。

"丽珍,顾怀远这小子我心里有数,有才气,只不过给我当秘书不敢张扬,在我面前,只能夹着尾巴做人,不过还得历练;丁能通这小子不白给,你从他和我下围棋就能看出来,拿捏得滴水不漏,保证三局两胜,而且输的两局都让我赢得不轻松,这个人的心计在我和肖鸿林之上,只是这小子是肖鸿林的人,不好交底呀!"

"朝轩,我倒觉得你身边不缺邬思道,而是缺个孙嘉淦,那可是大清朝不可多得的名臣,耿直不阿,铁骨铮铮。"

"丽珍,当今官场已经容不下孙嘉淦那样的人了。"

"有那么严重吗?我看李为民就是东州的孙嘉淦,人家在老百姓中的口碑比你强多了。"

在韩丽珍心目中,当然希望丈夫能如日中天,然而她知道,丈夫缺的正是李为民无欲则刚的精神。

"丽珍,我始终不相信李为民真的那么干净,狡兔三窟,我总怀疑他还有窝,他和我都主管城建,我就不信他真是什么廉洁的官。丽珍,我回北京后,你找一下富忠,让他派人给我盯着点李为民,想办法弄到点真东西,李为民要是爆出假廉洁的冷门,未来的东州必然是我贾朝轩的。"

贾朝轩太了解官场了,他从街道办事处一点一点地爬起来,每一步都运筹帷幄,他错误地认为,台湾的柏杨说得对,中国人是丑陋的,对待这样的人最好的办法就是请君入瓮。

他还有歪理,以为中国人除了物质的四大发明外,还发明了精神的四大发明,那就是太监,小脚,八股,大辫子。

贾朝轩这些观点早就给韩丽珍说过,虽然夫妻所见略同,但是韩丽珍还是希望丈夫成为政治家,而不是政客。

"朝轩,当选副市长的时候,你和李为民的票数一样多,要不是他退出竞选,你也不一定当上这个副市长。"

"按你的说法,我这个副市长还是他恩赐的,他不也因祸得福,不然能当上市委副书记吗?排名也排在我前头?"贾朝轩不以为然地说。

"我不是这个意思,我是说你们俩这个扣儿,易解不宜结。"

韩丽珍最懂得夫贵妻荣的道理,她现在与贾朝轩是一荣俱荣,一损俱损,常言道,二虎相争,必有一伤,她不希望丈夫树太多的政敌。

"放心吧,夫人,我现在处处都让他一步,处处都尊重他,当官之道我还是懂的,正所谓,做官先做人嘛。"

"这就对了,你们俩年龄相当,都有拼命三郎的美誉,应该合起来做点事,这样对你们两个都有好处。"

"老婆,我看你这个医院院长当的都快成政治家了。"

"我哪是什么政治家,在我心中,你和儿子就是我的事业。"

"丽珍,北京王老那儿你抽空还得多走动走动,关键时刻老爷子说一句话够我们受用半辈子的。"

"你放心吧,王老的糖尿病我请咱们省祖传名医给配的中药胶囊,吃得效果非常好,只是你在党校毕业前去拜访一下更好,准备点古玩什么的,老爷子好玩。"

"一般的东西拿不出手,丁能通倒是跟我说过一个玩古董的玩家手里有一副价值不菲的明代'永子'围棋,估计老爷子能看上眼。"

"那还不抓紧办!"

"那好,回北京后,我就办。"

34、忠言

石存山是从衣雪那儿知道丁能通回东州的,石存山有一肚子苦水想跟老同学倒倒。所以,一大早就把车停到了丁能通家楼下。

丁能通昨天晚上睡得晚,正所谓小别胜新婚,给衣雪交公粮是在所难免的,因此快到十点了,两口子也没起床。

衣雪对石存山一大早就来打扰很不满意,一年到头难得与丈夫温情几次,好不容易在一起睡个懒觉,石存山一会儿打电话,一会按汽车喇叭,气死人了。

但是,衣雪一想到段玉芬的死,气就消了,她理解石存山,石存山是一个硬汉,也只能在丁能通面前诉诉苦,估计石存山内心痛苦极了。

衣雪催着丁能通起床,赶紧给他热了杯牛奶,丁能通洗漱完毕,一口气把一杯牛奶灌下去,拿了两个面包片,就出去了。

石存山的桑塔纳一直往琼水湖方向开,公路下就是滚滚滔滔的黑水河,河两岸所有的高秆作物正在出穗吐缨,玉米、高粱、谷子,长得齐刷刷的,都已冒过了人头。各种豆类作物都在开花,空气中弥漫着一股清淡芬芳的香味。

远处的山坡上,羊群正在下沟,绿草丛中滚动着点点白色,石存山目视前方,车开得很快,仿佛要逃离这个肮脏的世界。

"存山,案子有眉目了吗?"丁能通打破沉默,开门见山地问。

石存山半晌才说道:"能通,查不下去了!"

"为什么? 有大人物干扰办案,连邓副市长都有点吃不消了!"石存山痛苦地紧锁眉头。

"存山,其实,玉芬出事本来是可以避免的。"

"你这话是什么意思?"

"做人不能太原则,太死心眼。"

"你是说玉芬挡了人家的财路?"

"存山,你的性格和玉芬真像,既然案子复杂,你也要多加小心!"

"能通,这回我豁出去了,一定要破这个案子,为玉芬报仇!"

"我能帮上什么忙吗?"

"找你来就是要你帮忙,你是市长秘书出身,又是驻京办主任,可以接触到大人物的私生活,你帮我密切注意一下贾朝轩与陈富忠的来往,有可疑的地方一定通知我!"

"存山,你疯了,市委常委、常务副市长你都敢监视?"

"能通,别忘了,玉芬曾经深深地爱着你!"

石存山刚说完，迎面到了高速公路收费口，车缓缓地停在收费口，石存山按下玻璃准备交钱，却发现一辆红色的宝马车缓缓停在相邻的收费口，石存山发现贾朝轩坐在副驾驶的位置上，开车的好像是个女人。两辆车几乎同时交完费驶出收费口，驶上高速公路。

"能通，贾朝轩坐在前面那辆红车里，咱们跟着这辆车，看看贾朝轩去哪儿！"

"存山，那辆红车我认识，是苏红袖的。"

"苏红袖？难道贾朝轩与苏红袖……"石存山惊异地问。

"怎么？也有你这个刑警支队支队长不知道的？"

"真他妈的道貌岸然，能通，你小子得小心点，整天跟这伙人混在一起，说不定哪天就搅进去了。"

下了高速公路便进入了琼水湖风景区，红色宝马沿着湖畔路缓缓前行，石存山的桑塔纳远远地跟着。

琼水湖波光粼粼，蒲草连天，湖水轻轻拍打着堤岸，发出有节奏的哗哗声，垂柳在微风中懒洋洋地飘动，山坡上树木森森。

一条小柏油路曲径通幽地伸入琼水花园，这就是肖鸿林的儿子肖伟开发的高级别墅区，约有上百栋，红色宝马在琼水花园前停了一下，保安行了军礼，红色宝马驶入花园。

111

石存山的车赶紧尾随过去，保安刚要拦，石存山说："和前面一起的。"车没停便跟了上去。只见红色宝马缓缓驶到一幢位置极佳的豪华别墅前，贾朝轩戴着黑墨镜从车里钻了出来。很快苏红袖也下了车，两个人手牵着手钻进了别墅。

"能通，知道这幢五号别墅是谁的吗？"

"谁的？"

"陈富忠的。"

"你怎么知道？"

"别忘了，玉芬的死最大的犯罪嫌疑人就是陈富忠。"

"看来你一直在监视他。"

"能通，东州有这样的市长，老百姓能过好日子吗？"

石存山说完，踩了一下油门，车轮与柏油地面迅速摩擦发出尖锐的叫声，车飞速驶出琼水花园。

"存山,湖边小饭店一家比一家好,我饿了,咱俩吃活鱼吧。"

"好啊! 我俩好长时间没痛痛快快地喝了。"

石存山把车停在湖边一家叫"湖畔活鱼馆"的小酒店,两个人在湖边的凉棚下坐下,丁能通点了两条爱吃的鱼,石存山要了叫"小烧"的当地特产白酒,两个人你一杯,我一杯地喝了起来。

酒到酣处,石存山不客气地说:"能通,我觉得你变了,不是那个在大学时积极向上、热情善良、聪明义气的老同学了。"

"存山,我知道你现在对我的活法儿有看法儿,说实在的,我对你的活法也不敢苟同,都什么年代了,还满口原则、主义的,无论干什么都是为了养家餬口,当工人、当老师都是养家餬糊口挣工资吃饭,当干部就成神儿了? 就成公仆了? 难道你干这个刑警支队支队长不是为了养家餬口? 扯淡! 每个月不给你发工资行吗? 存山,你和玉芬犯一个毛病,什么事儿太认真,跟你说句实话,在东州官场上,我佩服一个人,就是市委副书记李为民,我承认他是个好官,可是一个李为民能捻几个钉? 俗话说虱子多了不怕痒,屎干了不臭! 我为啥要当这个驻京办主任,说实话,我离开肖市长之前要去市公安局当局长也不在话下,可是别看你整天打打杀杀的,你见的死尸多,我见的行尸多,行尸走肉你懂吗? 我不怕你笑话,我就相信适者生存。我在驻京办更容易看清东州的事,这叫旁观者清。我告诉你,肖鸿林、贾朝轩、李为民还有他妈的袁锡藩,早晚得见个高低,政治斗争是你死我活的,我在北京山高皇帝远,就是不愿意搅到是非窝里去。存山,我劝你,办事别太死心眼了,小胳膊拧不过大腿,如果周围都是坏人,就你一个好人,好人也成坏人了,我丁能通也有原则,就是同流不合污,常在河边走哪有不湿鞋底儿的,但是我保证不湿鞋帮儿,难呀! 太阳升起来了,黎明却死掉了;亚当都堕落了,我们还能清白吗? 来,干!"丁能通借着酒劲儿侃了一阵子心里话,说得石存山气得满脸通红,嘴唇都紫了。

"丁能通,你说的是人话吗? 按你的意思玉芬的案子就不破了? 白死了? 还屎干了就不臭了,不臭也是屎,我看你现在就像一坨干屎。你放心,像李为民那样的好官是大多数,远了不说,副市长邓大海就是这样的好官,我石存山官不大,但也是以李书记为榜样做人做事的,早晚有一天充当黑社会保护伞的腐败分子会暴露在光天化日之下。我劝你小子加点小心,驻京办就是个大染缸,你没听人家说驻京办也叫蛀京办,蛀虫的蛀,还什么山高皇帝远,别忘了,北京城就是皇城根儿!谁不知道你这个驻京办主任的工作就是陪领导打牌,喝酒,买字画,玩古董,送礼,腐蚀国家部委司局领导,将礼品不露痕迹地送上,礼物不在贵,贵了给人家添麻烦,也不能太便宜,关键是投其所好。还有就是接机、送机,安排好吃喝拉撒睡玩,家属去了还得安排购物,要让人家高兴来,高兴去。我问你,你做了三年驻京办主任,去了多少次长城、故宫?我估计你自己也记不清了,不陪行吗?"石存山毫不客气地一阵挖苦。

"石存山,"丁能通有点恼了说,"我好不容易回趟东州,见你一面不容易,我可不是专程回来听你挖苦我的。"

石存山笑了笑,缓了缓语气说:"能通,不是好朋友不会这么坦诚地说话,你别怪我,自从玉芬被害后,我一直心情不好,算一算,能够倾诉的朋友只有你了。"

"存山,我知道你心里苦,可是我更担心你成为第二个段玉芬啊!其实我一直想做一个清正廉洁的驻京办主任,李宗吾在他的《厚黑学》自序里说,'……最初,民风浑朴,不厚不黑,忽有一人又厚又黑,众人必为所制,而独占优势。众人看了争相效仿,大家都是又厚又黑,你不能制我,我不能制你。独有一人不厚不黑,则此人必为街人所信仰,而独占优胜。譬如商场,最初商人尽是货真价实,忽有一卖假货者,掺杂其间,此人必大赚113其钱。大家争效仿,全市都是假货,独有一家货真价实,则购者云集,始终不衰,不败……'我是想做货真价实的驻京办主任,而不是要做又厚又黑的蛀京办主任。"

"能通,你这么想我就放心了。咱们都是玉芬的同学、朋友,一定要为她报仇,你接触陈富忠比较方便,帮我密切注意他身边的人,一旦发现可疑迹象,立即告诉我,我只求你这一件事,怎么样?"石存山说完凝视着丁能通,目光里充满了期待。

35、登门

丁能通从东州回到北京后,立即召开驻京办领导班子会议,研究的议题有两个:一个是房地产开发必须立即上马;二是全力准备迎接港商水敬洪。

会开到一半时,丁能通接到了刘凤云的电话,询问保姆的事找得怎么样了？丁能通赶紧说,好了,这两天就过去。散会后,他马上给金冉冉打电话,两个人约好在燕山大学门口见面。

金冉冉从大学门口出来时,简直就像换了一个人,打扮得朴实无华,简单大方,丁能通快认不出来了,粉黛不施,就像纪委的女干部一样。

丁能通一边开车一边问:"冉冉,还生哥的气吗？"

"卡耐基夫人说,那些远离成功的人总是随随便便地找一份工作稀里糊涂地结婚,急切地想改变现状,但心里的目标非常模糊。哥,我不能做这样的女人,我心里已经有了目标,所以,我接受你介绍的这份工作。"

丁能通听后心里一惊,心想,这个女孩不得了,刚毕业就如此工于心计。

"冉冉,你的目标是什么？"

"这是我的秘密,不能告诉任何人！"

"也包括我？"

"当然,不过,早晚有一天你会看到我成功的！"

"冉冉,在这个世界上最真实的感觉就是活着,成功之后还得活着。"

"哥,既然活着,就应该活出个人样来！"

"丫头,你有这份志气就好！"

说完,丁能通急踩油门,车向方家栏方向驶去。

刘凤云的家住在方家栏一片高层住宅区内,这片小区在北京市属于中等偏上水平,丁能通的奔驰停在刘凤云家楼下时,金冉冉坐在车上许久没有下车,丁能通理解她复杂的心情,也不劝,默默地等她。

半晌,金冉冉突然打开车门,下了车,丁能通不紧不慢地跟着下了车。

"冉冉,你放心,最多干两年,刘大姐答应两年后一定给你一个交代,再说,有哥哥我呢。"

"哥,两年后的事情谁能说得清楚？不过,你放心,这两年我一定做好。"

两个人说着话上了电梯。

丁能通按了门铃,开门的是刘凤云。刘凤云腰间系着围裙,看样子在做饭。

"刘大姐,这就是我跟你说的金冉冉。"丁能通介绍说,"冉冉虽然是刚毕业的大学生，但也是穷人家的孩子，能吃苦，照顾两个孩子没问题。"

刘凤云热情地把两个人让进客厅，显然，周永年还没下班。客厅很宽敞，有三十多平米，墙上挂着一幅楷书，正是雍乾时代的名臣孙嘉淦给乾隆上的一篇著名奏折：

小人进而君子退，无他，用才而不用德，故也。德者，君子之所独，才则君子、小人共之，而且小人胜焉。语奏言对，君子讷而小人佞谀，则与耳习投矣。奔走周旋，君子拙而小人便辟，则与目习投矣。即课事考劳，君子孤行其意而耻于言功，小人巧于迎合而工于显勤，则与心习又投矣。小人夹其所长以善投，人主溺于所习而不觉，审听之而其言之耳，谛视之而其颜悦目，历试之而其才称乎心也。于是小人不约而自合，君子不逐而自离。夫至于小人合而君子离，其患可胜言哉！

"能通，这幅字是你永年大哥写的，怎么，你也喜欢这段话？"刘凤云端上来一盘西瓜说。

"刘大姐，想不到，周大哥的字这么有风骨！"

"是啊！他的字像孙嘉淦这个人一样，缺少人情冷暖。"丁能通从这句话中，听出了刘凤云对丈夫的称赞，心想，字如其人，难道周永年的为人也像孙嘉淦吗？那可太没意思了。

"冉冉，家里父母是干什么工作的呀？"刘凤云见金冉冉打扮朴实，满心欢喜地问。

"我父母都是下岗工人。"金冉冉腼腆地说。

"也是个苦孩子呀！穷人的孩子早当家啊！"刘凤云感慨地说。

"刘大姐，姐夫几点下班？"金冉冉坐在沙发上没话找话地问。

"噢，你姐夫就快回来了。"

这时，从里屋晃晃悠悠走出一个胖乎乎的少年，嘴里淌着口水："妈，小弟跟我抢枪。"

金冉冉从茶几上的餐巾盒里抽出一张餐巾纸，赶紧给这个孩子擦口水。丁能通一看就知道这是刘凤云的傻儿子。显然，刘凤云对金冉冉的举动非常满意。

"妈，漂亮姐姐，好，要一起玩！"刘凤云的傻儿子说。

"冉冉,看来我这傻儿子跟你还挺有缘,以前的保姆他一个也不喜欢。"刘凤云欣慰地说。

这时,从里屋又跑出来一个倍儿精倍儿灵的小男孩,端着玩具枪,就向傻哥哥扫射,嘴里还不停地喊:"举起手来,缴枪不杀!"

"能通,这是我的小儿子,为他们俩,我的心都快操碎了。"

"刘大姐,有我在这儿,以后你就放心吧,我会成为他们俩最好的朋友的。"金冉冉胸有成竹地说。

"胡说!"小男孩说,"要想成为我的朋友得先接招!"说着就向金冉冉扫射。把金冉冉吓得不自主地躲闪了一下。

小男孩接着说:"还得回答我一个问题!"

"怎么,你这小家伙还要面试大姐姐呀?"丁能通微笑着问。

"什么问题?你说吧!"金冉冉很感兴趣地说。

"大红螃蟹和小黑螃蟹谁跑得快?"小男孩鬼精灵地问。

金冉冉假装想了半天,旁边的傻儿子傻笑着说:"当然是大红螃蟹了,大红螃蟹大,当然跑得快了!"

"瞎说! 你比我大怎么跑不过我?"小男孩傲慢地说。

"妈,小弟欺负人!"

"你们俩别争了,大红螃蟹虽然大,但是煮熟了,跑不动了,小黑螃蟹虽然小,但是它是活的,当然要比大红螃蟹跑得快了。"金冉冉笑着说。

"大姐姐真聪明,来吧,咱们一起玩吧!"小男孩说完拽着金冉冉进了里屋。

"刘大姐,有金冉冉你就放心吧,她挺能吃苦的。晚上我还要接站,先走了,有什么事打电话吧。"丁能通说完,又向里屋喊道,"冉冉,我走了,你好好干!"

丁能通为自己完成了一件善举而暗自高兴。

金冉冉并没有出来送丁能通,只是答应了一声:"你走吧!"

刘凤云一直把丁能通送到楼下,看着丁能通上了车才回去。

36、窝边草

这几天白丽娜像被霜打了一样,无精打采的,一大早就来敲八栋六号

116

门。丁能通昨晚喝多了还没起床,睡得正香的丁能通听到敲门声,懵懵懂懂地爬起来去开门,开开门他打了个哈欠定睛一看,是白丽娜站在门前,连忙又把门关上了。他只穿了一条内裤,丁能通对白丽娜这棵窝边草一直小心谨慎,他知道肖鸿林已经拜倒在她的石榴裙下,这娘儿们拿下肖鸿林后,一直趾高气扬的,今天看样子怎么像晒蔫儿的黄瓜似的。

"丽娜,等一会儿,我穿上衣服,你再进来。"

"头儿,我还能把你吃了?"白丽娜不高兴地说。

白丽娜心里清楚,丁能通孤身一人在北京,并不能耐得住寂寞,只是对自己谨小慎微罢了。丁能通开门后,白丽娜扭摆着屁股,不满意地走了进来。

"丽娜,你坐着,我洗把脸。"

丁能通走进洗手间,白丽娜简单地为丁能通收拾了一下床铺,然后拿起床头的内线电话打给食堂。

"喂,我是白丽娜,把丁主任的早餐送到他房间来。"

白丽娜刚放下电话,丁能通用毛巾擦着湿漉漉的脸出来了。

"丽娜,你这几天不太对劲儿。"

"怎么不太对劲儿了? 人家挺好的!"白丽娜掩饰着说。

"丽娜,你心里有事我还看不出来?"

丁能通话音刚落,服务员把早餐送了进来。服务员退出去以后,白丽娜长叹一声。

"头儿,人这一辈子真没劲儿!"

"怎么了?"丁能通一边吃早餐一边问。

"没怎么,就是觉得做人挺没劲的。"

丁能通放下筷子黑着脸说:"怎么的,白丽娜,咱俩不是朋友是不? 有什么话不能说,吞吞吐吐的。"

丁能通的话一出口,白丽娜的眼泪扑簌簌地掉了下来。丁能通预感到,白丽娜的情绪一定与肖鸿林有关。

"他答应我离婚的,可是又变卦了!"白丽娜委屈地抹着眼泪。

"谁呀? 不会是钱某人吧?"丁能通心里好笑,开玩笑地说。

"你讨厌! 明知故问!"白丽娜突然歇斯底里地叫道,表情绝望痛苦,丁能通几乎被白丽娜的表情震呆了。

"丁能通,要不是你为我创造了机会,我不会陷得这么深,你去告诉他,如果他不离婚娶我,我就让他身败名裂。"白丽娜的眼神里充满了怨恨,咬牙切齿地说。

丁能通一下子意识到白丽娜的可怕,他不知道她和肖鸿林之间究竟发生了什么,但是丁能通知道如果白丽娜做出什么不明智的选择,第一个受影响的就是自己。丁能通脑海中闪过的第一个念头就是阻止白丽娜。

"丽娜,你疯了,别忘了他首先是个政客,然后才是男人,你以为他会为了你丢掉他奋斗一辈子得到的地位吗?别做梦了,我劝你别做傻事,理智点,离开他算了。"丁能通口气强硬地劝道。

"头儿,我不是死缠烂打的人,肖鸿林给我许了太多的愿,一样也没有兑现,我在驻京办干了十几年了,一直是驻京办酒店的破经理,才相当于正科级,头儿,不让我难为肖鸿林也行,北京花园谈成后,我要当这个五星级酒店的副总经理。"白丽娜鼻涕一把泪一把地说完,往沙发上一坐,抽出茶几上的餐巾纸又擦眼泪又擤鼻涕。

丁能通看着白丽娜可怜兮兮的样子,心里又好气又好笑。没想到,一大早这娘儿们居然搞起了敲诈,但是他心里清楚,白丽娜的确该解决级别问题了,为了不让这女人干出破釜沉舟的事,只好花点心思安抚了,不过,丁能通还是有些庆幸,幸亏没偷吃窝边草,否则后果严重。

"好了,丽娜,我知道你这些年委屈了,你知道香港黄河集团是东南亚一带著名的大公司,特别是在酒店管理上业绩非凡,人家有一整套的管理方法和对人才的要求,我们既然要办一流的驻京办,在酒店管理上就不能安插我们自己的人,我下决心了,一个人都不安排。不过,我和肖市长、贾市长都汇报了,也和市委副书记李为民汇报了,由于发展需要,市驻京办再增加一位副主任编制,我提名让黄梦然上,他上来后,你接替他的位置,做接待处处长,怎么样?"

丁能通不紧不慢地坐在白丽娜身边有板有眼地说,白丽娜半天没表态,丁能通心里一紧,心想,这还不满意,还想咋的呀?

"说话呀,行不行?"丁能通心里有气,脸上却带着微笑温声问道。

"头儿,不许反悔呀!"

白丽娜说完扑哧一笑,起身袅袅婷婷地走了。丁能通望着白丽娜柔美的背影,心想,真他妈的是个尤物!

37、人面桃花

李为民和妻子吴梦玲悄然来到北京城,低调住进了驻京办,没有人知道这两口子一起到北京干什么,只有丁能通知道,李为民不愿意声张是怕一些像钱学礼这样的干部干蠢事。

李为民破例用了丁能通在首都机场的关系,为自己和妻子办了临时通行证,夫妻俩洒泪送女儿去美国留学。丁能通陪李为民和吴梦玲一直将孩子送到飞机上,直到飞机起飞,吴梦玲还泪眼涟涟的。

在回驻京办的路上,丁能通一边开车一边说:"李书记,香港黄河集团总经理水敬洪先生昨天到北京了,我跟他说您在北京,他想见见您。"

"香港黄河集团是香港最有影响的大集团之一,这几年在大陆投资有向北方转移的倾向,吸引这样的大集团到东州投资,可以在香港起到示范效应,见,一定要见!"

丁能通一听李为民同意见水敬洪,心里非常高兴,连忙给黄梦然打电话,让他将水敬洪请到驻京办。

在驻京办贵宾室,李为民与水敬洪热情握手后分宾主落座,茶几上摆着花篮,丁能通和北京花园总经理田伯涛及水敬洪的两名随行人员作陪。119

水敬洪微笑着说:"李书记,我听丁主任说您在北京非常高兴,本想到东州拜访您,想不到在北京见了面,我这次来是专程为与东州市驻京办合作而来,我们董事局主席黄翰晨先生非常看好在东州的投资,特别对东州的国有企业感兴趣,只要项目好,我们是来者不拒呀!"说完哈哈大笑。

李为民谦和地说:"改革开放以来,我们东州的经济发展突飞猛进,以东州为中心的清江省中部城市群,更是吸引了大量外商投资,应该说,东州市与香港黄河集团也是老朋友了,过去,我们就有成功的合作。东州的好项目很多,耳听是虚,眼见为实,抽空水总还是请丁主任陪着到东州走走看看,我们东州人做事一向讲究双赢。"

水敬洪高兴地说:"我对东州人的热情深有体会,李书记,黄主席一直有意在东州建一个鞋业生产基地,主要是向国外出口,这次来我带了几双皮鞋样品。"这时,水敬洪的随行人员连忙递上来一双皮鞋,"李书记,这双鞋就是我们黄河集团鞋业公司生产的,样式和质量绝对是一流的,送给您一双为我们做做宣传!"

李为民接过鞋仔细看了看,然后放在鞋盒里,微笑着说:"水总太客气了,在东州办鞋业生产基地,我们非常欢迎,但是这双鞋我不能收。"

水敬洪略为尴尬地说:"李书记,这不过是一双鞋,就当是为我们企业做宣传了。"

李为民爽朗地说:"水总,你这么大的老板要是送一双鞋未免太小气了。"

水敬洪兴奋地说:"需要多少双,李书记尽管开口。"

李为民诚恳地说:"水总,说句心里话,在东州最缺鞋穿的不是我,是环卫工人,他们风里来,雨里去的,为东州市的美丽辛勤工作,你要是送我鞋,你就多送点,我替环卫工人谢谢你了!"

水敬洪听罢感慨地说:"早就听说李书记是平民书记,今日一见,果然是名不虚传啊!您的这番话让水某非常感佩,看在李书记的面子上,我就送一万双鞋,你看够不够?"

李为民赶紧起身,伸出双手握住水敬洪的手说:"水总,那可太感谢你了,我替全市环卫工人谢谢你!"

水敬洪真诚地说:"李书记太客气了,这一万双鞋我们会专门为环卫工人设计,他们穿上我们的鞋穿梭在东州市的大街小巷,就等于给我们做广告了。"

李为民高兴地说:"到时候,我会为水总专门搞一个捐赠仪式,免费为香港黄河集团做宣传。"

水敬洪钦佩地说:"李书记办事让我想起一句古诗。"

"什么古诗?"

"心底无私天地宽。"

众人听罢哈哈大笑。

水敬洪到北京的当天晚上,罗小梅就得到了消息。消息是从省驻京办主任薪泽金那里得来的,她马上向皇县县长林大可做了汇报。林大可指示罗小梅,要想尽一切办法不惜任何代价利用一切可以利用的手段把港商请到皇县来。

林大可一直想把皇县建成东州市、甚至全省的开放大县,因为皇县有得天独厚的钼矿资源,苦于找不到大外商投资开发。所以,林大可听到水敬洪到北京的消息后异常兴奋,对罗小梅下了不要心疼钱的指示。

罗小梅给丁能通打电话的时候,贾朝轩正在北京花园的会议室会见水敬洪,丁能通接到罗小梅的电话后,心里既兴奋又为难。

兴奋是因为罗小梅的姿色让丁能通念念不忘,丁能通一直抓心挠胆地想见罗小梅,却找不到合适的理由,这回居然送上门来了。

为难的是,水敬洪刚到北京,许多重要课题要进入实质性会谈,罗小梅这时候来肯定是醉翁之意不在酒,也不知道贾朝轩是否能同意。不过,丁能通了解贾朝轩的品性,只要贾朝轩见到罗小梅一定会答应的。

于是,丁能通擅做主张让罗小梅半个小时内赶到,丁能通想,罗小梅来时正好赶上宴请,酒桌上多了个漂亮的女人会更有情趣儿。

丁能通答应了,罗小梅非常感激,她从见到丁能通的第一眼就觉得这个帅哥不简单,心生爱慕之情,她以女人特有的第六感,察觉到丁能通对自己也有好感,这正是罗小梅需要的,因为有了这份情谊,所有的公事都好办了,而公事又为自己多接触丁能通创造了条件,反正自己和丁能通都是孤身在北京漂,都是天涯沦落人。

罗小梅赶到北京花园时,贾朝轩和水敬洪还没有谈完,丁能通没让她进会议室,把她让到一个一人高的大瓷花瓶旁。

"小梅,你非要见港商,是不是林大可又要念什么新经啊?"丁能通被罗小梅满身袅袅幽香熏得心中一阵燥热。

"通哥真是孙悟空,什么事也瞒不过你,我们林县长的意思是想请港商去趟皇县。"罗小梅露出急切与渴望的眼神。

"小梅,你们林县长有没有搞错? 怎么跟土匪似的,打劫呀?"丁能通若不是站在罗小梅面前,火会顶到脑门子上。

"通哥,林县长怎么可能半路打劫呢? 是等你们的事情谈完后,请你们帮忙,一起到皇县考察。林县长说了,丁主任有什么条件都答应。"罗小梅不慌不忙地妩媚一笑说道。

丁能通听了心里的火一下子消了,他心想,先听听罗小梅葫芦里卖的什么药,再说。

"小梅,你们县穷乡僻壤的,有什么好去的?"丁能通不屑地问道。

"通哥,皇县出美女你没听说过?"罗小梅柔媚地嗔道。

"小梅,总不会因为有美女就让港商跑一趟吧?"

丁能通心想,皇县还真是个美女窝,出过几个有名的美女,什么名模、名歌星、名演员什么的,眼前的罗小梅也是个例证。

丁能通上次和水敬洪、贾朝轩、陈富忠、苏红袖一起去香港,与水敬洪接触挺深,水敬洪对苏红袖很感兴趣,看得出来,水敬洪的确喜欢美女。

"通哥,林县长一直想把皇县建成开放大县,别忘了,皇县的钼矿资源很丰富,而且皇县有温泉,有古镇,旅游资源也有待开发,很看好的!"罗小梅十分认真地介绍道。

丁能通给肖鸿林当秘书时,陪他去过几次皇县,那时候皇县是全国有名的穷县,靠国家救济过日子,没想到,林大可去当县长没几年,搞出许多名堂来,竟一跃成了东州的富裕县。

"小梅,你们的古镇有温泉,过去怎么没听说过?"丁能通好奇地问。

"古镇早就有,过去穷,没人注意到。温泉、钼矿是这两年才发现的,林县长上任后做的第一件事就是普查皇县资源,没想到这一查,查出了宝。"

两个人正说着话,贾朝轩与水敬洪的会谈结束了,贾朝轩向洗手间走去,丁能通示意罗小梅赶紧追上去,自己走向水敬洪。

水敬洪正在和北京花园董事长兼总经理田伯涛谈话,丁能通凑上去说:"水总,咱们到宴会厅吧。"

"好好,丁主任,听说今晚的菜全是各地驻京办的拿手菜?"

"水总有所不知,我们驻京办在北京有个协会,我通过会长把东西南北中的名厨都请来了,让水总尝尝各地驻京办创制的美味佳肴,一定会给水总留下深刻印象的。"

"水总,您在丁主任眼里可是财神爷呀,丁主任为了今晚的宴请亲自和我研究菜谱,就差他亲自掌勺了。"田伯涛说完哈哈大笑,水敬洪听后也是满脸笑容。

几个人一边聊天一边走进宴会厅,却发现贾朝轩与罗小梅聊得正欢,丁能通心中不禁暗自叹服罗小梅的攻关能力,很显然罗小梅已经说服贾朝轩同意劝说港商走一趟皇县。

"水总,我给你介绍一下,这是我们东州市皇县美女罗小梅,现在是皇县驻京办主任。小梅,这就是大名鼎鼎的香港黄河集团总经理水敬洪先生。"贾朝轩笑容可掬地介绍道。

显然罗小梅的美貌一下子调动起了在场所有男人的脑垂体，男人们的眼睛没有不目光炯炯的，水敬洪更是眼前一亮，情不自禁地伸出胖乎乎的白手。

"罗小姐，好漂亮呀！"

"水总，罗小姐的家乡美女如云，个个都好漂亮。"丁能通赶紧溜缝儿地说。

"为什么呀？"水敬洪肉乎乎的白手握着罗小梅的手不放问。

"水总有所不知，在我们东州有句俗话，叫做草河口的肉猪肥又壮，皇县的姑娘浪又靓。"

贾朝轩话一出口，水敬洪及在场的人都哈哈大笑起来。

"贾市长，水总，丁主任，罗小姐，请入席吧。"田伯涛客气地邀请道。

"好，小梅陪水总多喝几杯。"贾朝轩高兴地说。

罗小梅万种风情地坐在水敬洪身边，众人分宾主落了座。

田伯涛示意服务员走菜。

"能通，听说今天是各地驻京办名菜大荟萃，可别在水总面前栽面子！"贾朝轩叮嘱道。

"贾市长，您就瞧好吧！"丁能通正说着，菜一个接一个地陆续上来了。

"水总，我给您介绍一下，这是陕西省驻京办的海马炖仙鹤神针，这是河南省驻京办的洛阳牡丹燕菜，这是西藏驻京办的红花鳕鱼，这是内蒙古驻京办的烤羊背，这是湖南省驻京办的八宝龟羊汤，这是山东省驻京办的金牌化皮乳猪，这是浙江省驻京办的西湖醋鱼，这是安徽省驻京办的马蹄鳖，这是贵州省驻京办的花江狗肉，这是天津驻京办的五香驴肉……这么说吧，这桌菜除了北京风味的以外，全国各地的特色都上齐了。"丁能通洋洋得意地介绍完，水敬洪圆睁二目表示惊叹！

"丁主任，不得了，水某今天果然开眼界了。"

"水总，丁主任的诚意可用四个字来表啊！"贾朝轩自豪地说。

"贾市长，哪四个字？"水敬洪客气地问。

"用心良苦呗！"罗小梅声音甜津津地插嘴道。

"还是小梅聪明！"贾朝轩高兴地说。

众人哈哈大笑。

酒过三巡，菜过五味后，罗小梅左一杯，右一杯地敬酒，一会儿敬水

123

总,一会儿敬贾市长,桌上的男人让她喝得一个个笑眯眯的,也不知道是醉眼还是色眼,反正是罗小梅送谁一个秋波,谁就得喝一杯,水敬洪三下五除二就答应去皇县了。罗小梅怕水敬洪反悔,还不依不饶地让贾朝轩作证,贾朝轩满口答应。

"能通,小梅盛情相邀,水总也答应了,你就陪着走一趟吧。"

丁能通心想,走一趟就走一趟,反正北京花园的事八九不离十了。

"贾市长,你也一起去一趟吧。"水敬洪邀请道。

"不行啊,水总,我的毕业论文还没写完,这可关系到我的政治前途啊!"贾朝轩十分认真地说。

"既然这么重要,就不劳驾贾市长了,只好让丁主任、罗小姐费心了。"水敬洪色眯眯地看着罗小梅说。

"水总尽管放心,我们去香港享受了阳春白雪,也请水总去皇县体会一下风花雪夜吧。"贾朝轩话里有话地说。

"如果皇县的钼矿资源果然丰富,我会考虑投资的。"水敬洪认真地说。

"水总,我们皇县丰富的东西多着呢,你去了,保你乐不思蜀,惊喜多多!"

罗小梅的酒量让在场的男人无不刮目相看,满桌男人有了六七分醉意,这女人面如桃花,毫无醉意,丁能通暗自叹服,真是巾帼英雄啊!

38、味道

酒席散后,水敬洪一行就下榻在北京花园,一切由田伯涛安排。丁能通开车送贾朝轩和罗小梅,罗小梅来之前为了赶时间特意打车来的。

罗小梅与贾朝轩并排坐在后排上,丁能通透过后视镜看见罗小梅靠得贾朝轩很近,穿着吊带裙的雪白臂膀紧贴着贾朝轩的胳膊,贾朝轩微微有些气喘,车内弥漫着罗小梅的馨香。

丁能通心想,罗小梅是个人见人爱的女人,不能让贾朝轩抢了先,便主动搭话说:"小梅,我去过皇县几次,怎么没见过有什么百年古镇呀?"

"我们有两个百年古镇,并不在县城,不过离县城都不远。"罗小梅柔声细语地说。

"两个百年古镇叫什么名字呀?"丁能通继续问。

"一个叫前插镇,另一个叫后插镇。"罗小梅话一出口,贾朝轩便忍不住笑了起来。

"贾市长,人家就知道你要笑的,你们男人的想法就是多,总是往别的地方想。"罗小梅娇嗔地说道。

丁能通笑得一脚踩住刹车,险些刮到河边的树。

"能通,你悠着点,我和小梅都交给你了。"贾朝轩一边笑一边叮嘱道。

"我给你俩讲个笑话吧。"罗小梅笑嘻嘻地说,"在一个露天澡堂里,一群强壮的工人在洗澡,几只好事的猴子爬上澡堂边的树上观看,其中一只猴子边看边笑,越看越觉得好笑,最终笑得掉下树来,在地上打滚。其他猴子觉得诧异,扶起它问,为何发笑? 那只猴子仍然笑个不停地说:哈哈,人类真是一种奇怪的动物,你看他们的尾巴那么短,还长在前面。"

贾朝轩和丁能通听后,都笑得歪在车座上。

送走贾朝轩,丁能通开车送罗小梅,此时,罗小梅坐在了副驾驶的位置上,她含情脉脉地看着丁能通。

"怎么这么看着我?"丁能通被罗小梅看得有些发毛,一边开车一边问。

"通哥,今天的事,真得好好谢谢你!"罗小梅深情地说。

125

"小梅,别客气,其实都是东州的事。"

"通哥,天还早呢,回去也是呆着,不如我请你去什刹海的酒吧坐坐,怎么样?"

这正是丁能通想说的话,丁能通心里一阵窃喜:好啊,咱俩想到一块去了。丁能通掉转车头,向什刹海方向开去。

夏天的夜晚,什刹海垂柳依依,莲叶如碧,几个京剧票友坐在岸边你拉我唱,悠然自得。沿海望去,一排酒吧映入眼帘,藤椅、竹帘、灯笼做装饰,黑灰色矮矮的门面相互辉映,质朴而亲和,古老而又时尚。这里不仅是北京人消夏的一块宝地,更是情侣、朋友聊天的好地方。

丁能通和罗小梅沿海走了一会儿,俨然一对情侣,两个人走到一家挂着红灯笼的酒吧,找了一个离海近的座位坐下,罗小梅要了十二年的芝华士,亲自给丁能通倒了一杯,然后又给自己倒上。

"通哥,"罗小梅端起酒杯脉脉含情地说:"在北京混,仰仗你的地方还多着呢，别讨厌我，来，我敬你一杯。"

丁能通端起酒杯心想，你这么个甜心可人的尤物，谁会讨厌呢？

"小梅，你太客气了，说不定什么时候我还得求你帮我呢！"

丁能通这话是发自内心的，因为他看出来了，像罗小梅这样的人，能干大事，与白丽娜不同，两个人虽然都是尤物，但是罗小梅更大气，说不定也更义气，白丽娜不过是攀龙附凤的小女人，相比之下，罗小梅更有味道。

"通哥，小妹不过是个女人，没什么大本事，不过，小妹是最重情的，特别是有情有义的男人，小妹更是刮目相看。"

"小梅，这年头有情有义的男人可不多。"丁能通一副痴态地盯着罗小梅说。

"通哥就是不多的一个，因为我已经体会到了。"

"小梅，不怕我是色眯眯的狼？"

"通哥，你怎么就知道我是乖乖的羊？而不是色眯眯的母狼？"罗小梅说完，咯咯地笑了起来，笑得开心爽朗。

"小梅，你真是与众不同，来，我敬你一杯！"

两个人碰杯，都抿了一口。

"通哥，我听说你特别喜欢这一带，为什么呢？"

"小梅，你不觉得这什刹海一带是最有北京味的？俗话说，先有什刹海，后有北京城，你看这周围有许多王府和花园，保存最好的有恭王府、醇亲王府，这一带也是老北京主要的商业活动区；宋庆龄故居，郭守敬故居也在什刹海旁边，什刹海边的柳阴街还曾住过十大元帅中的三位……特别是善于怀旧的人难忘的是什刹海的大小胡同，青砖灰瓦，朱漆大门，影壁石狮，到处充满了平和与静谧，无处不在的历史与世俗民情和谐融合，正如天桥生来就是民间马戏杂耍的地方，琉璃厂本来就是文物集散地，什刹海天生就应该给老北京人一个念想，给全世界一个了解老北京的窗口，因为登长城，看故宫，吃烤鸭，逛胡同，已经成为北京在外国人心中的标识，如果胡同拆了，百姓走了，街道都成了钢筋水泥，还来什刹海看什么？直接上东京曼哈顿吧。"

丁能通一阵侃侃而谈，罗小梅痴痴地听得入了迷，好半天才说："通哥，想不到你对北京研究得这么深，不过，我听说你常一个人逛恭王府，为什么？"

"小梅,我的事,你怎么听说得这么多? 你都听谁说的?"丁能通警觉地问道。

"通哥,真人面前不说假话,钱学礼没少在我面前说你。"罗小梅坦诚地说。

丁能通心里咯噔一下,罗小梅怎么会与钱学礼扯到了一起?

"小梅,听你的口气与钱主任关系不错?"丁能通试探地问。

"谈不上,只是他花得很,在我身上一直打主意。通哥,我早就知道你们关系不好,他与袁锡藩的关系可不一般,我听说袁锡藩没当上常务副市长一直对贾朝轩耿耿于怀,你得提醒肖市长别上了小人的当!"

丁能通听罢心中暗自惊叹,想不到这个罗小梅在政治上这么敏感,她说的话正是自己的心结,眼下肖鸿林已经和袁锡藩搅和到了一起,看来这个罗小梅真的不一般,丁能通由爱慕转为敬佩。

"小梅,谢谢你跟我这么交心,来,我敬你一杯。"丁能通与罗小梅碰杯后一饮而尽。

"通哥,男人没有不好色的,爱美之心人皆有之,但好色与好色不同,比如你和钱学礼,见了我都会起色心,但一个是贼心,一个是爱心;一个叫人恶心,一个叫人爱慕;一个只为性,一个不仅为性,更为情。通哥,我说的对吗?"

罗小梅说完,妩媚地看着丁能通。丁能通反倒不敢接罗小梅火辣辣的目光,两个人越谈越投机,大有他乡遇故知之感,不知不觉已经过了子夜。

39、谈心

省委考察组走的那天,省委书记林白到东州考察城建工作,在汇报会上,市长肖鸿林对东州的经济发展和城市建设粉饰有余,自我批评不足,引起了市委副书记李为民的不满,两个人在会上发生了激烈的争论。在会上,李为民的观点得到了市人大主任赵国光和市政协主席张宏昌的支持,这让肖鸿林极为恼火。

虽然被市委书记王元章解了围,但是东州市委市政府在工作上的矛盾清楚地暴露出来,省委书记林白虽然对东州的成绩给予了充分的肯定,但对暴露出来的问题也进行了严肃的批评。这引起了肖鸿林对李为民的强烈不满,虽然当着林书记的面没敢发作,但是,李为民已经强烈感觉到肖鸿林对自己的怨恨。

散会后,从市政府大院走出来,李为民就接到市委书记王元章的电话,王书记诚恳地问:"为民同志,下午的工作怎么安排的?"

"王书记,下午我下乡考察农民减负工作,有事吗?"李为民心情沉重地说。

"为民同志,改天再去吧,中午我请你到草河口宾馆吃饭,我们好好谈谈。"王元章语气亲切地说。

李为民不知道王元章要谈什么,但预感到王书记有不吐不快之感。这么多年一起共事,王元章从未像今天这样诚恳地请自己吃饭,正好自己在会上说了一半的话憋得难受,也想找一位知己絮叨絮叨,王元章同志是最好的倾诉对象。

草河口宾馆是东州市的迎宾馆,坐落在省级森林风景区内,两辆奥迪一前一后同时抵达草河口宾馆十五号楼,这是市委的专用接待楼,十一号楼是市政府的专用接待楼,六号楼是人大的,九号楼是市政协的。

这里依山傍水,风景秀丽,葱葱绿意,幽幽果香,嘤嘤鸟语,清新怡人,草河口宾馆几乎是这片省级森林风景区中惟一的建筑群。

两个人下了车,李为民看了看表说:"元章,才十一点多,离吃饭时间还早,不如我们在这林子里走走。"

"好啊! 走走好,难得有时间在这大氧吧里沐浴。"

两个人沿着一条小路走进森林,李为民之所以不愿意在饭桌上与王元章谈心是怕这里人多嘴杂,因为连宾馆服务小姐后面都有盘根错节的关系,有的女服务员与个别领导有染,早已不是什么秘密了。

小径曲曲折折在密林中逶迤伸向一个亭子,两个人走进亭子时,却是一处古迹,叫道德亭,亭柱两侧有一副对联,上联是:人法地地法天天法道道法自然;下联是:道生一一生二二生三三生万物。

"为民,这是老子《道德经》里的话,看来这个亭子与道德有关呀! 咱们在这儿坐坐吧。"

两个人走进亭子坐下。

"元章,我们今天坐在道德亭内,就谈谈官场的道德吧。"李为民意味深长地说。

"为民，我们有些领导干部搞家天下，快成党内个体户了，脑子里早就没了组织观念，长此以往令人担心啊！"王元章话里有话地说。

"元章同志，咱们东州的城市建设急功近利好大喜功，市府广场快修成天安门广场了，老百姓管市府大路叫长安街。风光气派不等于现代文明，宏伟壮观不等于以人为本，他肖鸿林听不进群众的呼声，脑子里装不下专家的意见，把东州城当做自家的后花园，想建就建，想在哪里建就在哪里建，想怎么建就怎么建，动不动就标志性建筑、国际化工程，到底是为他肖鸿林立标志，还是为东州市人民立标志？我看不到东州城市建设的国际化工程，看到的到处是他肖鸿林的家际化工程。这些年老百姓的房子拆了多少，搞得党群关系，干群关系空前的紧张，过度地搞房地产开发，无异于杀鸡取卵，涸泽而渔，靠卖土地增加财政收入还能卖几年？这不是靠家底过日子吗？全国如果都像东州这样靠卖地吃饭，总有一天没饭吃。政府成了房地产开发商的帮凶，土地出让金占了财政收入的一半，却一分钱也不用于经济适用房建设，老百姓盼住房真是望眼欲穿，可是高档别墅、贵族花园却没少建，肖鸿林的儿子肖伟不就是东州市最大的房地产开发商吗？还有一个黑不黑、白不白的陈富忠，那个贾朝轩公然充当保护伞，元章同志，长此以往遗害无穷啊！"李为民说得激动，一口气指出了城市建设中存在的弊症。

"为民，不光对肖鸿林、贾朝轩有意见吧？"王元章单刀直入地问。

"元章同志，肖鸿林之所以如此目空一切，与你长时间忍让有直接关系，你这不是在让他，而是在害他！"李为民毫不客气地说。

王元章听后目光霍地一跳，脸色微微泛红，很显然他对李为民毫不留情的言辞有些气恼，但是还是忍了过去。

"为民同志，今天我找你来就是想听你说几句真话。我告诉你，前几天省里来了调查组，是专门为你和贾朝轩来的，我认真地谈了你们两个人的问题，我还专门找了林白同志谈了你和我的问题。李为民，我现在就给你透露一个情况，明年七月份咱们东州就开党代会了，换届选举市委书记，年底前还要开人代会和政协会，市政府也面临换届选举，当然随后省里也要开党代会和人代会，这个节骨眼正是矛盾错综复杂，各种利益集团叫劲的时候，我老了，如果不出什么意外，到省人大谋个副主任，这辈子的

129

第三章

驻京办主任

政治生涯就算到了头。可是我放心不下东州，东州谁来接班？我左思右想，市委书记非你莫属。为民同志，你这个人襟怀坦白，嫉恶如仇，一心扑在党的事业上，东州只有交给你我才放心。从我们党的事业出发，东州这块土地需要你。我走了，但不能不负责任地走，随随便便地走，随随便便地把东州交给那些群众不放心的人，甚至让群众憎恶的人，我决不答应。我这个人看上去很能容忍，但大原则我决不让步，这点觉悟是有的，立场是坚定的，为什么？因为我是农民的儿子，是党和人民把我培养成国家干部的，俗话说，血浓于水，我对党对群众的感情是深的。为民同志，你和贾朝轩虽然号称东州政坛的两颗新星，都是年轻有为的后备干部，但是我对贾朝轩还看不太好，总觉得有些不太对劲儿，人没有你坦白，他虽然从基层一步步干上来的，出身很苦，但是总觉得少了一份激情，多了一份圆熟，总之，把东州交给他我还真不放心。省委考察组一到东州，贾朝轩就听到了信，在北京不好好学习，借机往回跑，搞秘密活动，为民，这样的事情你就做不出来。为民，今天说了这么多掏心窝子的话，你能理解我的心情吗？"

130

李为民听到这里，心里热乎乎的，要说自己不为政治前程着想是假的，位子越高为百姓做的事业就越大，李为民是有宏大政治抱负的人，但他从不会搞朋党，从不想私利，一心扑在工作上，用实实在在的政绩说话，正因为如此，不入流，得罪了许多人。今天王元章推心置腹的一番话，充分肯定了自己，李为民怎能无动于衷呢？

"王书记，这些年没少惹你生气，没少给你添乱，几乎每次见到你都要争吵……"李为民难为情地说。

"以后要是没有机会吵了，我会觉得空落落的，为了工作争论是多么有意思的事情，多少有点指点江山、激扬文字的意味，现在像你这样敢于亮出观点、敢于批评与自我批评的干部越来越少了，更别说整天泡在基层与群众打成一片了。每天只会听汇报，翻材料，批文件，作报告。我听说有的领导连批文件都懒得动脑，让秘书先写在小便签上用曲别针夹在文件上，到时候一抄了事，还有的领导秘书把报告写完了还不算，还要把复杂一点的字在括号里标上白字，共产党的官要是这么当下去，早晚有一天要翻船的。"

"元章同志，你能这么看我，我真的很感激，以后我会多注意工作方法,尽量改改我的臭脾气,特别是在我身上还存在着很多毛病……"李为民认真地说道。

"好了,为民,今天咱俩都很坦白,希望明年东州能平稳地换届,我可是饿得前心贴后背了……"

"对不起,对不起!走,咱们吃饭去!"

两个人哈哈大笑着,并肩走出道德亭,向十五号小楼逶迤而去。

40、皇县

水敬洪到达皇县后受到了前所未有的接待,走马观花地考察两天,对开发钼矿产生了浓厚的兴趣。当然更感兴趣的是皇县的姑娘,林大可早就看出水敬洪的心思,头两天无论是宴请还是考察都安排皇县绝顶漂亮的女孩奉陪,但是只能看不能碰,搞得水敬洪心急火燎的,这叫欲擒故纵。丁能通心下想,这个林大可果然有道行。

明天一早,水敬洪就要离开皇县了,林大可请水敬洪欣赏县二人转剧团的演出,水敬洪到皇县的当天晚上,宴请完毕,林大可就请水敬洪观看了一场戏曲联欢晚会,他发现水敬洪对几个二人转片段赞不绝口,于是决定在水敬洪离开皇县的前一天晚上,请他欣赏一台精彩的二人转演出。

林大可似乎摸透了水敬洪的品性,专门安排富有地方特色的项目请水敬洪看,就说这二人转吧,在皇县这个民风剽悍、慷慨悲歌的地方,一男一女对唱的二人转地方小戏,是极富地方特色的。

丁能通对这种田间地头的玩意儿不感兴趣,他一个人悄悄溜出剧场想一个人透透气。皇县政府办公室王主任也悄悄地跟了出来,他小声地问:"丁主任,要不要小姐?我给你送到房间去。"

"王主任,我不好这口,免了吧!"丁能通赶紧转移话题说,"你们县招待所可够上档次的啊,为什么不建在县城,却建在这前插镇呢?"

"丁主任有所不知,林县长一心想把皇县的旅游搞上去,这前插镇和后插镇都是千年古镇,别看这里房子破损得不成样子,可都有几百年的历史了,凡是到县上能住县招待所的人都是有头有脸的,说不定哪个爷看上这里投资开发,古镇就重获新生了。"

"你们林县长真是用心良苦啊!"丁能通回头望了一眼县招待所,豪华现代得不得了,与古镇的面貌极不协调。

"丁主任若是没事,我可以陪您走走。"

"谢谢!"丁能通热情地说,"你还是陪水敬洪看二人转吧,林县长找你也方便,今晚的夜色不错,我想一个人走走。"

"也好,也好!"王主任悻悻地走了。

丁能通感到一天的喧嚣一下子宁静下来。

古镇的斑驳墙体、残缺院落、飞檐翘角、石板古巷,在月光的辉映下,散发出浓郁的怀旧气息。古镇的房子太陈旧了,木板木柱都透着被岁月风吹雨打后的萎枯,布满沧桑,千疮百孔,却毫无怨艾,默默地存在着。

丁能通喜欢这份娴静,不禁想起程颢的《秋日偶成》:

闲来无时不从容,
睡觉东窗日已红。
万物静观皆自得,
四时佳兴与人同。
道通天地有形外,
思入风云变态中,
富贵不淫贫贱乐。
男儿到此是豪雄。

蜿蜒曲折的街面古意盎然,空气中有一种朽木的香味,趁着夜色,眯眼望去,像是淡墨泼就的画儿。

"想什么呢? 通哥?"

丁能通回头一看,原来是罗小梅风姿绰约地站在身后。丁能通心中一阵暗喜,心想,古镇美女弯月,真是人生佳境啊!

"小梅,怎么不陪水敬洪看二人转?"

"水敬洪看我总是色眯眯的,让我讨厌。"

罗小梅妩媚地看了一眼丁能通,大大方方地拉起丁能通的手,沿着古街就走,丁能通懵懵懂懂地跟着,就像在梦中魇了一样听话。

"通哥,出了小镇,有一处洗温泉的好地方,我们去洗温泉。"

罗小梅挽起丁能通的胳膊宛如情侣一般。

"可是我们什么也没带呀!"丁能通窘迫地说。

"通哥,这里的人有一个古老的风俗,泡温泉是不分男女的,这叫天浴。"

"怎么可能呢?"

"去了你就知道了。"

古街并不长,到了街尾,一条小溪从镇边流过,月光下小溪汩汩地流淌,宁静中传出哗哗的水声。

"通哥,沿着小溪走一会儿就到了。"

星光下,开平葱郁的稻田如茵茵的草地,月色下,波光闪过是叶片上新雨后的水珠。越过小桥,溪水向山里流去,远处一大片荷塘散发着幽幽清香,草丛中的虫鸣和稻田里的蛙声与镇内的胡琴之音呼应,更多出了一份幽静,大地睡了,荷花睡了,稻田睡了,今晚注定是王子和公主的童话。

忽然一阵风起,罗小梅的体香扑入丁能通的鼻翼,丁能通情不自禁地看了一眼罗小梅,两个人目光相撞,仿佛在空中炸开了火花。丁能通赶紧收回了目光,罗小梅越发靠近了丁能通,黄色吊带裙包裹不住的双乳颤巍巍仿佛要跳出来,搞得丁能通心旌摇荡。

但是丁能通还是抑制住了自己,故意打哈哈地说:"小梅,好像很多年没看见这么蓝的夜空了,你看那月亮白得就像少妇的肌肤。"

丁能通本来想转移一下自己火烧火燎的心境,可还是把话题扯到了女人身上。

"通哥,少妇是指我吗?"罗小梅歪着脸忽闪着大眼睛看着丁能通问。

"我听说你从来没结过婚,还算不得少妇。"

"那也算不得少女呀!"

"那算什么?"丁能通想了想诡谲地说,"那就算仙女吧!"

"真的? 通哥,我在你心目中算得上仙女?"罗小梅柔媚地兴奋道。

丁能通心想,女人真是零智商,只要哄,准上当。

"小梅,县政府的王主任经常拉皮条吗?"

丁能通一想起刚才王主任想为自己安排小姐不禁心头一冷,心想,王主任会不会也这样招待市领导啊? 万一在招待所里安装了针眼镜头,那这些领导可就惨了,多亏自己把握住了自己,没上王主任的当,否则,要真录了像,这辈子就栽倒在这个王主任手里了。

"小梅,想不想到市驻京办?"丁能通诚恳地问。

"不想。"

"为什么?"

"因为有你在。"

"我怎么了?"

"我不想和你成为同事。"

"为什么? 我们在一起共事不好吗?"

"不好,你知道吗? 我们一旦在一起,我就成了你的窝边草,我们就不能像今天这样随便,以你的性格是不会轻易吃窝边草的,那么我们的关系就会微妙起来,官场上人与人之间的关系一旦微妙起来,离倒霉的日子就不远了。"

"有那么严重吗?"

丁能通对罗小梅的理论有些哭笑不得,想不到这么一个漂亮女人,头脑会如此复杂,真是匪夷所思。

山脚下密林中有一处不起眼的水潭,在阳光的辉映下似乎飘着淡淡的薄雾,不是薄雾,是水潭中升腾的水气,空气中有一股淡淡的硫磺味。

走近水潭,普通得很,周围都是大块的鹅卵石,围成直径五六米的水坑,放眼望去,周围有许多这样的水池。

走到水池旁,丁能通开始心跳了,罗小梅妩媚地看了一眼丁能通说:"通哥,你在这边,我在那边,免得你多想。"

罗小梅绕到丁能通的对面,不一会儿,一棵树后发出声音,丁能通看着那黄色吊带裙从迷人身段上滑落,很快月光中朦朦胧胧闪出一个嫦娥般美丽的天使,肌肤白得诱人。

丁能通心跳开始加速,他三下五除二脱了衣服稀里糊涂地钻进了水里,其实,水不过齐腰深,温温的滑滑的,他直勾勾地望着对面雪白的胴体,幽白而充满质感,他想起罗小梅讲过的关于猴子的笑话,只有一个想法,今晚把一切都交给本能。

罗小梅俯身冲洗着自己长长的秀发,丁能通望着她欢蹦乱跳的奶子,眼前的情景与梅里美著名的《卡尔曼》中描写的西班牙小镇科尔多瓦郊外小河上的美女入浴图相比,毫不逊色。

41、北京花园

回到北京,丁能通仍然忘不了在前插镇泡温泉与罗小梅销魂的那一夜,几次想给罗小梅打电话但都抑制住了。

丁能通知道罗小梅不是一般的女人,毕竟是皇县驻京办主任,管着一大摊子事和一大堆人呢。不过丁能通还是有些后怕,心想,罗小梅会不会是看中了自己的背景和地位?抑或是兼而有之,他有一种玩火的感觉。

市人大主任赵国光到北京开了几天会,晚上,丁能通亲自开车送赵主任去机场,把赵国光一行送上飞机后,丁能通心里空落落的,走出候机大厅,不巧碰上了省驻京办主任薪泽金。

"哟,薪主任,接机还是送站?"丁能通热情地问。

"太巧了,能通,我一直想找你,想和你聚一聚,刚好送走了常务副省长刘光大,咱们找个地方坐坐。"丁能通明白薪泽金找自己不会只是聊一聊、坐一坐,一定有事。

"到北京花园吧!"丁能通炫耀地说。

"早就知道老弟要鸟枪换炮了,哥哥我正要取经呢! 那好,咱们就到北京花园。"

135

两辆奔驰车在首都机场高速公路上飞奔,丁能通脑海里不时浮现出罗小梅赤裸的胴体,路过昆仑饭店时,他想起了肖鸿林嘱咐自己的话心里蒙上了一层阴影,他一下子想起了金冉冉,心想也不知道这丫头在刘凤云家干得怎么样? 于是,他给刘凤云家拨通了电话。

"周大哥呀,我是丁能通,想问问金冉冉在你那儿干得怎么样? 还满意吗?"

"啊,是小丁啊? 冉冉在这儿干得挺好的,勤快,又懂事,不光我和你刘姐满意,两个孩子也喜欢她。"

"那我就放心了! 周大哥,有事你打电话。"

"好的,好的。你帮我们找到这么好的保姆,我们得谢谢你!"

"不客气,再见,周大哥!"

丁能通挂断电话,心里的一块石头落了地。想不到金冉冉这么快就适应了环境,进入了角色,丁能通不禁诡谲地一笑。正想着,手机响了,他看了看来电显示,是贾朝轩的电话,他赶紧接听。

"贾市长好!"

"能通啊,上次我跟你说的'永子'围棋的事,你抓紧办,我急着用。"

"好的,明天怎么样?您有时间吗?"

"明天上午不行,明天下午吧,下午你来接我。"

"好的。"

两辆奔驰车停在北京花园门前,薪泽金先下了车,这时,白丽娜袅袅婷婷地从旋转门里走了出来。

"哟,薪主任,到我们这儿微服私访来了?"

"丽娜,好一张厉嘴,是你们丁主任邀我来的。"

这时,丁能通走过来,见白丽娜打扮得不同凡响,心想,这娘儿们自从成了肖鸿林的情人,一天一身,真是士别三日当刮目相看。

"丽娜,既然碰上了,不妨陪我和薪主任坐坐。"

丁能通把白丽娜留下来是多了个心眼儿,一旦薪泽金提出来的事不好办,就把白丽娜留下来自己好脱身。

"薪主任,方便吗?"白丽娜妩媚地问了一句,声音就像大热天吃了冰激凌一样爽。

"方便,丽娜,我可是第一次光临北京花园,你可得尽地主之谊呀!"薪泽金色眯眯地说。

"薪主任,那就请吧!"

在大堂,丁能通问:"薪大哥,北京花园的桑拿浴不错,要不要试一试?"

"好啊,我正腰酸脖子痛,想好好按一按呢。"

于是三个人一起走进二楼的桑拿中心。

"薪主任,一会儿休息大厅见!"白丽娜妩媚地一笑,走进了女宾部,丁能通在吧台拿了钥匙,把薪泽金请进了男宾部。

丁能通陪薪泽金泡在翻着浪花的大池子里,脑海中不停地浮现出与罗小梅泡温泉的情景。

"老弟,大哥真羡慕你呀!很快你就要入住北京花园了,累了在这里泡一泡,真是神仙过的日子。"

"薪大哥,北京花园随时欢迎你!"

"老弟，大哥找你有件要紧的事。希望老弟帮忙，事后我少不了老弟的好处。"

"薪大哥，我是个爽快人，有什么事，你尽管说。"

"现在北京、上海、广州等城市都有地铁了，许多城市都在努力申报，我知道肖市长一直在努力东州地铁的事，不知道进展怎么样了？"

"据我所知，已经列入国家发改委议事日程了，很有希望。"

"太好了，我求你的事，就是把我弟弟薪泽银引见给肖市长。"

"你弟弟要见肖市长？难道他与地铁有关？"

"对，他是加拿大布朗地铁公司中国总代表，布朗公司对东州修地铁的事很感兴趣。"

"这是好事呀！这等于为东州招商引资呀！"

"但是我听说法国和德国已经先行接触了，老弟与肖市长的关系非同一般，你出面引见，肖市长会重视的。我弟弟说了，事成后有重谢。"

"不用，我这个人胆小，最怕与钱打交道，你弟弟真想谢我就帮我办一件事。"

"什么事？老弟尽管说。"

"我老婆一直想把孩子送到加拿大留学，说孩子在那里可以得到最好的教育，但那里我没有熟人，帮我把孩子送到加拿大留学，怎么样？"

137

"就这么点事？小事一桩。"

"那咱们一言为定！"

"一言为定！"

两个人搓了澡后，穿着浴服来到了休息大厅，白丽娜还没出来，两个人躺在沙发上，丁能通向服务员要了一壶龙井茶和一个大果盘，又叫了两个足疗小姐。

两个人刚做上足疗，白丽娜披着一头秀发穿着绣着粉边粉花的白浴服风姿绰约地走了过来，两个奶子把胸脯挺得鼓鼓的。

丁能通示意白丽娜躺在薪泽金的旁边，白丽娜香气袭人地坐在沙发床上，粉嫩的脚丫精美标致，白丽娜叫了一个足疗小伙，那小伙捧着白丽娜诱人的脚丫搓来揉去，搞得薪泽金艳羡不已。

"丽娜，什么时候让大哥给你做一次足疗，保证不比这小伙差。"

"薪大哥，那不是大材小用了吗？"白丽娜媚声媚气地说。

"老薪是既爱江山又爱美人呀！"丁能通说完哈哈大笑。

"丽娜，还是你们头儿了解我呀。"

做完足疗，丁能通说："大哥，难得来一次，做个按摩吧。"

薪泽金让身边的白丽娜搞得火烧火燎的，正想发泄一下，便满口答应了，丁能通对领班叮嘱了几句，领班跟着薪泽金走了。

白丽娜凑到丁能通身边，"头儿，皇县一趟，去的挺爽吧？"白丽娜目光暧昧地看着丁能通问。

"什么意思？"丁能通警觉地问。

"没什么意思，随便问问，谁不知道皇县出美女呀？"白丽娜吃醋地说。

"丽娜，我走这几天家里有什么事吗？"丁能通有所指地问。

"头儿，你走后，钱主任也回了东州，只是……"白丽娜欲言又止，"只是我听说钱学礼最近跟薪泽金打得火热，好像薪泽金的小舅子承揽了纺织厂那块地的工程。"

"这是什么时候的事？"丁能通猛然坐起来问。

"就是最近的事，头儿，我一直不赞成钱学礼负责这摊子事，可你不信任我，我这句话放在这儿，钱学礼那个大草包早晚得给你捅娄子。"白丽娜牢骚满腹地说。

"丽娜，我知道这件事你对我有看法，可是你也得为我想想，你走了我少了帮手不说，连个说贴心话的人都没有。再说，房地产开发是摊浑水，我不愿意让你陷在里面，我的心思你应该明白，还是那句话，等黄梦然副主任的问题一解决，你就老老实实在我身边当接待处处长，到时候，咱们入住北京花园，工作环境大为改善，何苦在东州遭那份罪？想回去还不容易？再说，大老板又不是不来了，哪个月他不得来两趟北京啊！"丁能通话说到这儿，白丽娜的脸腾地红了。

"头儿，我听你的！"

白丽娜说完，小鸟依人地笑了笑，脸上闪过一丝幸福的神色。丁能通看得真切，心想，肖市长啊肖市长，你也会拜倒在石榴裙下。

42、古玩商

第二天下午，丁能通开车从党校接了贾朝轩，直奔什刹海方向，北京的风景去处很多,什刹海是丁能通最爱来的地方。因为丁能通认为北京最有味儿的地方就是什刹海。

什刹海的味儿,藏在碧湖绿柳间的清新里,藏在灰砖黛瓦间的严整里,藏在鸟笼棋局间的闲适里。这个"味儿",可说是风度非凡,丝丝入扣而又从容不迫,是非经历千年洗礼的古都所不能得的。

靠近岸边的湖面开满了荷花,阳光照射在粉色的花瓣上,让人能清楚地看到花瓣上的经脉,荷花立在墨绿的宽大的荷叶间,好似芭蕾舞演员足尖点地,仪态万方。

透过车窗远远望去,远处飞檐赤柱的亭台楼榭与近处的荷花相呼应,湖边波光潋滟,游船点点,湖的西岸杨柳依依,随风曼舞。

湖边的树阴下,几位老爷子摆开棋局,鏖战正酣,只见其中一位老者,摇着蒲扇,穿着宽大的背心,裤脚挽至膝盖处。身边不时闪过三轮车夫,上身黄坎肩,下身收脚裤,足登"千层底",肩上搭一条毛巾,车篷或红,或黄,黑色车身,黄铜车把,橙黄的绣花坐垫,锃亮的电镀瓦圈,透着精神,丁零零   清脆的铃声和着"借光了您哪"的吆喝声,由远及近,又由近及远。

一串串车流就像一条条流动的彩练,飘忽在胡同里,点缀于绿叶老槐之间。丁能通逛恭王府就是坐的三轮车,车夫用地道的北京腔,张口明清,闭口民国,关于恭王府的轶事十有八九是这么听来的。

见贾朝轩看得认真,丁能通问:"贾市长,在北京学习一年了,这一带很熟吧?"

"别提了,我还是第一次这么认真地看北京。想不到,这地方这么有韵味。"

丁能通听了贾朝轩的话不胜感慨,心想,这些官当大了的人,出门动不动就奔驰、飞机的,往返五星级酒店、洗浴中心、夜总会,哪里会体会出城市真正的文化韵味?

"贾市长,这里不仅有躲在胡同里的中国传统民间文化,还有弥漫着红尘和喧嚣的都市酒吧。这里不仅有百姓破旧的小院,也有达官贵人辉煌耸立的红墙丽宫。离酒吧一条街不远,就有古玩市场,一些绝迹北京街头多年的民俗玩意儿都可以在这里寻到。卖小人书的,吹糖人的,捏面人的,缝小布驴、布老虎的,做风车的,应有尽有。"

"你这位玩古董的朋友是怎么认识的?"贾朝轩不放心地问。

"贾市长,驻京办主任如果不认识几个玩古玩的朋友,那就是不称职,这年头跑'部''钱'进也好,结交上层也罢,越是有头有脸的越认识古玩、字画,领导急用时搞不到真东西,这个驻京办主任就别在北京混了。"

"能通,我就喜欢你小子身上这股子灵气。"贾朝轩赞赏地说。

丁能通心想,哪个驻京办主任在北京混几年都得成为京油子,港商来了,领导家属来了,哪个不得陪着游王府,逛老街,访古刹,观故宫,登城楼,转胡同,尝佳宴,泛轻舟。

奔驰车七拐八拐钻进了龙头井胡同,这里南起平安大街,北至恭王府,柳阴街,是老北京胡同游的核心地段,也是参观恭王府返程的必经之路,因此,丁能通最熟悉这条胡同。

只见胡同东头竖立起一口带有辘轳的古井和一座有楷书篆刻着"龙头井"三个大字的汉白玉石碑,看见这块石碑,丁能通情不自禁地想起了自己第一次坐三轮车游胡同同车夫调侃的情景。

140

北京城旧时就有"东富、西贵、北贫、南贱"的说法,富商多住在东城,达官贵人多住在西城,北城是普通老百姓,而南城住的就是那些行走江湖的打把势卖艺的人了。所以什刹海一带居住的多是当官的皇亲国戚。

看看胡同里的四合院的结构就知道主人是什么官,官居几品了。官家屋上的瓦是双层的,百姓家房上的瓦只能是单层的;官家大门的门框上有柱子,百姓家是不许有的;官家门前有石墩,圆的石墩是武官家的,石墩的样子就像个石鼓;方的石墩是文官的;有些石墩上有或蹲或趴的狮子,说明主人家里与皇家沾亲带故,狮子越大说明与皇家的关系越近。

门框上方有四根柱子的是四品以上官员的家,两根柱子的是四品以下官员的家。四品以上官员就靠门洞的深浅来区分,四品官的家没有门洞,三品官员家的门洞好像是三尺,二品是六尺,一品是九尺,官越大,门洞越深,正所谓侯门深似海呀!

最有意思的是门框上没有柱子,门前石墩小小的,像两块砖头一样没有任何花样,可瓦是双层的,说明房屋的主人也是官,但是,是宦官。

丁能通想到这儿,扑哧一声笑了。

"笑什么?"贾朝轩不解地问。

丁能通把自己的想法说了一遍,贾朝轩也觉得有点意思,他说:"宦官也是官呀，但他们是没有品阶的，所以门框上没有柱子，也没有什么文武之分，所以石墩仅仅好像砖一样；另外，普通宦官不可能有外宅的，只有大宦官皇帝才会给他一个外宅，因此也就没有门洞了。"

"能通，有了这些实实在在的标准才可以看出一个人的身份和地位呀，无论什么社会都离不开代表身份和地位的标准，没有标准社会就乱套了。"

丁能通心里想，自己这个驻京办主任按官品算，顶多算六品，六品小官是绝对不能光宗耀祖的，还是按自己的愿望自由自在地活着好。

想到这儿，他摇了摇头，把奔驰车停在一家古朴小巧的四合院门前。

"贾市长，我这个朋友姓那，在烟袋胡同有一家小古玩店，做人很低调的，但很精明，祖上与慈禧老佛爷沾亲。"

"与慈禧老佛爷沾亲，应该姓叶赫那拉呀？"贾朝轩不解地问。

"贾市长，清朝灭亡后，很多复姓的满族人大多改为单姓了，比如和珅姓'钮钴禄氏'今天都改成姓钮或姓郎了。姓叶赫那拉的，今天大多改成姓那了。"

"你小子没白当这个驻京办主任，这么说这位那先生要是退回一百年没准儿就是一位王爷！"

"可不是嘛！"

两个人一边说，一边上前敲门，开门的是一位五十多岁的中年人，只见此人吊梢眉，三角眼，鼻子和嘴凑得很近，下巴铲子似的向前翘起，鸡胸、缩脖、聪明疙瘩滴泪痣，走路还略微发瘸，十足的败相集于一身，只一双眸子精光四射，灼灼生光，透着浑身筋节强悍。身穿粗布褂，脚踏千层底。

丁能通赶紧介绍说："贾老板，这位就是那先生。那先生，这位就是贾老板。"

那先生热情地将二位让进了小院说："贾老板被我的样子吓着了吧？"

"哪里，哪里，相书上有破贵相一说，正所谓否极泰来，那先生是大福大贵的相呀！"贾朝轩随和地恭维道。

其实，贾朝轩说的不假，相学里确有这么一说，丁能通不禁暗自叹服贾朝轩的眼力，心想，看来，贾朝轩私下里没少研究《易经》啊！

四合院是在老四合院的基础上重建的，迈进朱漆的如意门，迎面是山水影壁,进入大门后第一道院子,南边有间朝北的房屋,旧时称做倒坐,常用做宾客居住或者男仆人居住,如今被那先生改成了锅炉房,整个四合院的热水、暖气都由这里供应。

经过垂花门就进入了正院,两株石榴树分别立于院子东西两侧,翠绿的枝叶伸向蓝天。一株石榴树前放着一个石头做的四方鱼缸,几尾金鱼游弋其中,悠然自在。另一棵石榴树上挂着一只鸟笼,一对虎皮鹦鹉在笼中跳跃着,蓝翎在闪光,翎翅上的一道道黑纹像浮动的波浪,它们喜滋滋地尖叫着,似乎预感到了小院里有喜事降临。

"老那,你这个院子是新建的,为什么把老院子拆了重建呢?"丁能通不解地问。

"原来门前这条街很破,我也懒得重建,这不龙井街重建了吗,我也萌生了重建四合院的心思,原来房子太旧了,也没有排水排污管道,水压、电容也不够,后来考虑再三,还是推倒重建了,只保留了院子里这两棵百年石榴。"

"四合院讲究磨砖对缝儿,费了不少工夫吧?"

"可不是,整整弄了两年。"

那先生把贾朝轩和丁能通让进正房,并亲自为二位沏了好茶,正房已经被改造成了客厅,与众不同的是博古架上摆满了形态各异的玉石,最有意思的是客厅一隅的一架鸦片大床,曾是旧时瘾君子吞云吐雾的地方。

那先生见贾朝轩盯着鸦片大床出神儿便说:"这是我祖上留下来的,现在我用来躺在上面看书喝茶。"

"看来,那先生是个会享受生活的人啊!"贾朝轩羡慕地说。

"老那,把东西拿出来吧,让贾老板看看货。"丁能通一边喝茶一边说。

那先生应声出去了。

"能通,能保证货是真的吗?"贾朝轩疑神疑鬼地问。

"贾市长,我给肖市长当秘书时就认识他了,没少打交道,您放心,我心里有数。"

正说着,那先生端着一个包着黄布的盒子走了进来,他小心翼翼地将盒子放在桌子上,然后一层一层地将黄布打开,露出一个造型精美的漆器盒子。

"不瞒二位,这个漆器盒子是后配的,围棋罐和围棋子都是明后期的东西,这种棋子又称'永子',而且是御用的贡品。"

那先生一边说一边将漆器盒子打开,取出棋盘和棋罐,棋盘和棋罐是紫檀的,由于年代久远,看上去黑糊糊的,只是那罐子里的棋子着实不凡。白子洁白似玉,润而发光,色如嫩牙,晶莹可爱;黑子乌黑透碧,照光而成墨绿色,且四周有一种神奇碧绿的光环,但着盘则呈黑色。黑白棋子看上去很像天然玉石琢磨而成,重扣不碎,着盘声铿,手感舒适。

"那先生,据我所知,'永子'在民国初年就已经失传了,怎么证明这就是'永子'?"丁能通问得很内行。

"丁老弟,关于'永子',有一个传说,相传九百多年以前,吕洞宾来到永昌郡,在龙泉池畔的塔盘山下,见到一个孝敬母亲的穷苦农民,为了周济这个农民,吕洞宾就教他用当地盛产的玛瑙和琥珀锻造围棋出售,从此母子摆脱了困境,'永子'传播于世。据记载,'永子'始于唐宋,盛于明清,为达官显贵、文人雅士厚爱,也是进献皇帝的贡品,所以,《永昌府志》记载:永棋,永昌之棋,甲于天下,其制法,以玛瑙合紫瑛石研粉,加以铅硝,投以药料,合而锻之,用长铁蘸其汁,滴以成棋。所以,棋子看上去质地细腻玉润,坚而不脆,沉而不滑,柔而不透,圆而不椭,其色泽柔和,光不刺目,正面微凸,底面扁平,弧线自然,造型别致。你说民国初年失传,是配制的秘方失传,明清时期盛行的'永子'仍有流传,我这副就是祖上传下来143的。"

那先生不慌不忙地介绍了一番,说得丁能通和贾朝轩面面相觑。

"那先生,"良久,贾朝轩说,"不瞒你说,东西不怕贵,但要保真,因为送人一旦送了赝品,你我都不好做人了。"

贾朝轩冒昧地说出了心里话,让丁能通觉得有些尴尬。

"贾老板,我们玩古董的有一句俗话,叫懂的人不玩,玩的人不懂,因为懂的人不会吃进假货,不懂的人对真货也不感兴趣,惟有似懂非懂的人容易把假货当真货买了,还自我陶醉不已!古玩商对似懂非懂的收藏者最敢蒙。但二位都不是收藏者,是买了办正事的,丁老弟又不是第一次从我这儿拿货,所以,贾老板尽管放心,何况,我还靠丁老弟给我带客人呢!"

那先生说得诚恳,丁能通只好打圆场说:"老那,我和贾老板的确对'永子'不懂行,又急着用,不管是真是假,你开个价吧。"

那先生打了个手势,却一言未发。

"太贵了，太贵了！"丁能通摇摇头，然后，捏了一下那先生的手说，"这些怎么样？"

那先生连忙摇头。

"老那，"丁能通说，"我不懂真假，但行情还是略知一二的。"说完，丁能通又捏着那先生的手说，"这些怎么样？"

老那终于开口了，"这些，这是底价了。"

"这样吧，"丁能通一咬牙说，"尾数去了，咱们就成交！"

那先生直摇头，像是吃了大亏一样苦笑道："贾老板，丁老弟太精明了，要是入了我们古玩行必定驰骋江湖无敌手啊！"

"那先生，买的没有卖的精，如果是真的，这个价确实是个朋友价，希望我们留个念想儿，以后还会再来。"贾朝轩诚恳地说。

"贾老板，我求之不得啊！不瞒你说，古玩行的韵味就在真真假假之间，去年，我就遇上了一件趣事，有一个小青年，在潘家园旧货市场上花三百元买了一件不起眼的古玉，到烟袋街我的古玩店转手以一千元的价卖给了我。我当时觉得这块玉不一般，但怎么不一般也说不上来，后来，我店里来了一位新加坡商人，看上了这块玉，我就以五万元卖给了他。他回国后找人鉴定，认为是假货，便又回到我的店要求退货，我坚持认为是真的，新加坡商人不依不饶，最后闹到了鉴定部门，结果专家不仅认为玉是真的，而且还是填补了我国历史空白的文物！专家们找了家赞助单位，以二十五万元的价格买下，然后捐给了博物馆。"

"看来古玩市场有捡不尽的便宜，吃不尽的药，觅不尽的宝贝，上不尽的当啊！"贾朝轩感慨地说。

"前不久，咱们东州海关也闹了一个大笑话。"丁能通眉飞色舞地说，"截获了一大批明清时期的官窑瓷器。为确定这批走私文物的真伪和价值，海关请来八位专家鉴定。老专家细察后，一致认为这批明清时期官窑瓷器是国内罕见的珍品，其中，还有国家一级文物。海关方面顺藤摸瓜，来到江西景德镇卖主家中，那卖主得知来意后，不慌不忙从床底下拖出一只大浴盆来，里面装满了明清时期的官窑瓷器，海关人员大喝道：这些东西哪里来的？卖主理直气壮地回答：本人仿着玩玩，犯什么法？在场的专家听后大惊失色地说：看不懂了，真看不懂了！海关人员和专家看了卖主制作的尚未烧制的器物，这才消除一丝顾虑。"

"我告诉你们,在古玩市场上,凡是所谓明清时期的官窑瓷器,十有十是假货,万万不能上当啊!"

那先生的话意味深长,让贾朝轩对手中的"永子"也多了几分疑虑!

43、匿名信

丁能通终于遇到了麻烦,因为他与罗小梅的事被人写成了匿名信,摆在了肖市长的秘书郑卫国的办公桌上,其实,不光是郑卫国,所有市委常委秘书几乎人手一份。最先通知丁能通的还是郑卫国,毕竟两个人是前后任的关系,自然亲近得很。

"丁大哥,匿名信写得很恶心,我就不给你念了,什么时候回到东州自己看吧。眼下最要紧的就是千万别让王元章和李为民看到,一旦看到,你市政府副秘书长就没戏了。"

丁能通心里最清楚,目前是花博会申办的关键时刻,自己为花博会出的力,市领导有目共睹,所以,市政府副秘书长的事应该是铁板钉钉的,可是这封匿名信太可恨了,一旦落入王元章或李为民手里,非上常委会不可。

"卫国,你给大哥出出主意,我该怎么办?"

"丁大哥,这种事大多是捕风捉影,就是有,只要没有被按在床上就没什么了不起的。眼下,你抓紧时间给王书记和李副书记的秘书打个电话,让他们千万别把信给领导,其他常委的秘书我打招呼,只要这封信到不了领导手里就没事。"郑卫国颇为狡黠地说。

丁能通放下电话陷入了沉思,他百思不得其解:谁这么损,老盯着我?自己与罗小梅一夜风流会被谁盯上呢?

丁能通从离开北京那天开始回忆,一个人一个人地过脑子,怎么也想不出来谁会写自己的匿名信。那天去皇县驻京办送机的人有黄梦然、白丽娜,几个司机和皇县驻京办的几个人,这些人都不可能给自己写匿名信,罗小梅不可能贼喊捉贼,水敬洪就更不可能了。贾朝轩的秘书顾怀远也送了自己,但是顾怀远是哥儿们,每次到驻京办好吃好喝好招待,不可能干这种缺德事,也没有干这种事的理由啊。

看来问题出现在皇县,皇县接触最多的只有林大可和县政府办公室王主任,林大可盼星星,盼月亮,盼我带港商去,不可能害自己,不仅不会害自己,还得从心里感激自己。

丁能通忽然一激灵,那天王主任要给自己安排小姐,被自己一口拒绝了,与王主任分手后,他会不会跟着自己和罗小梅?对,只有这个王主任最有可能跟在自己和罗小梅的身后,把那天在温泉里自己与罗小梅的好事看了个清清楚楚,那么他为什么要害自己和罗小梅呢?也许罗小梅得罪了他,不对,罗小梅要是得罪了他,他直接告罗小梅就是了,可是匿名信主要是告自己,罗小梅不过是捎带脚而已,莫非王主任与自己的对立面有关系?在市驻京办盼着自己倒台的人只有钱学礼了,莫非这个王主任与钱学礼有什么关系?丁能通猛然一惊,一定有,肯定有!绝对有!

想到这儿,丁能通毅然决然地拨通了罗小梅的手机。

"小梅,在哪儿呢?"

"通哥呀,在办公室呢,怎么听口气像出什么事了?"

"是出了点事,我想问你皇县政府办公室王主任是什么背景?"

"什么意思?"

"你帮我查一下这个人与钱学礼有什么关系。"

"好吧,我问问林县长,一会儿给你回话。"

两个人挂断手机,丁能通在办公室里走来走去,坐立不安,他实在不愿意相信钱学礼和这个王主任有什么关系,如果有关系,匿名信百分之百是钱学礼写的,果然如此,自己就不能再忍让了,这种人如果不给予及时的还击,早晚会栽到他手里。

其实,丁能通对这封匿名信本身并不担心,因为自己当秘书时就与所有常委秘书达成过一个秘密共识,就是无论谁拿到不利于秘书群体的匿名信,都要扣下来,谁也不要递给领导,要互相保护,大家都是这么做的。

自己给肖市长当秘书时不知扣留了多少匿名信,除非上级领导有批示,否则只要是匿名信一律扣下,因为匿名信大多是诬告信,应该说自己这么做保护了一大批干部,郑卫国接任自己后也是这么做的,当然肖市长本人并不知道。再说,哪个市委常委的秘书到驻京办都被自己打点到被收买的程度,他坚信,还会接到其他秘书的电话的,包括王元章和李为民的秘书。果然,他挂断罗小梅的电话不久,顾怀远就打来了电话。紧接着市人大主任赵国光的秘书、市政协主席张宏昌的秘书也打来了电话,最后王元章的秘书也打来了电话,纷纷表示让丁大哥放心,这封信不会交到领导手里的。

只有李为民的秘书小唐迟迟没来电话,丁能通心想,这小子不来电话也未必就把信交给李为民了。丁能通是市长秘书出身,最了解这些秘书了,秘书就犹如一道水闸,只要不让领导知道,领导断难知道。

因为所有的信件、文件、批件,包括情书都得由秘书先看,然后筛选着给领导看,如果什么都给领导看,那领导一天什么也不用干了,所以下面各委办局区县(市)打报告要先做秘书的工作,求秘书们重视,给快点递上去。甚至请领导吃饭也要先打听秘书,了解领导的口味。官场上流行投其所好,从古就有,不是什么稀罕事。

由于没有等到李为民秘书小唐的电话,丁能通想打电话沟通一下,后来转念一想,由他去吧,何必打草惊蛇呢。

想到这儿,丁能通摇摇头,笑了,心想,对手给自己写匿名信也不是一次两次了,何必如此紧张呢?

丁能通紧张有紧张的道理,因为这次和罗小梅天浴的细节叫人家看得一清二楚,赶上看三级片了,这么危险的敌人要是不找出来早晚要出大事。

罗小梅终于来电话了:"通哥,林县长打听明白了,王主任和钱学礼是一担挑的关系,到底出了什么事?"罗小梅嗔怪地问。

"小梅,我不说你也应该明白王主任都干了些什么,告诉林大可,这个王主任是个小人,防着点!"

"通哥,从皇县回来后一直很忙,没给你打电话,其实我一直很想你,现在有空吗?我在颐和园长廊等你。"

丁能通心里乱糟糟的,很想散散心,就答应了。

44、三棵草

丁能通赶到颐和园长廊时,罗小梅早就到了,她正在欣赏长廊上的绘画。

"看什么呢?小梅。"丁能通抱歉地问。

"通哥,你看这长廊像不像一本书?三打白骨精,桃园结义,文人三才,龙宫借宝,还有牛郎织女,这么多故事都画在上面了。"

"照你这么说,还真像一本书。"

"通哥,好几年没划船了,陪我划划船吧。"

"好啊!我也好多年没划船了,上一次是从秘书岗位退下来,驻京办主任还没上任时,正赶上你嫂子过生日,我们一家三口在东州的新湖公园划了一次船。"

丁能通说完,觉得有些失口,便看了罗小梅一眼,罗小梅显得很大方,并不在意。

"通哥,嫂子在是电视台做什么的呀?"

"编辑。"

"听说是个大美人?"

"看跟谁比。"

"通哥,你别紧张,我只是随便问问,我这个人从来不会做心爱的人讨厌的事,何况,爱和婚姻本来就是两码事。"

丁能通被罗小梅的话震住了,忍不住看了罗小梅几眼,发现她妩媚窈窕的身姿越发丰腴惹眼,罗小梅自然知道丁能通在看她,便往前凑了凑,走到他的面前,要让他看个够似的。

两个人泛舟在昆明湖上,丁能通的心情放松了许多。在办事处经常看到工作人员陪客人拍的颐和园的荷花和泛舟湖上的情景,当时仿佛没什么感觉,今天一汪碧波中,一盏鸳鸯船上,两个有情人,丁能通忽然觉得心中一角像掉进了池塘里。

因为眼前的罗小梅大气得让自己吃惊,与自己的感情似乎没有任何功利,丁能通一边划船一边脱口问:"小梅,爱我这个人值吗?"

"爱是不问值得不值得的。"一句话,让丁能通无地自容。

"小梅,你提醒我提防钱学礼,我忽略了,想不到他会把目光盯到皇县去。"

"是我不好,给你惹了麻烦,通哥,常言说,无毒不丈夫,像钱学礼这样的人最好对付了。"罗小梅鄙夷地说。

"怎么对付,给我出出主意!"

"一句话,以其人之道,还治其人之身。"

"小梅,说起来容易,做起来难啊!"

"通哥,你这个人心太善,这样吧,我帮你搜集钱学礼的罪证,保证不出一年他就滚蛋。"

"小梅,你有什么高招吗?"

"通哥,别装了,其实,你早就把他看透了,才把开发纺织厂那块地的事交给他,房子盖起来之时,就是他钱学礼趴下之日,对不对!"

"小梅,你可真厉害,不是一般的女人,以钱学礼的贪婪,我不相信他在房地产开发中不做手脚。"

"通哥,女人再怎么不一般也是女人,在男人眼里就是几棵草。"

"这话怎么讲?"

"男人与情人一旦吹了,就发誓'好马不吃回头草';男人身边美女如云,又吹牛'兔子不吃窝边草';男人被女人抛弃时,都会说,'天涯何处无芳草'。"罗小梅说完,咯咯笑着看着丁能通,丁能通也被逗乐了。

"小梅,你这张嘴可真刁!"

45、密谋

贾朝轩在中央党校毕业后,回到东州不到一个星期,市委就召开了常委会专题研究花博会申办事宜。

会议经过激烈的争论,在肖鸿林一再坚持下,决定花博会选址在西塘区琼水湖畔,让肖鸿林下定决心选址在琼水湖畔的不是西塘区区长何振东,而是自己的儿子肖伟。因为一旦花博会建在琼水湖畔,肖伟开发的琼水花园房价就会翻番。肖鸿林就这么一个宝贝儿子,爱子心切,在常委会上力排众议,气得李为民会还没开完就愤然离去。

李为民并未看透肖鸿林的私心,他是从保护生态环境的角度,认为花博会无论选在草河口还是琼水湖,都会给两个风景区带来过度的房地产开发,到时候必然给两个风景区造成污染和破坏,特别是琼水湖是东州市民的饮用水,一旦污水排入,后果不堪设想。

花博会选址在琼水湖畔的消息不胫而走,全省的房地产商都震动了,因为此时只要在花博会周边拿到地皮,必然大赚一笔。

贾朝轩当然了解肖鸿林的私心,只是不露声色,因为还不到与肖鸿林叫板的时候,最好的办法就是坐山观虎斗,扒桥望水流。贾朝轩最清楚李为民的性格,他绝对不会善罢甘休的,一旦此事反映到省委书记林白和省长赵长征那里,肖鸿林吃不了兜着走。

贾朝轩从北京回来前,特意拜访了王老,那副"永子"围棋深得老爷子的钟爱,老爷子虽然身居北京,但对东州的事仍然起着遥控的作用。只要老爷子说话,接替肖鸿林的位置舍我其谁?

陈富忠得到花博会选址在琼水湖畔的消息后,也是兴奋不已,他连夜去了贾朝轩的家。贾朝轩正在家中做足疗,足疗小姐是市人民医院美容中心的,韩丽珍定期将美容中心的足疗师接到家中为贾朝轩做足疗。

贾朝轩见陈富忠来了,示意足疗小姐不做了,韩丽珍给自己的司机打了电话,让司机把足疗小姐送走。

足疗小姐走后,贾朝轩起身让陈富忠坐下,小保姆沏了茶,两个人在沙发上互相点了烟,贾朝轩喷云吐雾地说,"我估计你坐不住了,肯定得来找我。"

"大哥,"陈富忠往贾朝轩身边凑了凑说,"花博会一旦申办成功,场馆工程能不能交给我建?"

贾朝轩深吸一口气说:"富忠啊,难办啊,市委常委会上,肖鸿林极力主张花博会选址在琼水湖畔,目的很明确,他儿子的琼水花园销的一直不太好,花博园一旦建在琼水湖畔,琼水花园的别墅就得翻番涨,另外,肖伟的华宇集团实力不在北都之下,场馆建设肖伟能拱手相让?"

"大哥,这可是块肥肉啊!咱就这么拱手相让了吗?"陈富忠不甘心地问。

"也不能这么说,富忠,你小子不能把劲儿都使在我身上,常言道,知己知彼,百战不殆,袁锡藩和肖鸿林打得火热,市政府常务会上,这小子力挺肖鸿林,我看你做做袁锡藩的工作,让他劝劝肖伟,琼水花园赚了,花博园的场馆建设就别再插脚了,再插脚对肖鸿林的影响也不好。"

"大哥,袁锡藩像个老狐狸似的,不好对付呀!"

"狐狸再狡猾,他不也是狐狸吗? 只要有好诱饵哪有不上钩的?"贾朝轩老谋深算地说。

"大哥,你足智多谋,给我出出主意,放什么诱饵好?"陈富忠迫不及待地问。

"我早就想好了,你不妨给袁锡藩家送个贴心的小保姆。"

"大哥,袁锡藩是副市长,他家还缺保姆?"

"这你就有所不知了,袁锡藩的老伴瘫痪在床上,十多年了,这两口子还没儿没女,他老伴难伺候,保姆不知换了多少个,你给他送个贴身保姆,这老小子一举一动你就全了解了,到时候,你再对症下药,还愁袁锡藩不听你的?"贾朝轩说完诡谲地笑了笑。

陈富忠想了半晌,一拍大腿说:"好主意,大哥不愧为常务副市长,想出来的办法就是与众不同。"

"老弟,凡事急不得,要动动脑子,袁锡藩不挡道了,你再让丁能通做做肖鸿林的工作,这件事你就可以和肖伟平分秋色了。"

"大哥,请邓副市长吃饭的事还得抓紧,前一段刑警支队的人老在我公司晃悠,这段时间像蒸发了一样,搞得我心里倒没有底了。"

"富忠,我已经跟邓大海渗透了保护民营企业的重要性,他不会听不明白的,我相信他还没有胆量与我这个市委常委作对,哪天我再请他吃个饭,你小子不给我惹事最好,告诉你的手下收敛点,别忘了,再大的势力也难一手遮天!"

"那是,那是,大哥,老弟现在是有身份的人,一心想为大哥增光,哪能给大哥抹黑呢?"

"富忠,你能这么想我很高兴,你小子熬到这份儿上也不容易,应该懂得珍惜呀!"

这时,韩丽珍亲自端着一大盘刚切好的沙瓤西瓜,走过来放在茶几上,拿起一块递给陈富忠。

"朝轩,你今儿怎么了? 嘱咐富忠像嘱咐孩子一样,富忠是江湖上闯荡过来的人,最懂得情义了!"

"还是嫂子了解我,大哥,我听说丁能通与中组部领导都搭上关系了,你何不让丁能通搭搭桥,更上一层楼呢。"

陈富忠借机转移了话题。

"丁能通搭关系是为了肖鸿林更上一层楼,他毕竟给老肖当了几年秘书,打断骨头连着筋啊!"

"不对,大哥,丁能通可不一般,我感觉这小子,在仕途上的野心并不大,他主动去驻京办当主任就是一个例子,他追求的是自由自在、富贵一体,如果要是不贪不占,官场上哪个位置也比不上驻京办主任,你看这小子在北京就跟王八吃了秤砣似的,根本就不张罗回来。"

"朝轩,富忠说得有道理,多个朋友多条路,即使王老替你说话,最后也得落在中组部,不如让丁能通搭一搭桥,搭上这层关系后,能不能拿下还不在我们。"

贾朝轩听了老婆的话半晌没吭声,他忽然想到一个问题,或许肖鸿林更上一层楼对自己是件好事,位置倒出来后能不能坐上还真得下功夫,因为自己最大的竞争对手就是李为民,王老可以疏通省里,中组部自己还真没有太硬的关系,让丁能通搭搭桥也未尝不可。

46、原罪

最近,省委书记林白痛风的老毛病又犯了,脚脖子肿得跟馒头似的,没办法,只好住进了省人民医院。

住院前,林白听取了省委组织部考察组在东州考察的汇报,听了以后忧心忡忡,一直想找机会与省长赵长征聊聊。

林白是很讲究通气的,但凡涉及到重大干部人事安排,总要向班子成员征求意见,特别注意听取省长赵长征的意见,这是林白多年来养成的工作作风,也是工作磨合的需要,特别是在上会前,一些重大敏感话题先沟通一下,在会上决策就少了不少盲目性。

班子里的成员都习惯了林白的这种沟通,因为沟通的前提是信任,不信任就没有必要沟通,同时,这种沟通拉近了班子成员间的距离。

赵长征常常觉得与林白之间的每次沟通都获益匪浅。老搭档病了,没有不去看的道理,早晨,秘书和司机接自己时,赵长征没有直接去办公室,而是径直去了省人民医院。

由于事先和秘书打了招呼,林白知道赵长征同志来看自己,早就准备好了茶。赵长征推门就嚷嚷:"老伙计,好点了吗?明天我就要带团出访越南了,走之前还真不放心你!"

林白拄着单拐一边亲自给赵长征泡茶,一边开玩笑地说:"你那糖尿病的身子也不比我好到哪里去。咱们俩有一点是相同的,都得管住自己的嘴,你糖尿病还好一点,我这痛风,连豆腐都不让吃,就剩喝粥了。"

赵长征笑道:"你还能喝粥呢,我这产糖大户,一喝粥血糖就上来,只能吃干的。"赵长征说完,接过林白泡好的茶放在茶几上,两个人坐在沙发上。

林白笑着说:"长征,你不来看我,我也想找你聊聊哪。最近省委组织部考察组到东州做了个摸底调查,回来后向我做了汇报,听了汇报后有点担心啊!"

赵长征呷了一口茶,问:"是不是发现了什么问题?"

林白点头道:"是啊,李为民还好一些,虽然也有两种不太相同的看法,但是普遍认为这个人比较正,是个实干的人;贾朝轩的问题就多了,省纪委还接到不少反映贾朝轩官商勾结的举报信。"

赵长征严肃地说:"果真有这方面的反映?问题就严重了,我们决不提拔带病上岗的干部,何况是东州,我建议省纪委密切关注贾朝轩的问题。如果有病要赶紧治,把问题消灭在萌芽中,既是对一个干部的保护,也是对党的事业负责!"

林白若有所思地说:"这些天躺在医院里想了很多问题,我总觉得发生腐败有原罪的,而原罪是什么?这些年腐败问题日趋严重,原罪脱不了干系呀!当然腐败分子自身放松了修炼是一个方面,可是,那么多的干部腐败了,别忘了,干部首先是人,然后才是党员,才是干部,认识到这一点非常重要。就是这些以人为前提条件的党员干部影响着百姓的生活,传统教育一贯把他们看成是特殊材料制成的人,廉正勤政寄托于个人修养,这是不负责任的,有推卸责任之嫌。其实,人就是有七情六欲的,特别是政治家的七情六欲决定着百姓的生活,靠什么才能管住政治家的七情六欲呢?只有一个办法,就是制度创新。通过建立新的制度来消除旧体制的原罪。"

赵长征对林白的观点深有同感,他长叹一声道:"现在政府机构的许多制度弊病,已经越来越阻碍经济发展了,比如变相审批多,办事越来越难了,预算外收入太多太滥,执法交叉、重复、矛盾、多头,使企业无所适从,给政府的管理权太多太大。如果不给予坚决改革,就业就不能扩大,人民生活水平就不能提高,消费与投资的关系就不能调整,人民就不能安居乐业,很多事业和经济进一步发展就会葬送在这些部门的审批、许可和收费罚款之中。"

"是啊,"林白意味深长地说,"拿东州的城市建设为例,这些年,东州财政收入的半壁江山都来源于出卖土地,如果说城市改造之初拆迁棚户区是为了改善群众的住房条件,那么现在刚建了十几年的房子就拆了。"

"上次东州几百人到省政府来上访,就是刚建一年多的小区被拆了,理由是开发商要在这块地上建亚洲第一商城。"赵长征插嘴道。

"是啊,过去拆的是棚户区、违建房,现在拆的都是合理合法的房子,老百姓住在市中心好好的都被动迁到城边子上去了,市中心成了富人区,长征,你说说,老百姓还怎么安居乐业?"

"我们许多官员热衷于'客串'房地产生意,前一段,一位著名经济学家发表观点,称中国贫富分化的背后,是腐败和垄断行业的外市场化,我认为很深刻呀!"

"从政府拿地,到银行贷款,成为房地产商最关键的资源,也是干部腐败的深渊。连省驻京办主任薪泽金都要搞房地产开发,前一段拿着方案向我汇报,让我当场给否了。"

"这事我听说了,这件事光大同志对你意见还不小哩,说什么,别的省驻京办都是五星级了,别的省能搞,我们省为什么不能搞。长征,让我说驻京办完全是计划经济的产物,市场经济条件下真应该好好考虑它的新职能了。"

"老林,薪泽金也是因为市驻京办马上要搞成五星级酒店刺激的,你的建议很好,回头我让省政府研究室好好研究一下新形势下驻京办的功能,再也不能走跑'部''钱'进的老路了,应该拓展一些新的公共服务功能。"

"长征,要搞就从制度上下手,过去的反腐败政策搞了多少个'不准',但效果都不佳,为什么?连贯的制度少。"

"是啊,光管干部吃喝的,建国后就有五百多个文件,但最后还是没管住这张嘴。"

赵长征走后,林白思绪万千,多年来他自觉俯仰天地,无愧乡梓,力所能及的,无不鞠躬尽瘁。至于力所不及的,虽然竭力地去做了,也难免不尽人意,正所谓无边落木萧萧下,已不是自己的本意了……然而尽管大江东去,林白的心绪仍如涛涛江水不能平静,因为有太多的问题理不出头绪,这些问题都郁积在心中,屡屡挥之不去。

47、画龙点睛

在肖鸿林准备带队去荷兰海牙世界花卉生产者协会总部申办答辩的前一个晚上，丁能通从驻京办赶回了东州，在此之前，他已经接到了市政府副秘书长的任命。

丁能通是肖鸿林专程叫回来的，因为离出发的日子越近，肖鸿林的压力就越大，他心里非常清楚，此次荷兰之行实际上是破釜沉舟，背水一战。

肖鸿林始终在想一个问题，东州有什么？在握有一票否决权的几十个成员国代表的印象中，东州这个曾经满是环境债务的北方城市，申办成功的可能性很小。

肖鸿林习惯了丁能通给自己当秘书时，每遇重大问题，画龙点睛的服务方式，丁能通总会在最吃劲的时候，想到好主意，让肖鸿林心中豁然一亮。

丁能通下飞机后没有回家，他从东州机场直接去了肖鸿林的办公室，肖鸿林嘱咐秘书郑卫国任何人也不许打扰。

丁能通仔细看了答辩报告后，紧锁双眉陷入沉思，突然他的目光霍然一亮，点上一支烟说："肖市长，迄今为止，花博会都是在气候温暖的南方155城市举办的，我们是北方城市，基础条件不好，与其他国家的申办城市比武过招必须有杀手锏。"

"你小子就别卖关子了，快说说你的杀手锏！"肖鸿林不耐烦地说。

"肖市长，东州完全依靠自己的力量、自己的资源举办这一盛会，这在世界花卉博览会历史上是独一无二的，不过这样一来，一旦申办成功，资金就会成为花博会的瓶颈，等于我们自己给自己出难题啊。"

"能通，你这个主意出得好，我们先不管资金问题，只要申办成功，我相信资金不是问题。"

"还有，肖市长，不要掩盖我们的不足，相反要坦言我们的不足，要说透我们的不足，外国人喜欢坦诚，充分详实的陈述很可能征服世界花卉生产者协会的官员。"

"这就叫反其道而行之，我们要为东州创造一部绿色编年史。"

肖鸿林听了丁能通的建议后兴奋起来，其实，在中国政坛上，隐匿着一大批充满政治智慧的秘书,这些人由于体制的原因,无法脱颖而出,只能依附于人,依附于好的领导还有一个好的前程,要是跟错了人,还可能毁掉一辈子。

丁能通没有跟随肖鸿林去荷兰,肖鸿林走的那天,四大班子领导齐聚东州机场欢送,特别是市委书记王元章自从与肖鸿林搭班子以来,第一次亲自去机场送行。

肖鸿林风风光光地带着东州八百万人民的希望去了花卉之国荷兰,贾朝轩却陷入了难耐的等待之中,因为贾朝轩为申办花博会做了大量的前期铺垫工作,特别是肖鸿林在机场面对媒体记者讲的话,让他颇有想法。

"申办成功了,那是给我们国家锦上添花,如果落选了,也没什么,只能说明东州还需要进一步完善自己。"

如果申办失败了,真的没什么吗? 不会的,到时候肖鸿林当省长的梦可能破灭,那样的话,就会赖在东州不走,那么自己的市长梦就难圆;如果申办成功了,肖鸿林就真的能当上省长吗?

贾朝轩的心绪很复杂,其实他心里清楚,肖鸿林不过是困兽犹斗,因为能否熬到封疆大吏的位置,与这个小小的花博会并无太大的关系,甚至与东州经济发展能否更上一层楼没有太大的利害关系,那根本不是一点点政绩能够左右的事情,左右这件事的只有一个地方,就是中南海的勤政殿。

想到这儿,贾朝轩有些心灰意冷了,自己在北京学习一年本以为能够得到重用或提拔,班里一百六十八位正厅级同学,没毕业就提拔了三分之一,虽然自己的各科成绩因为有顾怀远这个硕士的亲自操刀,一直名列前茅,却并没有引起中组部领导的关注,他不知道问题出在了哪里,他想起陈富忠的建议,应该让丁能通搭搭桥,见见中组部地方局的周永年,想到这儿,他拿起了电话。

48、姐姐

丁能通在接到贾朝轩电话的同时,也接到了水敬洪的电话,水敬洪为了兑现自己的承诺,在东州市环卫节前赶制了一万双鞋。他要亲自将鞋送到东州。丁能通赶紧把这个消息用手机向李为民做了汇报。

第二天,在市政府办公大楼前悬挂着横幅"香港黄河集团总经理水敬洪先生向环卫工人赠鞋仪式及环卫节庆祝大会"。

几百名环卫工人身穿崭新的制服排成方队,主席台上有水敬洪一行三人及王元章、赵国光、张宏昌、李为民、袁锡藩、邓大海等市领导,丁能通以市政府副秘书长的身份,也站在了市领导的行列里。

仪式由副市长袁锡藩主持。

袁锡藩西装革履地走到讲台前说:"香港黄河集团总经理水敬洪先生向环卫工人赠鞋仪式现在开始! 首先,请市委常委、常务副市长贾朝轩同志讲话。"

环卫工人队伍响起了热烈的掌声。

贾朝轩神采飞扬地走到讲台前,用洪亮的嗓音说:"环卫工人同志们,今天是东州市第八届环卫工人节,首先我代表市委市政府向前来参加赠鞋仪式的城市美容师致以最崇高的敬意! 并通过你们向全市万名环卫工人表示节日的慰问! 今天是个值得庆贺的日子,香港黄河集团总经理水敬洪先生为大家捐赠了一万双鞋,我代表你们,也代表市委市政府,对水敬洪先生的善举表示衷心的感谢!"

站在后面的丁能通望了一眼李为民,心里怪不是滋味的,因为这一万157双鞋明明是李为民为环卫工人争取的,现在听起来倒像是贾朝轩为环卫工人争取来的。李为民始终微笑的表情让丁能通看到了一位政治家的胸怀。

水敬洪参加完赠鞋仪式后,本来想考察一下鞋业生产基地的位置,突然接到集团总部的电话,称黄翰晨先生突然病了,住进了医院,水敬洪只好取消了所有行程,连市委市政府的宴请也没有参加,就直接飞回了香港。

丁能通并没有急着回北京,因为他一年回不了几趟家,衣雪自然是不依不饶,交一次公粮不行,还得忙活第二次,丁能通正累得气喘吁吁之时,床头的电话响了。

衣雪不让接,可是电话响得瘆人,没完没了地响,响得丁能通终于疲软了,没搞完就败下阵来,弄得衣雪好大不愿意,气哼哼地拿起电话劈头就问:"谁呀? 三更半夜的,还让不让人睡觉了?"

电话里传出颤巍巍的声音，一听就知道由于过度紧张或恐惧发出的。

"衣雪，我是衣梅，姐出了点事，想找能通拿个主意！"

衣梅的语气迫切，恨不得马上让丁能通接电话。

"姐，出啥事了？深更半夜找他，不知道我抓着他一回不容易，都让你吓阳痿了。"衣雪抱怨地说。

"雪儿，对不起了，姐确实出了点事，让能通出出主意！"

原来衣梅在金桥区当社区科科长，负责社区管理工作，由于大部分社区办公条件差，由市民政局统一下发给各街道办事处一笔款子用来给社区办公租房子，衣梅所在的街道办事处主任比较贪婪，私下里把这笔钱给分了，她们办事处一个书记，一个主任，一个副主任，每个人分了六万元，钱是衣梅奉主任的指示分的，为了堵衣梅的嘴，她也分到了一万。现在有人将这件事举报到了区纪委，区纪委已经组成调查组下来调查了，衣梅是从区纪委一位同学那儿得到消息的，思来想去不知怎么办好，只好三更半夜拨通了衣雪家的电话。

158

丁能通听明白事情的原委后，半晌没说话，急得衣梅在电话里直抹眼泪，衣雪在身边也光着白花花的身子一个劲儿地催问："能通，快帮我姐想想办法呀！"

"急什么，让我想想！"丁能通不耐烦地说。

衣雪知道这件事谁听了都上火，丁能通心里一定很急，便焦急地看着丈夫。

"姐，区纪委的人只是找下面了解情况，不是还没找你们谈话吗？"丁能通终于开口了。

"对，能通，区纪委的人上午到社区去调查了，到社区查一定露馅，一旦露馅，姐就完了。"衣梅说话时嘴都在颤抖。

"别怕，姐，这件事你们单位的领导是主谋，你只不过是被利用了，这件事得这么做，你尽快，最好现在就行动，争取在明天中午之前将这笔钱收上来，既然社区不用租房子，你把钱收上来后，赶紧退给市民政局，只要在区纪委的人找你谈话之前，把钱退了，举报人的举报就不攻自破了。"

"可是最近我们办事处刚换了领导班子，原先的主任书记都换走了，他们要是不给怎么办？"

"你问他们是要乌纱帽还是要这六万块钱，姐，不是我说你，你拿这一万块钱多不值得,有这一万块钱也发不了财,没这一万块钱也破不了产,为了一万块钱丢了饭碗,值吗?"

"我明白了,可是我怕即使他们退给我,明天中午也来不及呀,谁家能一下子拿出来六万块钱?"

"这样吧,"丁能通想了想说,"你自己能拿多少?剩下的明天让衣雪给你补上,先把钱退给民政局,然后再找你们那些不怕死的混蛋领导要,放心吧,他们不敢不退,再说,还有我呢,我明天再找你们区长张铁男给压一压,没事的。"

电话里的衣梅终于松了口气。

"能通,姐给你添麻烦了!"

"姐,一家人,别说这些,你抓紧办吧,我困了。"

丁能通挂断电话,衣雪亲了丈夫一下:"老公,关键时刻还得你出马。"

"雪儿,劝劝你姐,别再贪图小便宜了,不是有句话吗?贪小便宜吃大亏。再说,就她那胆儿,又担不了事,还好,区纪委还没找到那几个头儿,要不非把罪过都推给你姐不可!"

"我姐多可怜啊,刚离婚,一个人带着孩子,再说,现在的官有几个不贪的?"

"那都是老百姓的气话,市委书记王元章、李为民还有老同学石存山,副市长邓大海都是好样的,我也没贪过,什么时候别忘了,还是好干部多。"

"还有段玉芬……"

衣雪一提到段玉芬,两个人就沉默了,尽管衣雪还弄不清段玉芬是怎么死的,但是,在丁能通的心里,已经预感到凶手是谁了。他相信,石存山也会预感到,只是尚未拿到证据,丁能通不敢想,一旦真相大白于天下,东州的政坛会是什么样子。

49、笑话

第二天中午前,衣梅顺利地从前办事处领导手中拿到了退款,并及时送到了市民政局,当区纪委的人下午找衣梅谈话时,丁能通正在金桥区区长张铁男的办公室。

"能通，花博会选址不公道，肖市长有私心。"张铁男愤愤不平地说。

"铁男，这话说到我丁能通这儿就算拉倒，不许再说这种话了。"丁能通好意地提醒道。

"能通，这些年你的口碑谁不知道，无论谁说话到你这儿就到头了，我就佩服你这一点，不过话我还得说，不说我憋得慌。谁不知道肖伟在西塘区开发的琼水花园，没有肖伟的背景，哪个开发商能在琼水湖边上搞到地？不瞒你说，肖伟也打过草河口的主意，让我给顶回去了，我和何振东不一样，何振东巴不得在西塘区搞开发，他好有机会巴结肖市长。我张铁男希望花博会选在草河口也是出于公心，花博园的设计完全可以依照森林公园的特点设计，在森林公园边上建公园，既丰富拓展了公园的功能，使森林公园与花博园相得益彰，又开发了金桥区的旅游资源，一举两得。搞到琼水湖畔，水要是污染了，市民喝什么？"

张铁男是个直肠子，一口气竹筒倒豆子，说了一大堆。

"铁男，让我说，花博园无论是设在草河口，还是建在琼水湖畔，都不合理，因为花博园一旦开园必然带动周边的房地产开发，这对两大风景区都是严重的破坏，所以，没设在草河口，你应当庆幸。"

"那你说应该设在哪儿？总不会设在市中心吧？"张铁男刨根问底地问。

"依我看，应该设在皇县。"

"皇县，为什么？"

"你看，过了西塘区就是皇县，离市内开车不过一个多小时，那里不仅有两个几百年的古镇，还有温泉，如果把花博园设在那儿，依山傍水的，必然带动皇县的大发展，在那里搞房地产开发对皇县只有好处没有坏处，人们在那里可以游古镇，赏花园，泡温泉，住别墅，吃山珍，简直就是世外桃源啊！"

"你别说还真有道理，皇县的前插镇、后插镇我都去过，确实是个好地方，可惜，你丁能通不是决策者，咱们也犯不上操这份闲心了。能通，难得到我们金桥区，无论如何得一醉方休。"

"铁男，不行，我约了朋友，已经答应人家了。"

"谁呀？一起来呗，打电话，请过来，另外，把你大姨子也请过来，我还第一次听说她在我们区呢，请过来见见面，以后我好关照关照。"

张铁男说得很诚恳，盛情难却，丁能通只好答应了。其实，晚上丁能通想见见石存山，另外，贾朝轩打电话让他搭桥见见中组部地方局的周永年，丁能通觉得太唐突，要是让肖市长知道了自己不好交代，但又不好回绝贾朝轩，于是心生一计，想让贾朝轩见见刘凤云的老父亲。

刘凤云的老父亲孤苦伶仃一个人住在东州，每次丁能通回来都去关照一下，要是把刘凤云的老父亲引见给贾朝轩，既给了贾朝轩面子，又不至于让肖鸿林太多心，而且比直接见周永年有效果。晚上，他还想拜访一下刘老爷子，不事先打招呼怕刘老爷子不见，因为这老头做人很低调。

晚宴就安排在草河口宾馆十五号楼，丁能通嘱咐石存山把衣梅一起接过来，衣梅虽然比衣雪大两岁，但姿色一点不比衣雪逊色。

石存山和衣梅一起走进包房时，张铁男和丁能通眼睛都豁然一亮，因为两个人走在一起看上去太般配了。

丁能通心想，怎么从来没想过把这两个人往一起撮合撮合呢？

石存山一进门便说："能通，你知道隔壁包房是谁吗？"

"你小子长了一双鹰眼，又发现什么情况了？"丁能通开玩笑地说。

"西门大官人，还有电视台第一美女苏红袖大小姐。"

"苏红袖怎么和袁锡藩掺和到一起了？奇怪！"丁能通若有所思地说。

"这有什么奇怪的，谁不知道袁锡藩好这口呢？要么怎么能叫西门大官人呢，你这个驻京办主任不会连这么重要的情况都不知道吧？"张铁男用炫耀的口气说。

"姐，还不见过张区长！"丁能通对衣梅说。

"张区长好！"衣梅一边与张铁男握手一边说。

"衣梅，这就是你的不对了，明明是丁副秘书长的大姨姐，居然不跟我说一声，我看你们办事处主任不想干了，这么重要的信息都不告诉我，简直是没有党性！"

丁能通听了心里哭笑不得，心想，这与党性有什么关系？

张铁男又与石存山寒暄后，众人落座，酒菜很快就上齐了。

张铁男和石存山都是性情中人，三杯过后，张铁男举杯说："久闻石支队神勇无比，破过不少大案要案，怎么样，咱们比一比酒量如何？这第一杯酒，我先干为敬！"说完他一仰脖子干了。

石存山从来不怕挑战，见一开席张铁男就冲自己来了，哪肯示弱，也一仰脖子干了。

"你们俩要是这么喝太没意思,"丁能通说,"不如每个人讲一个笑话,讲的笑话要是谁都不笑,就罚酒一杯,怎么样?"

"好,我先来。"张铁男自告奋勇地说。

"讲笑话我不行,讲案子我在行。"石存山告饶地说。

"讲一般的案子不行,要讲就讲特离奇的。"衣梅插嘴道。

"对对对,衣梅说得对,不许拿那些打打杀杀的小案子骗我们,一定要离奇。"张铁男笑着说。

"张区长,你先讲吧!"丁能通笑眯眯地说。"好,讲就讲,我这个人没别的能耐,就是笑话多。有一个猎人正在打猎,搜寻目标时发现树上有两只鸟,他连忙举枪瞄准,砰地一枪,打下一只鸟,上前一看,发现是只没毛的。正纳闷时,另一只鸟飞下来大骂猎人,他妈的,老子刚哄她把衣服脱光,你就把她打下来了。"张铁男说完众人哈哈大笑。

"讲得好,有意思,铁男,再来一个,再来一个。"石存山一边笑一边说。

"存山,我再说一个就该你的了。"张铁男点了一支烟接着说,"一个女的正在厕所小便,一个醉鬼酒后误闯了进来,听到哗哗的尿声,醉鬼忙说:别倒了,我真的不能再喝了! 女的吓坏了,不敢再尿,憋不住,放了个屁。醉鬼说:我操,怎么又启了一瓶?"这下子逗得众人乐得是前仰后合,衣梅都笑出了眼泪。

"怎么样? 石支队? 该你的了吧?"张铁男叫板说。

"别,别,能通先来!"石存山推托说。

"铁男,就这笑话有啥呀? 听我的。"丁能通不服气地说,"产房里,一个小孩出生后哈哈大笑,接生护士都非常奇怪,围拢观察,发现小孩拳头握得很紧,掰开后发现是一粒坠胎药,只听小孩说:他妈的,想干掉我,没那么容易!"

丁能通说完,大家又是一阵笑后,石存山说:"衣梅,该你的了。"

衣梅无奈只好硬着头皮讲了起来。

"农夫要杀公鸡却逮不着,于是抓起母鸡说:再不下来让你打光棍!公鸡说:你以为我傻啊,我下去她就成寡妇了!"

衣梅讲完,石存山再也躲不过去,端起酒杯说:"来,铁男,能通,好长时间没这么开心了,讲之前我先敬你一杯。"

石存山挨个碰杯后一饮而尽，然后说："我讲的是一个发生在美国的一件错综复杂、离奇古怪的死亡案件，也是一起很精彩的自杀案，死者名叫罗纳德，法医验尸后，断定为头部受伤死亡，死者从十一楼楼顶跳下试图自杀，自杀前他还留了一份遗书，但下落时，却被从九楼一个窗户射出的猎枪子弹击中，当场死亡。射手和死者都不知道，在该楼的八层高处有一副保护玻璃清洗工安全的网，因而罗纳德不可能实现自杀计划。通过调查发现，射出子弹的屋内住着一对老夫妇，当时老两口正在吵架，老头情绪非常激动，抄起猎枪对着老太太扣动了扳机，子弹没有打中他的妻子，却穿过窗户正巧击中了罗纳德。按照当地的法律规定，某人试图谋杀A，却杀死了B，则按谋杀B罪论处。面对'谋杀'罪的指控，老两口都坚持说他们谁也不知道猎枪装着火药。老头说：多年来，我总是用猎枪吓唬妻子，我根本不想谋杀她。所以杀死罗纳德看来是意外事故，也就是说，猎枪是被偶然装上了火药。通过进一步调查，找到了一位目击者，他证明老夫妇的儿子在事发大约六周前，往猎枪里上了火药，原因是老太太突然中断了对儿子的经济资助，儿子企图利用父亲常用猎枪吓唬母亲的习惯，借父亲之手杀死母亲，案件此时成了老夫妻的儿子谋杀了罗纳德，更为离奇的是，老夫妻的儿子，正是这位叫罗纳德的青年！他因迟迟未能实现谋杀母亲的企图而颇感失望，所以想跳楼自杀，不巧，却被自己填装的猎枪子弹击中致死，按照法律规定，死者是自己谋杀自己，因此法医最后判定，这是桩自杀案。"

石存山讲完后，众人无不称奇。

丁能通喝了一肚子酒，想去卫生间，张铁男开玩笑说："别像醉鬼似的走错了门！"

丁能通边笑边走出包房，刚走到洗手间时，苏红袖正照着镜子涂口红，从镜子里看见丁能通晃晃悠悠走过来。

苏红袖突然转身问："丁能通，回来也不吭一声，怕见人哪！"

"哎哟，姑奶奶，跟谁吃饭呢？"丁能通故作惊讶地问。

"是富忠请袁市长吃饭，我作陪。"

苏红袖甩了甩飘逸的长发，抬起胳膊拢了拢耳边的发丝，露出雪白鲜嫩的腋窝，空气中顿时荡漾着诱人的馨香，丁能通顿时脸热心跳起来。

"红袖，你等我一会儿，我方便完，随你一起给袁市长和陈富忠敬酒。"

丁能通说完一头钻进洗手间,他一边撒尿一边寻思:陈富忠请袁锡藩吃饭,有点意思,袁锡藩主管外经外贸工作,陈富忠要打他什么主意呢?既然碰上苏红袖了,不过去敬杯酒袁锡藩和陈富忠非挑理不可。想到这儿,他打了个尿颤。

丁能通随苏红袖走进包房时,陈富忠正在与袁锡藩耳语,袁锡藩一脸的愉悦。

"哎呀,袁市长,听红袖说富忠请袁市长吃饭,无论如何我得敬杯酒。"丁能通一脸堆笑地抱拳说。

"哟,驻京办大使什么时候回来的,听说你们要挪地方了?"袁锡藩派头十足地说。

"托袁市长的福,驻京办就要进驻北京花园了,多亏了富忠帮忙啊!"丁能通自己给自己倒了杯酒,又分别给诸位满上,然后举杯说,"袁市长,我先敬一杯!"说完一饮而尽。

袁锡藩端起酒杯呷了一口,问:"能通,跟谁在一起吃饭呢?"

"金桥区张区长,刑警支队石支队,还有我大姨子。"

丁能通话一出口,袁锡藩哈哈大笑说:"丁能通,人家吃饭不是带老婆就是带小姨子,你怎么带大姨子呀?"

陈富忠听到石支队表情僵了一下说:"能通,一会儿陪我过去敬杯酒。"

"富忠,敬什么酒呀,红袖,去,都把他们请过来。"

袁锡藩发话了,苏红袖婷婷袅袅地走了。不一会儿,张铁男端着酒杯过来了,石存山和衣梅都没跟过来。

"袁市长,石支队和衣梅死活不过来。"苏红袖无奈地说。

"袁市长,富忠,别为难他们了,石支队喝多了,衣梅怕见人,我代劳了。"

张铁男说完,端着酒杯挨个敬。丁能通心想,石存山一定是因为陈富忠在,不愿意赏他脸才拒绝过来的,这脾气可太像段玉芬了,不喜欢就是不喜欢,一点台阶也不会给你的。

陈富忠听了有些下不来台,丁能通赶紧打圆场说:"富忠,请袁市长吃饭一定是又有发财的好事了,可别忘了给老弟也创造点机会。"

"能通,今天请袁市长吃的是感情饭,没有一点功利色彩,别戴着眼镜看人啊!"陈富忠就坡下驴地说,"不信,你问红袖。"

丁能通心想,少他妈瞎扯,吃感情饭带着苏红袖干什么?谁不知道西门大官人好色,有苏红袖在,什么事西门大官人不得答应。

"能通,这你就冤枉富忠了,今儿吃这饭吃得值,富忠可帮我一个大忙。"袁锡藩一本正经地说,"你们都知道我老伴瘫在床上十几年了,我又没儿没女,只能请保姆伺候,可是我老伴那个人难伺候着呢,换了不知多少个保姆了,一直没有满意的。这回富忠帮我找了一个保姆,农民家的孩子,还学过医,正对我心思,要不我这一天忙到晚,老伴连端茶倒水的人都没有。"

袁锡藩说得楚楚可怜,包房的气氛一下子沉闷了起来。丁能通心想,陈富忠给袁锡藩家找保姆,这不是黄鼠狼给鸡拜年吗,袁锡藩会看不出来?

苏红袖看冷了场,连忙端起酒杯说:"袁市长,来,我为你找到一个称心如意的保姆干一杯!"

气氛马上又热烈起来。

张铁男也扯着大嗓门说:"好,来,干一杯,干一杯!"

酒杯叮叮当当地碰到了一起,大家都仰着脖子一饮而尽。

石存山是在席散之后,众人在门口寒暄时碰上陈富忠的,陈富忠就像耗子见了猫似的,满脸堆笑地说:"石支队,想过去敬杯酒,可是席散了,改天我请客,石支队一定要赏光。"

"不敢当,我怕喝了你陈老板的酒被大卸八块,扔在黑水河里喂王八。"石存山黑着脸阴阳怪气地说。

"石支队真会开玩笑,好像我的酒是穿肠毒药。"陈富忠被噎了一下,反唇相讥道。

"石存山,"这时,袁锡藩走过来说,"怎么我请不动你呀?让你过来喝杯酒都不给面子,难道得我过去敬你不成?"

"袁市长,别挑理,我让丁能通、张铁男灌多了,改天我请客,算是给市长大人赔罪。"石存山说完,给衣梅开了车门,衣梅没见过这场面,赶紧钻进了车里。

"能通,你上不上来?"石存山喊道。

丁能通是想给衣梅创造点接触石存山的机会,便说:"拜托你送我姐一趟,我还有点事。"

　　石存山一点也不愿意恋战,钻进车里一溜烟就没影儿了。众人又寒暄了一通,丁能通上了苏红袖的车,车内馨香四溢,苏红袖妩媚动人,香车美人让有了七八分醉意的丁能通心旌荡漾,胡思乱想起来。苏红袖是东州赫赫有名的大美人,为什么会看上贾朝轩?要知道她连肖市长的儿子肖伟都不放在眼里,难道真的爱上了贾朝轩?还是爱上贾朝轩的权了?一般像苏红袖这样的交际花不太可能专爱某一个异性,除非对方有权或者有钱,肖伟的有权有势是老子给予的,老子一下台,儿子就狗屁不是了,而贾朝轩正是后劲十足如日中天的时候,用股票投资的行话讲,那是长线。丁能通不禁暗自佩服起这个女人,便情不自禁地多看了她几眼。

　　"通哥,怎么这么看我?动贼心了?小心你老婆吃醋。"苏红袖也有了七八分的醉意,言语中充满了骚气。

　　"红袖,你还不了解我,我根本不怕老婆吃醋,还是喝酱油,我是觉得朋友妻不可欺。"丁能通放着胆子说。

　　"你瞎说什么?我是你哪个朋友的妻?"苏红袖咯咯地笑着问。

　　"贾市长啊,贾市长和我是朋友,你是他的妻,你说我怎么能碰?心里再喜欢也不能碰。"丁能通酒劲上来,舌头有点硬。

　　"你要与贾朝轩真是朋友,你劝他离婚,他要真敢离,我就专心给他做老婆,他要是不敢离,我愿意跟谁就跟谁。"

　　丁能通心想,少他妈跟我吹!我吓唬吓唬你再说,他一指前方说:"红袖,你看那不是贾市长的车吗?"

　　苏红袖猛一踩刹车问:"哪儿呢?!"

　　车咯吱一声停在了路边……

第四章 沧浪之水

50、算命先生

第二天中午,丁能通陪贾朝轩请刘凤云的老父亲吃了饭,贾朝轩还把自己在北京学习期间写的文章装订成册交给了老爷子,希望老爷子在女婿面前能够为他美言。

丁能通心里最清楚,这里的文章几乎都是顾怀远写的,老爷子很看重这本册子,答应一定给周永年看。贾朝轩在老爷子面前显得谦虚有礼,再加上丁能通溜缝儿,老爷子对贾朝轩印象不错。

送走老爷子后,贾朝轩很得意,称赞丁能通这个策划好,先让老泰山在周永年那边敲敲边鼓,然后再找机会去北京拜访就显得不唐突,这就叫水到渠成。

丁能通回到北京的第二天一大早,正在卫生间洗漱,白丽娜就兴高采烈地跑进来说:"东州成功地获得了花博会的举办权。"

不一会儿,黄梦然也来了,他一进门就喊:"头儿,肖市长从荷兰直飞北京,晚上的飞机,准备接机吧!"

丁能通一边刷牙一边问:"怎么没有直接回东州?"

"可能是要答谢一下国家商务部的领导,你想,这么大的事,没有国家的支持能行吗?"黄梦然揣度着说。

"梦然,你去首都机场安排一下,场面一定要隆重,欢迎肖市长凯旋。丽娜,你去北京花园安排一下,肖市长从来没有住过北京花园,让田伯涛好好表现一下,总统套不能亚于昆仑饭店。"

黄梦然和白丽娜匆匆地走了,丁能通才觉得肚子咕噜噜地叫了起来,赶紧穿戴整齐去食堂吃饭,他刚走进食堂,钱学礼嘴里叼着烟迎面走了进来。

这几天钱学礼心里哭笑不得,他给李为民送的两万块钱被李为民逼着自己捐给了天沟小学,天沟小学竟给他寄来了感谢信。

"哟,丁主任,还没吃呢?"

"没有。"

"丁主任,我给东州那块地请了个风水大师,我琢磨着开工前让大师测测风水。没想到这位大师不仅风水测得好,算命也特别准,让我安排在北京花园住下了,机会难得,你不让他算一算?人家可是净给省部级领导算,都说东州申办花博会没戏,我事先问过他,人家一算,说没问题,这不申办成功了。"钱学礼说完,哈哈大笑着走了。

丁能通心想,有这么神的算命先生何不晚上给肖市长算算。

服务员把饭菜端上来时,丁能通突然想起薪泽金求自己让他弟弟见见肖市长,谈合作地铁的事,今晚肖市长到北京,正好是个机会,于是他拨通了薪泽金的手机,让他弟弟在北京花园随时待命,薪泽金满心欢喜地挂了电话。

丁能通还是不放心北京花园安排的是否舒适,饭菜安排是否合肖市长的口味,又惦记钱学礼提到的风水大师,吃完饭他开着奔驰直奔北京花园。刚进大堂,迎面碰上北京花园总经理田伯涛。

"田总,总统套安排得怎么样了?"丁能通不放心地问。

"丁主任,有白小姐亲自安排你还不放心?"

丁能通心想,也是,人家都睡到一个床上了,跟两口子似的,安排得一定比我还仔细。

"白丽娜现在在哪儿?"

"别提了,丁主任,你们钱副主任请了一位风水大师,住在2211房间,算命准得不得了了,白小姐好奇,去2211找大师算命去了。"

"田总,那个大师真的算得准?"

"准，简直就是个活神仙，不信，你去看看。"

丁能通走到 2211 门前时，白丽娜一脸的喜悦，走了出来。

"哟，头儿，你也来算命？算算吧，准得不得了。"说着白丽娜推开房门说，"孙先生，我们主任来了，您给他好好算算。"

一个老者的声音应承着迎了出来。

丁能通心想，这娘儿们简直是白痴，连身份都暴露了，还算什么？只见眼前老者六十多岁，胸前飘着花白的山羊胡子，三角眼中目光炯炯，黑脸精瘦，穿着一身白布衣裤，倒有几分道骨仙风。

"丁主任好，里面请！"

白丽娜走了，丁能通随着老者走进房间，两个人一左一右坐下，丁能通给老者递了一支烟。

"孙先生，我们驻京办在东州开发的那块地风水可好？"丁能通试探地问。

"对不起，丁主任，那块地老朽还没去看，后天随钱主任前往，一看便知。"孙先生不慌不忙地抽着烟说。

"钱主任说，孙先生可以料定前世今生，不妨就请老先生算算。"

"丁主任，请说一下八字吧。"

丁能通说了自己的八字，老者微闭双目沉思半晌说："丁主任，有没有听说过《诗经》中的周南——桃夭篇。"丁能通不知道老者卖的什么关子，摇了摇头。

"桃之夭夭，灼灼其华，之子于归，宜其室家。桃之夭夭，有蕡其实，之子于归，宜其室家。桃之夭夭，其叶蓁蓁，之子于归，宜其室人。"

孙先生摇头晃脑朗诵一遍后说："丁主任，这首诗描写的是女子出嫁时的情景，并对新娘的美貌和美德给予赞美。大意就是在桃花盛开的时候，有一个像桃化一样美丽的女子，能够生儿育女，能够使新郎的家族子孙像桃树一样的果实累累，枝叶茂盛，是一个对新郎家非常合适的人选。所以，古人在赞美、祝贺婚姻时常说，既合周公之礼，又符桃夭之诗，就是出典这里。"

"孙先生，我听明白了，你是说我要走桃花运了，是不是？"丁能通一边说一边暗骂，老混蛋说我命犯桃花，直说不就完了，转什么转呢？

"好，叫做桃花运；不好，叫做桃花劫。"孙先生捋着山羊胡子说。

"桃花运怎么讲？桃花劫怎么讲？"丁能通略显紧张地问。

"命理中的桃花运是根据生辰八字中的五行所处长生、沐浴、冠带、临官、帝旺、衰、病、死、墓、绝、胎、养的位置而言。如大运和流年行云到'沐浴'阶段的时候，就叫做行桃花运。在十二地支中，子午卯酉便是桃花，人生的八字也是由十大天干与十二地支组合而得来的。所以，每个人都会有碰到子午卯酉的时候。如果子午卯酉出现在人的生辰八字里，便叫桃花入命。人生的运行每十年便行一个干支与流年结合起来就叫运。丁主任在人生的运上刚好碰上了子午卯酉，让老朽难心的是，既有桃花运也有桃花劫呀！"

"这话怎么讲？"丁能通心想，难道我还要栽在女人手里？

"就是说，目前有两个女人正在与你纠缠，丁主任心中都放不下，不过，有一个在事业上可以助你一臂之力，还有一个在事业上可能给你带来劫难。"

孙先生说完，丁能通心里咯噔一下，心想，自己能够称得上情人的只有皇县驻京办主任罗小梅，怎么还出来第二个了？

"孙先生说的与事实不符，与我丁能通关系不错的女人不少，但都称不上情人，所以也就更谈不上什么运，什么劫了。"丁能通搪塞着说。

"丁主任，老朽行走江湖几十年，从未走过眼呢。不会错的，你的这两位情人一个属猪，一个属蛇，对不对？"孙先生口气坚定地说。

丁能通听后暗自惊骇，这老头儿神了，罗小梅确实属猪，但是属蛇的是谁？莫非他指的是金冉冉？老混蛋，那是我妹妹，怎么能乱点鸳鸯谱！

"孙先生真会开玩笑，这样吧，孙先生在北京花园的一切开销都算在我的账上，有什么尽管开口，我还有事，告辞了。"

丁能通说完，起身告辞。

孙先生对丁能通的态度很不满意，根本没起身，只是望着丁能通的背影似笑非笑地说："去年今日此门中，人面桃花相映红。人面不知何处去，桃花依旧笑春风。"

51、凯旋

肖鸿林乘坐的波音 747 客机是晚上十一点钟落地的，此时的首都机场灯火通明，因为飞机靠了廊桥，首都机场贵宾室经理于欣欣陪着丁能通、黄梦然、白丽娜等人直接上了廊桥，白丽娜手中还捧着一大束姹紫嫣红的鲜花。

肖鸿林风尘仆仆地走出机舱时，只有秘书郑卫国陪着，看来其他随同人员直接飞回东州了。白丽娜着实打扮了一番，看上去更加柔媚可人，相比之下，于欣欣一身制服就显得有点像丑小丫。

白丽娜袅袅婷婷地迎上去，把鲜花献给肖鸿林说："市长大人辛苦了！祝贺你凯旋！"

肖鸿林情绪异常的好，特别是第一眼见到的是白丽娜，更像是刚吃了伟哥一样，他一一与丁能通、黄梦然、于欣欣等人握手。

"肖市长，先去贵宾室休息吧！"于欣欣热情地说。

驻京办车队队长赶紧从郑卫国手中接过行李先走了，众人随于欣欣去了贵宾室。

在贵宾室，肖鸿林一边喝茶一边说："欣欣，怎么样？我说给你建个大花园就建个大花园，建好了你一定去看看！"

"想不到肖市长说话掷地有声，真是个大丈夫！"于欣欣竖起大拇指恭维道。

"能通，别忘了，花博会开幕那天一定接欣欣过去。"

171

"请市长放心，这几年首都机场的张副总还有他的秘书及欣欣小姐对我们驻京办没少关照，我们驻京办无以为报，花博会开幕式是一定要请他们去的。"

离开首都机场，几辆奔驰风驰电掣地驶上机场高速公路。肖鸿林和白丽娜上了丁能通的车，白丽娜见了肖鸿林显得特别小鸟依人，丁能通跟随肖鸿林多年彼此并不避讳，何况这对野鸳鸯还是丁能通无意中撮合的。

"能通，最近东州有什么新闻？"

肖鸿林多年养成的习惯，每次刚下飞机都要问问东州新闻，这种新闻绝不是写在报纸上的新闻，而是东州政坛的种种动向。

凡是在官场上混到一定级别的人都会有害人之心不可有，防人之心不可无的心理，官场上从来都是一招不慎，满盘皆输的。肖鸿林每次听到官场上的这种新闻都会十分警觉，十分认真。

"老板，"丁能通神秘兮兮地说，"有一个十分重要的信息，前天省委书记林白乘空军飞机连夜去了中南海勤政殿,第二天一早又飞回了东州。"

"能通,消息是从哪儿来的?"肖鸿林一下子从靠背上坐起来问。

"绝对可靠,消息是从省驻京办薪泽金那儿得来的,林书记下飞机后是坐省驻京办的车进的中南海,昨天早晨,薪泽金亲自送林书记上的飞机。"

"能通,这个消息可太重要了,看来中央要在咱们省有大动作,不然上面不会这么急召林书记,能有什么大动作呢?"

肖鸿林重新靠在车座背上,陷入深深的思索,表情十分凝重。小鸟依人的白丽娜见肖鸿林如此严肃也不敢轻易发嗲,甚至连身子也往车门方向挪了挪。

肖鸿林沉思了一会儿突然说:"能通,要保持与薪泽金的联系,他那儿省里头头脑脑的信息多,现在最先得到信息太重要了。"

"老板,薪泽金的弟弟薪泽银想见见您呢,他是加拿大布朗地铁公司中国地区总代理,见见这个薪泽银,薪泽金的心思就会用在我们身上。"

"好,见见,到北京花园后,你与这个薪泽银约个时间。"

"老板,薪泽银就在北京花园,您随时可以见他。"

"那好,一会儿到酒店我休息一会儿就约他过来,先见个面,东州的地铁必须提到议事日程了。"肖鸿林说完,疲惫地闭上了眼睛。

车队到达北京花园门前,田伯涛等人早已迎候在大堂,肖鸿林走进大堂时,迎面挂着两个大红条幅,上幅写着:热烈祝贺东州市申办世界花卉博览会圆满成功!下幅写着:热烈欢迎东州市肖鸿林市长下榻北京花园!

肖鸿林驻足看了一会儿说:"能通,咱们花博会就是要大力宣传,要让全世界注目东州市。"

这时,田伯涛笑容可掬地走过来说:"欢迎肖市长入住北京花园,肖市长辛苦了!"

"肖市长,这位是北京花园现任董事长兼总经理田伯涛。"

肖鸿林知道不久丁能通就将是这座五星级酒店的董事长,田伯涛只是副董事长,便摆出一副主子的派头说:"同志们辛苦了!"然后与田伯涛等人一一握手,俨然首长检阅。

肖鸿林在田伯涛的引领下,兴致勃勃地走进总统套,一进门,肖鸿林就被总统套的奢华给震住了,他住过国内许多城市的五星级酒店的总统套,北京花园的总统套仍然让他震惊。

从进门的那一刻起,视线由玄关无限延伸,是气派奢华的客厅,会客室与宴会厅连成一气,形成开放的高雅空间,坐在舒适细致的羽绒沙发上,望着茶几上柔和的灯光,所有旅途的疲劳都被融化掉了。

休闲区域选用胡桃木地板和纯手工缝制的地毯,品位高雅。落地窗外可以俯瞰精致花园,露天泳池。套房内的陈设极尽豪华典雅,来自奥地利的水晶吊灯,根据人体力学而设计的行政书桌及座椅,置于客厅及睡房的大型平面电视,偌大的浴室附设玻璃淋浴间,并带有小电视及可随意调整水流的按摩浴缸。

"田总,这么好的硬件,怎么会经营不好呢?"肖鸿林坐在沙发上问。

"肖市长,我们在软件管理上还缺乏经验,幸好东州驻京办和外商介入了,否则我们真经营不下去了。肖市长,您太累了,请好好休息,夜宵马上就到。"

田伯涛说完退出总统套,服务生放下了行李后,黄梦然付了小费也退了出去。总统套内只剩下肖鸿林、丁能通、白丽娜和郑卫国了。

在丁能通看来,最应该离开的就是白丽娜,然而,白丽娜却想,丁能通和郑卫国怎么还不离开?郑卫国心里最有数,此时肖鸿林已经不需要自己了,他把该做的事做完后,就回到自己的房间了,此时服务生送来了精美的夜宵。

"一个人吃没意思,你们俩陪我吃点。"肖鸿林走到餐厅旁说。

丁能通跟随肖鸿林多年,太了解他了,他是对自己有话要说,又不舍得打发白丽娜走。

"老板,让丽娜陪你吃吧,明天早餐后,我和薪泽银来见您,我还要向您汇报一下驻京办的工作。"

肖鸿林想了想说:"也好,明天上午你陪我去拜会一下国家开发行的张司长,谈一下花博会贷款的事,这种款不贷白不贷。"

刚才白丽娜还端庄得像个公务员,丁能通一走,马上扭捏作态,万种风情起来,像个乖猫一样将食物一口一口地喂给肖鸿林。

肖鸿林脸上漾着躁热的潮红,他这段时间精神太紧张、太压抑了,好在花博会申办成功了,他需要休息,需要放松。对于一个男人来说,最好的休息就是发泄。

因为"性"福是最灵魂的东西,将自己的"性"福寄托在女人的肉体上,实现灵与肉的结合,最能显示一个男人的力量,而这种力量可以增强一个成功男人的野心。

白丽娜最大的本事就是可以通过自己的诱惑调动肖鸿林发泄的欲望,肖鸿林每发泄一次,野心就会膨胀一次,白丽娜在床上的尖叫让肖鸿林体会的不仅仅是叫床的快感,更是战斗的号角,他甚至时常默诵曹操的诗:

　　老骥伏枥,
　　志在千里。
　　烈士暮年,
　　壮心不已。

肖鸿林躺在帝王床上,耕耘在白丽娜这堆白肉上时,志向何止是千里万里。

52、成熟男人

薪泽银长期住在北京,五星级酒店换着住,主要工作就是国内哪个城市要建地铁,马上攻关,为了揽下东州地铁工程,薪泽银很早就接受他哥哥的建议,住进了北京花园。

丁能通从总统套走出来后,径直去了薪泽银的房间,薪泽银为了等丁能通,连吃晚饭都没出房间。丁能通急着见薪泽银只有一个目的,请他帮忙给孩子办留学。丁能通让衣雪闹得没办法,她认准了加拿大的教育,非要为儿子创造最好的学习环境。

薪泽银长得与薪泽金就像是双胞胎,只不过面相年轻一些,气质也洋气些。薪泽银非常热情地为丁能通泡了茶,丁能通一边呷着茶,一边问:"薪先生去加拿大发展几年了?"

"我在加拿大博士毕业后就一直在那边发展,算来也有十年了。"薪泽银笑容可掬地说。

"薪先生,东州想建地铁,从肖市长上任的那天起就开始努力了,难啊！国家卡得紧，资金投入也太大，在东州修一公里大约要六七个亿。"

"丁主任，城市的发展目标要放远一些，城市建设已经进入地铁化时代，这是勿庸置疑的事实，'轨道经济'就像'地下钱龙'，把人流带到哪里，就把财富带到了哪里。地铁沿线正在成为城市的黄金经济线。地铁代表着人流，代表着高昂的租金，代表着物业的升值，代表着城市未来的发展方向。很多大城市的地铁都构筑起一个上下数层、四通八达的地铁商业网，我坚信，东州市建地铁只是一个时间问题。"

薪泽银侃侃而谈。其实，丁能通对这些根本不感兴趣，修地铁不是驻京办主任考虑的事，他感兴趣的是怎么满足老婆的心愿，尽快把孩子留学到加拿大并安排好他的生活。

"薪先生，想必你哥哥把我的想法跟你说过了吧？关于东州地铁之事一旦通过国务院审批，我将全力配合你们公司拿下这个工程，不过……"

薪泽银是个绝顶聪明的人，他没等丁能通说完，便截住丁能通的话说："丁主任放心，关于孩子留学之事，你只要把他的材料备齐，对我来说是小事一桩。"

"那好，咱们一言为定！明天上午九点半，到总统套见肖市长。"

丁能通从薪泽银房间出来时已经是下半夜了，他默默地开车回驻京办，当车驶过天安门广场时，他突然放慢了速度围着天安门广场绕了起来。

丁能通记得刚给肖鸿林当上秘书时，一起出差到北京，每次坐驻京办的车到天安门广场时，他都让司机绕一圈，起初丁能通不明白肖鸿林的用意，就问："肖市长，为什么要这么绕一圈？"

肖鸿林颇为感慨地说："北京城几乎是根据《周礼考工记》中'匠人营国，方九里，旁三门，国中九经九纬，经涂九轨，左祖右社，面朝后市'的规划思想建设起来的，当年马可·波罗到了北京，就跟乡巴佬进城一样，吓蒙了，欧洲人哪里见过这么伟大气魄的城市，你看看这千古帝王城，再看看广场上的芸芸众生，你就会理解什么叫庙堂，你就会理解范仲淹为什么说，'居庙堂之高则忧其民，处江湖之远则忧其君'。能通，我敢说，这广场上的芸芸众生中就有我们东州人，望一眼这帝王城，你就会理解什么叫千秋功过，到了我这个位置背负的是八百万生灵，在这广场上转一圈是为了提醒我自己责任重于泰山啊！"

　　然而,不知从什么时候起,每次到北京肖鸿林开始住五星级酒店,由标准间进而豪华套,如今已经住进了总统套,丁能通搞不懂是肖鸿林变了,还是环境变了。

　　奔驰车绕着天安门广场缓缓地行驶着,丁能通觉得自己也与刚给肖鸿林当秘书时不一样了,好像是与肖鸿林一起变化的,特别是自己到驻京办后,连读书也从《资治通鉴》,转向了《厚黑学》,这或许就应了《麦田里的守望者》中的一句话:一个不成熟男人的标志是他愿意为了事业英勇地牺牲,一个成熟男人的标志是他愿意为了事业卑贱地活着。

53、总统套

　　第二天一早八点钟,丁能通就去了肖鸿林的总统套,肖鸿林似乎早就准备好等着丁能通,白丽娜和郑卫国都不在,可能是吃早餐去了。

　　肖鸿林一边品着极品茶一边看着报纸,半天才问了一句:"能通,听说贾朝轩最近与王老接触甚密,你知道吗?"

　　丁能通看不到肖鸿林的脸,但他知道报纸后面的肖鸿林的表情是扭曲的。丁能通心里清楚,肖鸿林对这件事一定是了如指掌的,他不敢隐瞒,只好如实作答。

　　"老板,这件事我知道,本来想昨天晚上告诉您的,不过看您太累了就……"

　　"那你就说说是怎么回事。"肖鸿林仍然没正脸看丁能通,一边翻看《新京报》一边问。

　　"贾市长通过我找古玩商买了一套价值不菲的'永子'围棋,估计是送给王老的。"丁能通只细说了买围棋的事,并没有深说贾朝轩见王老的事。

　　肖鸿林突然把报纸往沙发上一扔,肃然说:"这个贾朝轩,想夺权不是一天两天了,想拿王老压我,真是零智商,你能送难道我就不能送? 这个老头子也实在是为老不尊,仗着自己在省里说话有几分分量就指手画脚,一套'永子'就被收买了。上午你陪我到国家开发行办完事,咱们就去拜访这位老爷子,给他来个以其人之道,还治其人之身,我就不信我手里的寿山石还顶不上一套'永子'!"肖鸿林说完慢慢地啜了一口茶,看了一眼丁能通。

"老板，我倒觉得这种事看得不要太重，王老在省里的分量再重，毕竟没有实权了，在全国政协只挂了个闲职，量他也翻不起大浪来。"

"能通，这你就不懂了，当年林白、赵长征、刘光大这些人都是他一手提拔起来的，这些人都是吃水不忘挖井人的人，不能不防啊！"肖鸿林若有所思地说。

"老板，中组部地方局咱倒是有接洽的人，您既然到北京了，不妨见一见，我觉得比见王老值！"丁能通试探地说。

"这个人大概叫周永年吧？"

"老板，什么事也瞒不过您的法眼，我本打算过一段向您汇报这件事呢。"

"能通，这层关系搭得好，这种事，也就你小子有这本事，改革开放嘛，驻京办守着那么多京城大员，就是要想尽一切办法为我所用，市场经济讲公平竞争，但也要出奇招，要不怎么能取胜啊！"肖鸿林正说着，有人按门铃。

"老板，是薪泽银，我约他九点半到，估计是他。"丁能通说完起身去开门。

薪泽银西装革履地走了进来，肖鸿林热情地迎上去握手。

"哎呀，薪先生，本来昨晚就想见你，可是太晚了，请坐，请坐！"

177

"肖市长公务繁忙，能拔冗见在下，不胜感激！"

"薪先生太客气了，当今世界已经进入地铁时代，然而，东州一个八百万人口的省会城市，地铁连影儿还没有呢，诚惶诚恐啊！薪先生既然代表加拿大最大的地铁公司来见我，对东州来说是机遇呀。我非常想听听薪先生的高见哪！"

"肖市长，常言道，耳听是虚，眼见为实，我们总裁诚挚地邀请您在方便的时候访问加拿大，去我们公司总部看看，我们总裁与加拿大总理是好朋友，届时，他将安排总理与您见面。"

丁能通听了心下佩服，因为肖鸿林就喜欢见这些大人物，人物越大他越兴奋，薪泽银的确很会对症下药，看来他是事先研究了肖鸿林，上来就使出了投其所好的杀手锏。

"多谢薪先生的邀请，我抽空一定去一趟，不过，东州地铁的可行性报告始终不过关，一直卡在国家发改委，既然贵公司有一流的技术，可不可以帮助我们搞一份能够过关的可行性报告？"肖鸿林老奸巨猾，不见兔子不撒鹰，先扔出一块石头试试对方的刀。

"没问题，我向总部汇报后，很快就会组织一个考察组到东州，考察后再定。"

"薪先生，咱们丑话说在前头，这个可行性报告做下来估计要花个二三百万美金，如果东州地铁工程将来真的由贵公司做，这个可行性报告就算是贵公司送的了。"

"肖市长可真够厉害的，您要是做生意一定是个高手。"

肖鸿林听了薪泽银的话哈哈大笑。

54、田黄石

上午，丁能通、郑卫国陪肖鸿林拜访了国家开发行的刘司长后，奔驰车径直驶往西单，丁能通开着车七绕八绕地钻进了一个胡同，又在胡同里绕了几圈，停在一处四合院前。

这是一处标准的四合院，大门吉向，在东南角，朱红门像是刚漆过不久。郑卫国叩了叩门，没有声音，丁能通按了门框上的门铃，过一会儿，门吱扭一声开了个门缝儿，从里面探出个头来，是个小保姆。

肖鸿林通报了姓名后，小保姆把众人让进了大门，进门左手是一进跨院，是小客厅的北向"倒座"，院中有一棵老石榴树。转过第二进院子的影壁，正面是五间大北房的正厅，看来是主人的居室和内客厅，两侧是东西厢房。西墙下长着几丛幽篁，透出主人几分闲适的性情。

小保姆喊了一声："爷爷，肖市长来了。"

王老一手拿着老花镜，一手拿着放大镜热情地迎了出来，这是一位身穿休闲裤褂的精瘦老人，看上去精神矍铄，精力健旺。

"鸿林啊，你一到北京我就知道了，我以为你那么忙，不会来看我老头子了，想不到我的秘书昨晚通知我，说你要来，这不，上午有个会我都推掉了。"

肖鸿林心想，我一到北京你就知道了，说明东州有人通风报信呀，除了贾朝轩还能有谁？

"承蒙王老关心，我再忙也应该看看您老！"肖鸿林寒暄道。

"王老,肖市长是昨夜从荷兰飞回北京的,下了飞机就让我与您的秘书联系,说是东州申办花博会成功,要专程向您汇报呢!"丁能通溜缝儿地说。

"好好好,快请进屋坐!"

众人随着王老走进客厅,小保姆上了茶。肖鸿林一边呷着茶,一边环视了一下客厅,以往他拜访过这位在省里的元老级人物,曾任过东州市委书记、清江省委书记的王老,是九十年代进京的,但是对省里的工作十分关心,说话也有分量,不过自从离开东州后,几乎就没有回去过,倒是逢年过节省市大小官员络绎不绝地前来拜访,无形中便抬高了老爷子的威望。客厅的博古架上摆了许多古玩,墙上的字画也不是凡品。

"王老,听说您退下来后靠收藏这些玩意儿修身养性,今儿,我也给您带来件小玩意儿,不知道能不能入您老的法眼。"

肖鸿林说完示意郑卫国把东西拿出来,郑卫国就从皮包里拿出了一个紫檀木小盒,肖鸿林接过小盒,放在窗前的大书桌上。大书桌也是文物级的,他亲手打开盒子,从里面拿出一块黄得温润通灵的小石佛放在大书桌上,王老看见这尊小佛,双目顿时冒出光来。

"王老,这尊用田黄石雕琢成的福寿如意,您可喜欢?"

丁能通心想,肖鸿林为了与贾朝轩斗法,真下功夫呀! 一山不容二虎,二虎相争未必只有一伤,很可能是两败俱伤! 丁能通觉得肖鸿林与贾朝轩一般见识,自己过去真是高看了这位服务多年的领导。

"还是鸿林心里有我老头子啊! 这可是女娲娘娘当年补天剩下的灵石啊!"王老兴奋地拿起放大镜爱不释手地赏玩着。

"也是乾隆皇帝做梦时,玉皇大帝赏赐的宝贝,这福寿如意放在家里,'驱邪避灾',延年益寿啊。"肖鸿林补充道。

"谢谢,谢谢! 这田黄石有上坂色淡,中坂色黄,下坂天质好之说,看这尊佛像温润灵透,色泽如金,大概是中坂田黄,难得难得啊!"

这时,一位老太太笑哈哈地走了进来,"听说小肖来了?"

"哎哟,老部长,您好啊!"这是王老的老伴,曾经在东州市当过市委组织部部长。

"老伴儿,叫保姆搞几个菜,今儿高兴,正好中午了,我和鸿林喝两杯。"

王老说完走出客厅,来到院子中的一棵大树下,让众人围坐在树阴下的石桌旁的石凳上,小保姆又重新沏了茶,王老兴致勃勃地与众人闲聊起来。

丁能通见王老的架势,不禁暗自感叹,看来贾朝轩那套"永子"围棋是白送了。正想着,王老说:"鸿林,饭菜还得等一会儿,不如你陪我老头子对上一局如何?"

"好啊!早闻王老围棋了得,正想领教呢!"

丁能通最清楚,肖鸿林围棋水平比贾朝轩强,但很少下,自己酷爱围棋,看来今天要一饱眼福了。

"老伴儿,把我那套'永子'拿上来,我要与鸿林较量较量。"

不一会儿,王老的老伴捧着"永子"过来了,当棋子摆上时,肖鸿林的脸上掠过一丝阴云。

肖鸿林回到东州与王元章沟通后,召开了专门研究花博会的常委会,会后,李为民请贾朝轩一起到市委大院小花园的草坪上走走。

贾朝轩看出来李为民有话,便跟着李为民来到市委小花园。远处的金融大厦直插云端,十几只鸽子在上空盘旋飞舞。

两个人信步走在石子路上,李为民环视四周说:"朝轩,东州的城市建设这几年真是日新月异呀!"

贾朝轩也感慨道:"是啊,每次出差回来都有新变化,有时候我都不敢认了!"

李为民诚恳地说:"朝轩,东州城市建设的步子迈得这么大,这其中有你的功劳啊!"

贾朝轩苦笑着说:"在其位谋其政,功劳苦劳无所谓,别弄出罪过来就是万幸,否则,对不起头上的乌纱帽呀!"

李为民看了一眼贾朝轩,颇有感慨地说:"是啊,比起普通百姓,咱们当领导的会更多地面对诱惑和考验,在领导岗位上,真正做到坚守操守、承受考验,比常人更难啊!"

贾朝轩笑道:"天下熙熙,皆为利来,天下攘攘,皆为利往……"

李为民站住说:"一个'利'字让多少人为之倾注一生,甚至丢掉性命啊!"

贾朝轩回过头来说:"为民,恰恰是利益的车轮在推动社会前进啊!"

李为民肃然道:"那也不能惟利是图啊!"

贾朝轩不耐烦地问:"为民,你是不是听到什么了?"

李为民正容道:"我是听到一些反映,说得有鼻子有眼的,但是我始终不敢相信你贾朝轩糊涂得连党纪国法都忘了。"

贾朝轩冷笑道:"为民,谢谢你的提醒,我相信组织上的眼睛是雪亮的,不应该让那些想整我的人得逞!"

李为民正色道:"朝轩,那么多的群众来信都是整你?"

贾朝轩冷哼道:"那是诬陷!"说完,他头也不回地向自己的轿车走去。

李为民注视着贾朝轩上了车,轿车疾驶而去……

55、告别

贾朝轩给陈富忠出主意,让他安排个美女到袁锡藩家当保姆。一开始,陈富忠觉得这件事不太好办,因为缺少搭桥的人,后来他左思右想,终于想到了苏红袖,因为苏红袖不仅仅是市电视台的大美人,而且是东州官场上的交际花。

苏红袖虽然跟贾朝轩走得很深,但跟其他副市级以上领导也保持着良好的关系,特别是西门大官人,对苏红袖更是垂涎欲滴。袁锡藩也曾经对苏红袖透露过,如果家里能有个像苏红袖这么漂亮的美人做保姆,那就太幸福了。

其实,袁锡藩家的保姆换了一个又一个,根本不是他那瘫痪多年的老伴难伺候,而是袁锡藩难伺候。老伴瘫痪多年根本不能行房,袁锡藩正当年,这方面瘾头还大,不仅在外面拈花惹草,在家里也常打小保姆的主意,不顺眼就打发走,即使顺从了,时间长了也受不了他的蹂躏,主动走了。就这样,袁锡藩家的保姆换得跟走马灯似的。

陈富忠答应给袁锡藩找个又漂亮又好的保姆,正中袁锡藩下怀,再加上苏红袖溜缝儿,此事一拍即合。

找谁给袁锡藩家当保姆呢?陈富忠确实费了一番心思,他把身边熟悉的女人想了一遍又一遍,最后终于把目标锁定在林娟娟身上。

林娟娟出身贫寒,又是学中医的大学生,父亲得了尿毒症,需要花很多钱,林娟娟又很孝顺,人不仅漂亮,而且朴实,最主要的是可以利用她父亲的病,为自己所用,经过一段时间的磨合,这个女孩基本上认定了陈富忠,如果让林娟娟去袁锡藩家当保姆,西门大官人一定满意。只是心里有些舍不得,太便宜了这个老王八犊子了。但转念一想,事业为重,天涯何处无芳草,经过几天的深思熟虑,陈富忠终于下定了决心。

早晨第一缕温暖的阳光透过白纱窗帘,射进落地玻璃窗时,舒适的双人大床上,陈富忠搂着林娟娟刚刚睡醒,他伸着懒腰慢慢从床上坐起,把枕头垫在背下,靠在床头上。

"娟娟,我昨晚嘱咐你的话你都记住了?"

"记住了。"林娟娟背对着陈富忠冷冷地说。

"袁锡藩一辈子没孩子,老伴已经瘫痪十多年了,外界都说他们是恩爱夫妻,我看未必,你去他家后,要尽快取得袁锡藩的信任,我要掌握他和肖鸿林的一举一动,特别是有关花博会工程的信息。娟娟,大哥我对你不薄,你可要对得起我呀!"陈富忠字斟句酌地叮嘱道。

林娟娟猛然坐起来问:"忠哥,你就不怕那老头子喜欢上我呀?"

"那就看你的造化了。"陈富忠阴冷地说,"记住,只要你提供有价值的信息,大哥不会亏待你的,别忘了,你老父亲还躺在医院里呢,是我让他活到现在的。"

"放心吧,忠哥,我会让你满意的。"林娟娟心灰意冷地说,语气里充满了悲凉和破罐子破摔的颓败。林娟娟无论如何也理解不了世间为什么会有像陈富忠这种无情无义的冷血动物。

"晚上见袁锡藩时穿得朴实点。"

"嗯。"

林娟娟仍然背对着陈富忠,陈富忠有些不高兴,他一把将林娟娟雪白圆润的肩头扳过来,林娟娟不得不平躺过来,陈富忠扑了上去……

56、林娟娟

晚饭安排在大唐鱼翅庄,酒店是陈富忠开的,属于北都集团旗下企业。这里的鱼翅鲍鱼是东州最好的,也是东州的达官显贵经常光顾的地方。

袁锡藩是坐苏红袖的红色宝马来的,陈富忠和海志强一直站在大堂等,见红色宝马停在了门前,赶紧上前开车门,袁锡藩下车的同时,钱学礼也从另一侧车门钻了出来。

　　"富忠,驻京办的钱副主任要请我吃饭,我说今晚富忠请客,一起来吧。钱副主任就一起来了,富忠,不用我介绍了吧。"

　　陈富忠很不高兴,脸上却一点也没露出来,而且热情地说:"听说钱主任拿到了东州最好的一块地,正在开发,驻京办不愧是东州的大使馆,就是不同凡响!"

　　"陈老板,比起北都来,驻京办不过是小打小闹,北都饭店竣工后,就是东州首屈一指的五星级酒店,这才是不同凡响呢!"钱学礼满脸堆笑地恭维道。

　　"好了,各位,我现在肚子饿得不同凡响了!"苏红袖停好了车,袅袅娜娜地走过来说。

　　"袁市长,钱主任,里面请!"陈富忠将手一让,众人嘻嘻哈哈地走进旋转门。

　　海志强推开包房门时,林娟娟衣着朴实地坐在沙发上,见有人来了,连忙站起来,袁锡藩一进包房就看见林娟娟了,显然林娟娟的姿色让他眼前豁然一亮。

183

　　"袁市长,这就是我上次跟你说起的小保姆,林娟娟。"陈富忠看见色眯眯的袁锡藩一直盯着林娟娟看,暗自得意地介绍说。

　　"袁市长好!"林娟娟腼腆地说。

　　"好好,富忠,娟娟是什么学校毕业的呀?"袁锡藩满意地问。

　　"是中医学院刚毕业的大学生,我听说夫人身体不好,懂医的照顾起来方便。"

　　"富忠,你可真够细心的,娟娟,你父母是做什么的?"袁锡藩关切地问。

　　"我父母都是皇县的农民。"林娟娟被问得有些发窘。

　　"好好好,农民好,农民朴实,富忠,就这么定了。"袁锡藩的手在空中一挥说。

　　"娟娟,袁市长是个很随和的人,你去了以后,就放心大胆地工作,有什么不懂的地方勤问着点。"陈富忠假惺惺地嘱咐道。

"娟娟,到我们家工作很辛苦,你阿姨身体不好,今后就麻烦你照顾了。"袁锡藩认真地说。

"没关系的,请领导多指教就是了。"林娟娟低着头说。

"娟娟,你在市长家工作不是一天、两天的,就不要太客气了,不要左一个领导右一个领导的,你说呢,袁市长?"苏红袖端详着林娟娟说。

"红袖说得对! 娟娟,就叫我袁叔叔吧。"

"好的,袁叔叔。"林娟娟嘴甜得跟抹了蜜似的,乐得袁锡藩嘴都合不上了。

"诸位入座吧,志强,让服务员走菜。"陈富忠将袁锡藩请到上座说。

海志强应承着出去了。

"富忠,你为我找了娟娟,我得谢谢你啊!"袁锡藩诚恳地说。

"谢我也行,就请袁市长多喝几杯!"陈富忠客气地说。

"学礼啊,今晚替我敬敬富忠!"

"袁市长,您就放心吧! 喝酒是驻京办的基本功,我一定要让陈老板见识见识什么是驻京办的陪酒水平。"

"得了吧,钱主任,有句顺口溜说得好,喝酒像喝汤,工作在工商;举杯一口干,必定是公安;八两都不醉,专门管收税;不喝只会劝,肯定是驻京办!"

陈富忠说完,众人听后哈哈大笑。

菜上齐后,小姐开始斟酒,林娟娟便主动接过酒杯示意小姐退下,她一杯杯给每个人斟满,袁锡藩笑眯眯地说:"我家娟娟亲自给诸位倒酒,诸位怕是要做酒仙了!"

"是啊,袁市长,娟娟这就算上岗了,这第一杯应该为袁市长找到称心如意的保姆干一杯!"

陈富忠说完,众人应和着干了第一杯,袁锡藩因为高兴,也一仰脖子干了。钱学礼心想,这称心如意的保姆听着怎么这么别扭,就像找到称心如意的媳妇似的,他偷偷看一眼袁锡藩的表情,觉得袁市长确实中意这个女孩儿,便明白了七八分。

钱学礼打趣儿地说:"袁市长家的保姆论职务性质相当于秘书,娟娟,恭喜你走马上任!"

林娟娟腼腆地端起酒杯脸色绯红地干了一杯,众人鼓掌称好!

"娟娟,想不到你这么文静,竟是海量,来,姐姐也祝贺一杯!"苏红袖也恭维地敬了一杯。

林娟娟心下窃喜,想不到,市长家的保姆这么不一般,要是能做市长家的……她不敢深想,只是做出朴实、稳重、文静的样子,不时还替袁锡藩喝一杯,陈富忠心里难免酸溜溜的。

"钱主任,"苏红袖端着酒杯媚声媚气地问,"房地产开发可是个肥差,你们驻京办的丁主任为什么不亲自挂帅呢?"

苏红袖看到钱学礼,她情不自禁地想到了丁能通。

"丁主任有比开发房地产更肥的美差。"钱学礼讪笑着说。

"你们驻京办可真是个好地方,还有比房地产开发更美的活儿?"苏红袖纳闷地问。

"当然,我们驻京办就要从大平房里搬出来,入住五星级的北京花园,丁主任既是东州市政府副秘书长,驻京办主任,又是五星级酒店的董事长,这差事不比我这包工头子美。"钱学礼说话的口气略带几分嫉妒。

"丁能通这小子脑瓜子就是好使,当初老肖想安排他到西塘区当区长,锻炼锻炼后再酌情提拔,这小子非要去驻京办,现在来看,谁也没有这小子自在,又当官,又当老板,在北京混得路路通。"袁锡藩口若悬河地说。

钱学礼的表情阴晴圆缺地变幻着,陈富忠听在耳朵里,看在眼中,"袁市长,听说花博会最初就是丁能通向肖市长建议的?"陈富忠看着钱学礼不太顺眼,顺着老袁的话头继续夸丁能通。

"可不是,也就这小子能想出这些花花点子,不过这小子不光花花点子多,花心也不少,学礼,听说他与皇县驻京办主任罗小梅关系不一般,有没有这回事呀?"

袁锡藩看出钱学礼的脸色不对劲儿,钱学礼毕竟是自己的心腹,也知道钱学礼与丁能通不对付,不能太伤他的自尊心,话锋一转,挑起丁能通的毛病来了。

"袁市长,这事儿在皇县都当笑话传开了。"钱学礼见袁锡藩的话锋转了回来,立刻来了精神。

"到底是怎么回事?钱主任,快给我们讲一讲嘛!"苏红袖迫不及待地问。

"有一次,丁能通带港商去皇县考察,晚上他和罗小梅去山里泡温泉,两个人在大青石上那个，被人看见了，检举信都送到市委王书记那儿了。"钱学礼眉飞色舞地说。

"钱主任是不是道听途说呀，这年头流言有根有据基本属实，越来越像新闻；新闻捕风捉影随意夸大，越来越像流言。要是检举信真的到了王书记手里，早就有动静了，丁能通会在北京安然无恙吗？谁不知道王书记那人眼睛里不揉沙子。"苏红袖抱不平地说。

"红袖，我就知道你不能相信，要信也不难，你是记者，又是著名电视主持人，去皇县采访采访就知道了。"

陈富忠听不下去了，毕竟丁能通是自己的朋友："钱主任，杀人不过头点地，丁能通为人不错，咱们没有必要这么害他，再说，对肖市长影响也不好，你说呢，袁市长？"

袁锡藩何等聪明，丁能通是肖鸿林的心腹，这么议论丁能通一旦传到肖鸿林的耳朵里，必然影响自己与肖鸿林的关系。

"富忠说得对，常言道，闲谈莫论人非，娟娟，替叔叔敬一圈。"

林娟娟只好拎着酒瓶子斟了一圈，然后给自己的酒杯倒满，一人敬了一杯。

"袁市长，这年头女人漂亮的不下厨房，下厨房的不温柔，温柔的没主见，有主见的没女人味，有女人味的乱花钱，不乱花钱的不时尚，时尚的不放心，放心的没法看！娟娟小姐倒是个既能上得厅堂，又能下得厨房的姑娘，做保姆可惜了。"钱学礼惋惜地说。

"钱主任，要不我给你们家也找一个？"陈富忠半真半假地问。

"谢谢陈老板的美意，我们家只能找四十岁以上的保姆，否则我那黄脸婆非吃了我不可。"钱学礼无奈地说。

众人听后哈哈大笑。

酒席散后，苏红袖开车送袁锡藩和林娟娟，钱学礼自己打车走了，海志强把奔驰开到酒店门前，陈富忠醉醺醺地上了车。

海志强一边开车一边说："大哥，后面那辆桑塔纳像是石存山的。"

"你怎么知道？"陈富忠回头望了一眼问。

"刑警支队就那么几辆破车，我摸的差不多了。"

"妈的，这个姓石的是铁了心要跟我过不去了。"

"大哥，要不咱们把他也做了算了！"

"别胡来,石存山可不是好对付的,再说,花博会工程马上就要招标了,把这个工程拿下,够咱们吃两辈子的。"

"是,大哥,我听你的,可是姓石的这么盯着我们,早晚得盯出点事来!"

"没别的办法,只能从上面往下压,要不就往他身上泼脏水,让市纪委查他,把他搞臭,最好调走。"

"大哥,这是咱的长项啊,你就瞧好吧!"

这时,宽大的后车座上响起了鼾声,海志强诡谲地一笑,透过后视镜看了看后面紧紧跟着的桑塔纳,加大油门,奔驰呼啸着消失在夜幕中。

57、求是

省委书记林白从中南海回到东州后,连夜召开了省委常委会议,传达中央领导的指示精神,省委大楼五楼灯火通明。

520是专属常委会议室,在整幢大楼十几个会议室中有着至高无上的地位。林白由于疲劳过度,眼圈微显发黑,会议开得很简单,不到四十分钟,但会议的内容让所有的常委非常震惊,特别是东州市委书记王元章。

原来自从李为民就任东州市委副书记后,他就一直致力于振兴老工业基地的调查研究,经过几年的调查和深思熟虑,他以东州为突破口,用解剖麻雀的方法,对如何振兴老工业基地写出了非常深刻的研究报告。为了得到专家的指点,他把报告寄给了在中央党校当教授的同学,这位同学如获至宝地推荐给了《求是》杂志发表了。

文章发表后,引起了中央的高度重视,林白这才得到中央办公厅的通知,让他连夜赶往中南海勤政殿,中央领导与他进行了一个小时的谈话,这次谈话让林白对自己任职省委书记以来方方面面的工作进行了反思,对比李为民的工作,反思的结果让他感到一些惭愧。

会后,王元章想找他谈谈,让他一口回绝了,却迫不及待地把赵长征同志请进了自己的办公室。在去北京之前,他给赵长征打了电话,赵长征昨夜一宿没睡着,他不知道中央领导突然找林白会有什么大事,难道是重要的人事变动吗?还是工作上有什么重要指示?今晚听了林白的讲话,赵长征内心很不平静,他在心里不断地检讨自己作为一个工业大省的省长,在振兴老工业基地过程中的责任,两个老搭档一边喝茶一边沉思。

"老林啊,为民这篇文章既给省里争了光,也让我们很难堪啊!"赵长征呷了一口茶说。

"这难堪来得好,让我们的头脑更加清醒了。最起码暴露了我们省委一班人的精神状态问题。这些年我们在振兴老工业基地的问题上,虽然喊得响,但做得不实啊!基本上是头痛医头,脚痛医脚,在现代企业制度改革、特别是产权制度改革上谨小慎微,没有为民同志想得深,想得远啊!"林白深有感触地说。

"老林,这个李为民在东州任职一直争议很大,现在看来还是欠成熟,背着我们就敢放炮,事先也不通个气,搞得我们很被动啊!"赵长征黑着脸说。

"长征,牢骚就不用发了,这个人中央领导点名要用,说像这种锐意改革,思想创新的年轻干部要尽早提拔上来,我估计,过不了多久,中组部考察组就会到东州。"林白走到窗前望着窗外幽静的街灯说。

"老林,这小子要接王元章还得历练历练,最起码脾气得改一改,不能想什么说什么,要讲原则,但更要讲策略,毛主席早就讲过,政策和策略是党的生命,要做政治家,就要讲点政治智慧。"

林白理解赵长征的怨气,他毕竟是一省之长,李为民这篇具有真知灼见的文章虽然引起了中央的重视,但也确实给赵长征点了眼药。

"长征,人的问题要看主流,东州的领导班子情况比较复杂,还需要一位像李为民这样有魄力敢创新的年轻干部带个头,大刀阔斧地干一番事业,你我都老了。"

赵长征听后苦笑着摇了摇头,掏出烟,递给林白,双方各自点上火,又都陷入沉思之中。

58、红玫瑰

丁能通送走了肖鸿林后,又接待了水敬洪一行,东州驻京办、香港黄河集团、北京花园三方进行了艰苦的谈判,终于在一个月后达成一致,三方在合同上签了字。北京花园管理方一个月后退出,由香港黄河集团酒店管理公司接手管理,由于东州驻京办是第一大股东,丁能通理所当然地成了董事长。

送走水敬洪以后,丁能通心里非常高兴,他心里一下子想起了两个钟爱的女人,一个是妻子衣雪,一个是情人罗小梅。他时常在心里比较这两个女人,衣雪就像自己的白玫瑰,罗小梅就像自己的红玫瑰。这两朵玫瑰正如张爱玲所描写的,一个是圣洁的妻,一个是热烈的情妇。丁能通其实讨厌"情妇"这个词,这个词代表了放荡堕落;他更喜欢"情人"这个词,这个词代表着浪漫美好,他觉得他的白玫瑰白得"床前明月光",红玫瑰红的像是心口上的一颗朱砂痣。

这几天让丁能通心烦的是金冉冉自从去了刘凤云家后,就像失踪了一样,死丫头连个电话也不打,就像与自己断交了一样,也不知道在刘凤云家干得怎么样,能不能给自己争脸,丁能通觉得这个与自己一样从小丧父的妹妹认得有点累心。

想着想着,丁能通的车已经不知不觉地开到了刘凤云家的楼下,丁能通下车往刘凤云家的窗户望了望,无奈地摇了摇头,点上一支烟默默地抽了一会儿,然后把烟扔在地上用脚用力踩了一下,又上了车。正在车里傻傻地坐着时,手机响了,一看竟是心中的红玫瑰,便一阵欣喜掠上心头。

"小梅,我正要找你呢,你就来电话了,真是心有灵犀一点通啊!"丁能通得意地说。

"听你的口气像有什么喜事,难道是北京花园的合同签了?"罗小梅敏感地问。其实,下午她就得到了消息,这个电话就是想探个究竟的。

"你可真是我的知音,知我者小梅也。"丁能通拿腔捏调地说。

"通哥,那得好好庆贺庆贺,你来接我吧!"

罗小梅的口气像是有十足的磁性,丁能通毫不犹豫地发动着车,"你等着我,我一会儿就到。"

罗小梅是那种男人们人见人爱却是谁也娶不得的女人,但是大部分男人虽然心里爱,私下里却自惭形秽。其实,罗小梅更像一朵红牡丹,高贵雍容,这样的女人即使热得放荡,也不是哪个男人敢轻易放肆的,这正是丁能通的福气。

罗小梅在皇县驻京办门前站了许久,灯光下像一幅优雅的油画,从短裙中伸出的一双玉腿,精致修长得像是刚从牛奶中泡过,两个凸起的乳房弹性十足,像是不服吊带裙的束缚,要从裙子里蹦出来但是逃离了一半就逃不得了,更显得妩媚动人。

丁能通把车停在罗小梅身边,打开右侧车门,想探出身子叫她,罗小梅已然上了车,丁能通的头正好埋在她的双乳里,一股温柔的馨香顿时让丁能通虚飘飘地没了力气。

"去哪儿呀?"罗小梅妩媚地一笑问。

"凯宾斯基怎么样?"

丁能通脱口而出,说完脸色微微地泛了红。

"去我家吧。"

"怎么,你在北京买了房子?"

"嗯,不过县驻京办没人知道,我是为我们俩买的。这样,我们在北京就有个家了。"

"小梅,看来你是不想再回皇县了。"

"通哥,你认为你还能回东州吗?"

丁能通没答话,从后车座拿过来一束玫瑰花送给罗小梅,颜色却是白色的,车内顿时暗香浮动。罗小梅把白玫瑰放在鼻子底下闻了闻,眉头轻轻挑动,表情柔美,媚态怡人,温柔微妙的眼神如浮在水上的白色睡莲,让丁能通怦然心动。

沉默的爱抚的夜躺在高楼大厦上,从霓虹灯的深处散发着柔和的静谧的温馨,奔驰上了长安街,天安门广场上灯光越发通明,透过车窗映在罗小梅的脸上,显出几分娇脆,几分柔媚,眉与眼美得几乎让人呼吸急促,不近情理。

车驶进了首都图书馆附近的富龙花园,这是由两栋高层建筑组成的白领公寓,这种房子一般都是精装修带家具的,专门为高级白领建的,一般不超过七十平米,价格也在万元一平米。

"小梅,小心点,这么好的家别又让谁盯上了,我去了一趟皇县都快成笑柄了。要不是我采取措施,这会儿怕是市纪委正在找我谈话呢!"

"通哥,你是一朝被蛇咬,十年怕井绳。一会儿我告诉你打蛇的办法,你就不用担心了!"

罗小梅说完挽起丁能通的胳膊,走进楼道。在电梯内,丁能通捧着罗小梅的脸,捧着她咻咻的鼻息,吻着扑簌簌的睫毛和温润的樱唇以及柔软的耳垂,吻得罗小梅暖暖的,痒痒的,躁躁的。

"一会儿进屋我让你亲个够,今晚就住这儿吧,别走了,这是钥匙,你什么时候来都可以,我说过这是我们的家。"

丁能通接过钥匙,两个人手牵着手,走出电梯,楼道灯照得楼道通亮,照得罗小梅手中的白玫瑰晶莹剔透,仿佛刚刚盛开一般。

房间布置得清新典雅,罗小梅把茶几上花瓶中打蔫的百合花扔掉,将丁能通送的白玫瑰插上,更显得房间温馨可人。

"通哥,先去洗个澡。"

"小梅,不洗了,我等不及了!"

"不行,一个晚上够你折腾的。"

丁能通无奈只好脱光了衣服钻进了卫生间,三下五除二就出来了。罗小梅看他猴急的样子莞尔一笑,把削好的苹果递给他。

"看电视吧,我也去洗一洗。"

罗小梅脱得只剩下胸罩和内裤走进卫生间,卫生间里的水哗哗地响了起来,丁能通虽然看着电视,心却在卫生间,他竖着耳朵仔细听罗小梅洗澡的声音,水哗哗地响个不停,丁能通欲火攻心,苹果什么时候吃完的,也不知道。

罗小梅出来时,丁能通嘴里叼着苹果核望着卫生间的门,只见罗小梅用一条白浴巾将自己的身子裹起来,一只手高高撑在门上,歪着头向他笑。

丁能通呆呆地凝望了一会儿,把苹果核重重地吐在茶几上,喘着粗气将罗小梅抱起,冲进卧室。

两个人在床上滚得一塌糊涂,仿佛世界上只剩下他们两个人一样,两个人心中潮水般的涌动,激情燃烧的欲望,活脱脱地融化在一起,仿佛等了一万年才如愿以偿地涅槃磐了,然后再重生,再次涅槃,几番生生死死。

房间内终于宁静了,丁能通靠在床头疲惫地吸着烟,罗小梅泥鳅一样钻到他的怀里,小鸟依人地望着他。

"通哥,想什么呢?"

"有个算命先生给我算了一卦。"

"算命的怎么说的?"

"说我既有桃花运又有桃花劫。"丁能通说。

"在哪儿找的算命先生？"

"钱学礼找的，为的是给东州那块地看风水。"

"通哥，钱学礼找的风水先生你也信？别忘了，上次咱俩在皇县的事就是他在害你，说不定算命先生怎么说事先都和钱学礼商量好的！"

丁能通听了这话一下子警觉了起来，"对呀，小梅，我怎么没想到这一层。怪不得钱学礼极力推荐那个算命先生非让我去算一算不可，原来压根儿没安好心，多亏我没上当。"

"你怎么没上当的？"

"算命先生故意引我说出我有两个情人，一个是桃花运，一个是桃花劫，还说一个属猪，一个属蛇，我死活没承认，原来这老小子是在套我的话呢！"

"通哥，钱学礼一直在做你的文章，对你是个巨大的威胁，常言道，无毒不丈夫，像这样的人，你不扳倒他，他早晚要毁了你。"

"梅，怎么扳倒他？我又不能像他那样干下三烂的事，天天跟踪他。"

"我从薪泽金小舅子那儿了解到一个重要情况，你就从这儿下手扳他。"

"什么重要情况？"

"他小舅子为了承包工程送给钱学礼七百万，如果情况属实，钱学礼就死定了。"

丁能通倒吸了口凉气，这正是他所盼望的，他也料定钱学礼会这么做的，但他真的这么做了，丁能通竟不敢相信了。

"小梅，这是真的吗？你是怎么得到这个信息的？"

"通哥，我你还不相信？薪泽金的小舅子被我灌醉后，吐露的真言。他大骂钱学礼不是个东西，心眼长在屁股上了，心黑透了。"罗小梅嗔怪道。

"小梅，你帮我密切注意这件事，我得好好琢磨琢磨。渴了，喝点什么吧？"

"法国红酒怎么样？"

"好啊，加点冰块和柠檬。"

罗小梅穿着雪白的罗纱睡衣到客厅酒柜里取了一瓶法国红酒，费了半天劲也没打开瓶塞，到卧室找丁能通帮忙，丁能通用足力气，"砰"的一声,瓶盖打开了,由于用力过猛,几滴红酒若桃花般喷在了罗小梅的睡衣上,正好喷在罗小梅的私处,丁能通不知所措地看着被染红的睡衣,罗小梅手里拿着两个酒杯嗔道:"通哥,不倒酒看什么?"

"我正在看那桃花盛开的地方!"丁能通开玩笑地说。

"这哪是桃花盛开的地方,这是生你养你的地方!"

罗小梅说完,丁能通笑弯了腰。望着笑得前仰后合的心上人,罗小梅心中充满了幸福感。罗小梅没结过婚,但先后与两三个男人同居过,不过,都属于不长久的露水夫妻。罗小梅不是没想过结婚成家,但是在官场上呆久了,一般的平庸男人早看不上眼了,特别是到北京后,更是满眼京华烟云,不知何处是归宿?幸好遇上了丁能通与自己两情相悦,一见钟情,又都在北京,是最好的厮守对象。

罗小梅不是没想过与丁能通组成一个名副其实的家庭,但是罗小梅是个聪明绝顶的女人,果然如此,两个人都要付出巨大的代价,甚至失去现在拥有的一切,丁能通是无论如何也不能这么做的。何况中国官场上的男人当官就要当一辈子,离开官场就一文不值了,不像国外官场上的男人,在官场上优秀,回家照样能干。

丁能通不是那种离开官场就平庸的人,这正是他在官场上与众不同的地方,也正是这一点,深深吸引了罗小梅,她只在乎是否拥有,而并不苛求占有,女人的一生再也没有比拥有一个优秀的男人更值得满足的了。193

丁能通与郑卫国通了电话,心情非常复杂,他觉得肖鸿林越来越糊涂了,怎么能让肖伟的公司介入花博会,这不等于自己挖坑自己跳嘛。最可恨的是肖伟,仗着老子是市长,狐假虎威,到处插手,一点也不给老子争气,净添乱,肖鸿林就这么一个宝贝儿子,也是过于纵容了。

王元章一行走出机舱时,仍然是白丽娜上前献的鲜花,丁能通想请王元章到贵宾室休息一下再走,于欣欣也热情地上前邀请,被王元章断然拒绝了。

"于经理,感谢你对东州驻京办工作的支持,长期以来,我们有不少干部给机场张总和你本人添了不少麻烦,贵宾室是首都机场为要客准备的,不是我们应该享受的,那太奢侈了!"

王元章对于欣欣说话,其实是给丁能通听的,丁能通听了心里也确实不自在,心想,你王元章不识抬举,到贵宾室坐坐不过是尊重你,有什么奢侈的。

丁能通心里这么想,脸上却不敢表现出来,仍然笑容可掬地说:"欣欣,谢谢你,还是按王书记的意思办!"

几辆奔驰车驶向首都机场高速公路时,肖鸿林来了电话,但是丁能通陪王元章坐在一辆车里,没敢接,他悄悄地关掉了手机,装做若无其事的样子。

"王书记,没想到,花博会的新闻发布会您会亲自来。"

"目前花博会是东州工作的重中之重,世界给了咱们东州一个机会,咱们东州就要还给世界一个奇迹呀!"

"王书记,咱们东州驻京办已经入住北京花园,得知您来,香港黄河集团总经理水敬洪先生也于昨天晚上从香港赶了过来,一个是想请您为明天的仪式剪彩,另一个还想请您为北京花园题匾。"

"剪彩可以,毕竟驻京办在资本运作方面作出了新的尝试,值得鼓励;不过,题匾就免了,我虽然好写几笔,但是,给自己定了条规矩,决不给任何单位和个人写匾额,咱们有些领导干部字写得不怎么样,却到处留墨,影响不好!"

"王书记,谁不知道您是官场上的王羲之,您不做市委书记,靠卖字也能成为富翁。"

王元章听了丁能通恭维的话笑了笑说:"能通,你小子说话太夸张了,我哪儿有那么大本事。"

其实,王元章的书法确实自成一家,只不过身为东州市委书记,限制了他在书法事业上的发展,不过他的书法水准已经不是一般书法家所能匹敌的。

车队到达北京花园后,丁能通让黄梦然和白丽娜等人陪同王元章一行去房间休息,自己找到一处僻静地儿给肖鸿林打电话:"老板,花博园工程太敏感,千万别让肖伟插手。"

"我明白了,能通。看来你是用心良苦啊,不过贾朝轩极力推举陈富忠的北都集团,你怎么看?"

"老板,北都集团也不可取,贾朝轩与陈富忠走得太近,花博园是世界级的,一定要让它干净,绝不能出现丑闻,我建议招标范围不要局限在东州,甚至干脆东州的公司一个都不用,申办下来不容易,一定要保证建成后是世界级的,老板,这样才能达到预期的目的。"

"能通,你的建议我会认真考虑,新闻发布会很重要,你要密切配合王元章把动静弄得越大越好!"

丁能通挂断电话,长长地舒了口气,一回头发现白丽娜站在身后,他吓了一跳。

"姑奶奶,吓死人了!"

"头儿,"白丽娜笑着说,"王书记找你,研究晚上宴请水总,还有新闻发布会和剪彩的事。"

"让王书记休息一会儿再说嘛!"

"王书记那人你还不知道,哪儿是个休息的人哪!"

丁能通随白丽娜来到王元章的房间,房门微开着,丁能通说:"丽娜,你去盯一下晚宴的事,别忘了通知田伯涛作陪。"白丽娜点点头走了,丁能通敲了敲门进去了。

"能通,我正要找你呢,坐,坐。"

丁能通坐在客厅的沙发上,王元章扔给丁能通一支人民大会堂香烟,丁能通连忙给王元章点上火。

"王书记,您还抽这个假中华呢,要不要我给您弄两条软包中华?"

"你小子把心眼少往这上使,多想想正事,我找你是想了解了解贾朝轩在北京学习期间的情况,你是驻京办主任,为他服务一年应该了解不少情况。"

丁能通听了王元章的话心里咯噔一下,很显然王元章已经听到了些什么,王元章想干什么?丁能通内心非常警觉,因为贾朝轩一旦出事,东州官场必然要引起一场大地震。

"驻京办的宗旨之一就是为市领导服好务,贾市长在北京学习期间,闲暇时间经常到驻京办找我下围棋,他虽然是个棋迷,却是个臭棋篓子。"丁能通狡黠地说。

"恐怕不这么简单吧?"王元章嘿嘿地笑着说,"我听说他大礼拜不在北京,也不在东州,你知道他去哪儿了吗?"

这是在向自己了解贾朝轩的情况,难道市委要调查贾朝轩?贾朝轩不是一个坐以待毙的人,仅凭王元章和市委的力量能扳得动贾朝轩吗?

第四章

驻 京 办 主 任

很显然,王元章已经对贾朝轩在京学习期间利用大礼拜去境外赌博一事有所了解,丁能通斟酌着想,贾朝轩去境外赌博之事自己跟着去过两次,但是都是因为工作,一次是去韩国首尔考察花博会,另一次是去香港寻求与港商合作开发北京花园,自己虽然去了赌场,也上了赌船,但都是身不由己,并未参与赌博。自己还不知道王元章葫芦里卖的什么药,不到万不得已,绝不能说。

"王书记,这我哪儿知道,市领导的事,咱哪敢多问。"丁能通支吾道。

"好了,我也只是随便问问,能通,你还年轻,要好自为之呀!"王元章意味深长地说。

丁能通听了王元章的话,觉得不是空穴来风,又想不明白是怎么回事,便觉得心里堵得慌。

王元章话锋一转,谈起了宴请水敬洪和明天剪彩的事,丁能通一一作答,两个人正说着话,有人按门铃,丁能通开门一看是白丽娜。

"王书记,丁主任,宴请水总的时间到了。"

王元章下意识地看了看手表说:"走吧,让水总等,那可不礼貌。"说完,他大步走出房间,丁能通和白丽娜对视一下,也跟着王元章上了电梯。

59、夜访

开了一天的会,晚上又陪肖鸿林宴请了日本外商,袁锡藩疲惫地走进家门时,已经快半夜了,他刚打开家门,肖伟就笑容可掬地跟了进来。

"袁叔叔,我估计您这个点能回来了。"

"肖伟呀,找叔叔有事?"

"没事,就是想看看您!"

"扯淡!看我有大半夜来的吗?进来吧!"

两个人走进客厅,林娟娟迎上来冲肖伟点点头,然后接过袁锡藩手里的皮包和外套。袁锡藩示意肖伟坐,肖伟礼貌地坐在沙发上,袁锡藩也坐下来扔给肖伟一支烟,自己也抽出一支,肖伟殷勤地给袁锡藩点上火。

"袁叔叔,"肖伟说着从包里拿出一包东西说,"这是我托朋友特意从美国给您带回来的伟哥,好用得很!"

袁锡藩接过药瓶仔细看了一会儿说:"小伟呀,你小子就是对袁叔叔的口味!"

这时,林娟娟端着洗好的水果送了上来,然后又分别给袁锡藩和肖伟倒了茶水。从进门开始,肖伟就色眯眯地盯着林娟娟。

"袁叔叔,您家的保姆可真漂亮啊!"林娟娟被肖伟说得不好意思地退出了客厅。

"娟娟是学医的,我是专门请她来照顾你婶婶的。"袁锡藩有点欲盖弥彰,又有点自鸣得意地说。

"袁叔叔,"肖伟话锋一转说,"我想请您帮个忙。"

"说吧,我就知道你小子无事不登三宝殿。"

"袁叔叔,关于花博会招标的事,您劝劝我爸,我的华宇集团实力是最强的,再说,肥水不流外人田啊!"

"你没探探你爸的口风?"

"我爸一见我就绷个脸,一说话就跟我讲马列,我哪儿敢看! 我爸听您的,您帮我劝劝呗!"

"看来你爸是听到什么了,有顾虑,他心里当然希望由华宇来做,但是贾朝轩极力主张由北都集团做,政府常务会上争执得很厉害呀,不过,有一个人说话,你爸或许能听,但是千万别让你妈知道。"

"袁叔叔,有谁还能比您说话更有分量?"

197

"驻京办有个叫白丽娜的漂亮女人,和你爸关系甚密,你去找找她,或许能有效果。"

"袁叔叔,这个白丽娜不会是我爸的小蜜吧?"

"小伟呀,男人嘛,有个红颜知己在所难免,你小子和苏红袖不也是不十不净的嘛。其实,让你小子花过的女孩不计其数了吧?"

"好,袁叔叔,为了拿到这个项目,我听您的,去北京找找这个狐狸精。"

"这就对了,大丈夫心胸要宽广一些,其实,你爸一天到晚不容易。"

这时,从卧室传出老妇人的咳嗽声,躲在客厅墙边偷听的林娟娟赶紧跑进卧室。

60、试探

北京花园的剪彩仪式和花博会的新闻发布会都很成功,送走水敬洪的第二天,正好是星期六,王元章让丁能通陪自己去逛一逛北京琉璃厂。这是王元章的一个习惯,由于他酷爱书法,所以,每次到北京他都要去琉璃厂文化街品品铜绿、嗅嗅墨香,或者去潘家园旧货市场在人堆里挤一挤,蹲在地摊前跟摊主讨价还价。丁能通并未多想,亲自开车陪王元章驶往琉璃厂文化街。

丁能通陪王元章从大栅栏一直走到琉璃厂,整条街一眼望去,蜿蜒曲折,古朴典雅,这里没有高耸入云的高楼大厦,更没有灯红酒绿的歌厅酒吧,虽然看上去恬静有余,繁华不足,但却是淘宝的好地方,也是文化人的消魂处。

王元章逛得仔细,一家店一家店地走,先是在宝文堂买了两本书,后又在庆云轩挑了几管毛笔,最后走进了荣宝斋。

这家三百多年的老店,依旧典雅幽深,王元章驻足,面对郭沫若先生题写的牌匾看了良久才进去,一进荣宝斋便扔出一句话:"能通,你对田黄石感兴趣吗?"

丁能通听了这句话有些喘不上气来,看来王元章这次逛琉璃厂绝不是为了嗅嗅墨香,难道自己陪肖鸿林给王老送田黄石的事,王书记也知道了?果真如此,王元章此次来京是借花博会新闻发布会之机,微服私访搞调查的,难道王元章对肖鸿林要下手?丁能通想到这儿,手心顿时沁出了汗。

"王书记,我不太懂,估计很值钱。"

"围棋你是行家,一套'永子'值多少钱?"

丁能通听罢脑袋嗡地一响,他断定王元章让自己陪他逛琉璃厂一定是想通过自己的反应,确认田黄石和"永子"围棋这两件事是否属实,看来有人向市委举报了肖鸿林和贾朝轩向王老送礼的事,说不定省委也知道了,王元章要通过自己引蛇出洞啊!想到这儿,丁能通脸都白了。

"我听说'永子'清末民初就失传了。"丁能通佯装镇静地说。

"要是明朝的呢?"

王元章问得若无其事,但丁能通听得心惊肉跳,这时,一位老者迎上来问:"二位需要点什么?"

"老先生,我听说荣宝斋有一块田黄王,可否一睹芳容啊?"

"对不起,田黄王是本店的镇店之宝,从不轻易示人的,二位若有其他需求老朽可代劳。"

"老先生要是有时间,在下想请教个问题。"

"二位里面请,老朽不胜荣幸!"

老先生很客气地把王元章和丁能通请到客厅并亲自沏了茶。

"看二位不像收藏把玩之人,有何见教尽管讲。"

"老先生,请问一块拳头大的田黄被雕成佛像会值多少钱?"丁能通听后脸都木了,心想,王元章一定是知道了什么,来摸底的。

"这当然要看田黄的质地了,田黄一向有上坂、中坂和下坂田黄之说,即使是下坂田黄也要数万啊!"

"老先生,那明朝的'永子'呢?"

"'永子'也就是云子,若是明朝传下来的,价值不亚于田黄呀!"

"多谢老先生的指教,打扰了,打扰了。"

王元章说完起身告辞,老先生热情地将两位送出门外。丁能通怏怏地跟着,心里却是翻江倒海的,他以为王元章会问自己点什么,王元章却像没事人似的,又逛了起来。

"能通,"王元章又走了几家店后说,"我累了,咱们回去吧,告诉黄梦然一声,买晚上的机票,我回东州。"

石存山最近一个案子接着一个案子,忙得焦头烂额。但是他始终没有放松对段玉芬、刘可心被害案的侦破工作。在办案工作中,他隐约感到东州有一股黑恶势力在兴风作浪,以至于身为副市长、市公安局局长的邓大海都感到由上而下的压力之大,千叮咛万嘱咐,让石存山秘密调查段玉芬、刘可心案,在没有拿到充分证据前,千万不要打草惊蛇。

最近石存山又接到一连串的报警,一个重要的情况让他警觉起来,他觉得蛇要出洞了,所以,一大早就来到邓大海的办公室汇报情况。

"邓副市长,"石存山兴奋地说,"蛇好像要出洞了!"

"发现什么新情况了?"邓大海目光炯炯地问。

"陈富忠在花博会项目招标上做了手脚,手段极其恶劣,他用威胁、恐吓等手段吓退了十几家竞标公司,目前只剩下一家与北都集团竞争了。"

"存山,不用说,一定是肖伟的华宇集团对吧?"邓大海揶揄地说。

"邓副市长,华宇集团董事长是肖市长的儿子,北都集团的后台是贾朝轩,这两家公司争起来有戏看了。另外,经过我们认真排查,给李书记写恐吓信的犯罪嫌疑人基本锁定了陈富忠的打手海志强。"

"存山,是时候了,我觉得我们应该把掌握的情况向市委副书记李为民同志汇报,他是主管纪检的副书记,而且主管城建,最主要的是我们俩也得找找后台了,有些人根本不把我这个副市长放在眼里,事关重大,市委常委中我最信任的就是李为民。"

"太好了,邓副市长,李书记嫉恶如仇,一定会全力支持我们的。"

"存山,这件事绝密,不能向任何人透露,包括局班子成员,你先回去写一份向李书记汇报的书面材料,要有理有据,写完后,先给我看一下,我认为行了,咱俩立刻就见李书记。今晚贾朝轩请我吃饭,我估计陈富忠也得去,我先跟他们周旋着,你的工作一时一刻也不能耽误,我听说中组部下来一个考察组,是专门考察李书记的,这个时候不能出一点差错。"

"邓副市长,是不是李副书记要接王书记?"

"去,不该问的别问,记住,凡事多动脑子,要学会借东风。"

"是,邓副市长,我不仅要学会借东风,什么草船借箭、空城计我都要学。"石存山开玩笑地说。

"混小子,还不去忙!"

石存山伸手把邓大海桌上的红塔山揣进兜里,转身就走。

"站住!"

"邓副市长,半盒烟都舍不得?"

邓大海苦笑着用手指了指石存山,走到书柜旁,从抽屉里拿出一条红塔山扔给石存山说,"回去给大家分了,别独吞了!"

"是,邓副市长!"石存山行了个军礼走了,邓大海望着石存山的背影,点上一支烟深吸一口情不自禁地笑了笑。

61、权衡

肖鸿林在得知中组部派周永年带队的考察组抵达东州的消息后,心情非常复杂,他一直在权衡考察组这次来对自己的前程的利与弊,其实,肖鸿林从骨子里对李为民非常反感,他认为,李为民政治上不成熟,是班子不团结的导火索,工作上不讲方法,一味蛮干,生活上特立独行,所有的市委常委和副市级领导都住进了市长常委大院,惟独李为民搞特殊化,非要住在居民小区里不肯搬出,公开给市委市政府上眼药。

这几年东州的市政建设取得了长足的发展,惟独李为民横挑鼻子竖挑眼,这次花博会选址公然在常委会上反对,还扬言要向省委反映情况,纯粹是个刺儿头!愣头青!这样的人要是提拔起来,当了一把手,还不知要闯多少祸呢!

可是眼下的局势,提拔李为民似乎势不可挡,如果李为民真的接替王元章任东州市委书记,东州市多年平衡的政治格局必然打破,王元章会不会被提拔到省长的位置上,还是去省人大任个副职。王元章被提拔到省长的位置上的前提是林白进京,赵长征接替林白,林白进京已经嚷嚷好几个月了,但一直没有迹象。

这次林白突然被招到中南海,肖鸿林以为林白可能是要进京了,却不承想是因为李为民写了一篇狗屁文章,靠一篇文章就获得升迁,那还要我们这些干实事的干部做什么?干脆都去写文章好了,搞政治和做学问本来就是两码事,怎么能混为一谈呢?

最可恨的是,对李为民的这次考察,如果不是丁能通最先得到消息事先通知了自己,自己到现在还要蒙在鼓里呢!王元章比自己大两岁,自己即使无力与王元章竞争省长之位,任东州市委书记还是绰绰有余的吧。干了这么多年的市长,没有功劳总有苦劳吧,论资力,论能力,论威望,李为民凭什么跟自己比?应该说,中组部这次考察太突然了,肖鸿林几乎茫然无措;而且也太重大了,重大到可以影响到市委市政府副市级以上大部分人的前程,甚至可以影响到省委省政府部分副省级领导干部的命运,政治格局一旦稳定下来,真可谓是牵一发而动全身啊!

肖鸿林很快想到了贾朝轩,贾朝轩和李为民是一对冤家,想当年争东州市副市长时,李为民败下阵来,却因祸得福升任东州市委副书记。这些年两个人都主管城建,在工作上都叫着劲,贾朝轩虽然去中央党校学习一年,但是势头上、口碑上明显不如李为民,很显然贾朝轩有些急了,狗急了,就要跳墙,就要咬人,没想到,这个不识抬举的贾朝轩居然盯上了自己的位置,而且背后打黑枪,手段相当卑鄙,要不是自己及时出手险些着了贾朝轩的道儿。

这次中组部考察组抵达东州,贾朝轩不会不知道,他一定会采取行动的,对,把贾朝轩推到前台,贾朝轩这个人野心很大,嫉妒心又很强,只要贾朝轩出面搅和,说不定中组部考察组会无功而返,李为民的升迁梦就会化为泡影。

想到这儿,肖鸿林的脸上掠过一丝得意的微笑,他抽出一支烟刚要点上火,袁锡藩迈着四方步走了进来。

"老袁,你来的正好,我正有事和你商量。"肖鸿林把烟盒扔给袁锡藩。

"老肖,花博园工程到底交给哪家公司了? 肖伟可是找过我了,让我向你求情呢!"袁锡藩深吸一口烟说。

"老袁,关于花博园工程我想好了,成立花博园建设指挥部,下设办公室、建设部、环保部、园艺部、攻关部、安全部等部门,东州的建设单位一个不用,全国招标,省得按下葫芦起来瓢,这样谁也别惦记,把花博园工程搞成东州市最干净的工程。"

"老肖,这样做你就把贾朝轩给彻底得罪了。"袁锡藩不怀好意地说。

"无所谓得罪不得罪,得罪了他也翻不了大浪,他与李为民争了这么多年,很快就没有资格争了。"

"老肖,你是不是有什么消息?"

"老袁,中组部下来考察了,考察组就住在草河口宾馆了,是冲李为民来的。"

"老肖,怎么事先没有一点消息。不太正常啊!"

"老袁,如今的事情不太正常反倒显得正常,正常的倒不太正常,你赶快把消息散出去,搞得越惊天动地越好,动静越大,有的人就越坐不住,一旦坐不住了,就会露了马脚,你说是不是这个理儿呀?"

袁锡藩老奸巨猾,他一下子就明白了肖鸿林的用意,不禁从心里往外佩服。

"老肖,李为民太咄咄逼人了,老百姓夸他好,他就快成青天大老爷了,但是政治是讲究权谋的,考察组也不能到老百姓中考察,还不得是机关干部说了算,机关里有些人恨不得他下地狱,贾朝轩就是一个,提拔李为民,贾朝轩能气得背过气去,我们只要操纵舆论,就可以掌控一切了。"

202

"老袁,现在你应该明白建花博园为什么不用本地公司的道理了,搞政治要识水性,看不出水深水浅早晚阴沟里翻船。"

"老肖,上面这么用人也确实让人伤心。你老肖辛辛苦苦为东州奋斗了一辈子,到头来爹不亲,娘不爱的,东州真要大权落到李为民手里,局面非失控不可,李为民是个极难驾驭的人,这样的人极难相处,再加上一个争权夺势的贾朝轩,东州非乱套不可。"

"局势还不像你想得那么糟糕,他贾朝轩不是急着当一把手吗,常言道,心急吃不了热豆腐,非常时期,我们只要坐山观虎斗就行了,这个时候任何轻举妄动都只能是自毁前程,这一点,你老袁要切记呀!"

62、威胁

深夜,布满乌云的天空亮了一下,过了好一会儿,才传来沉闷的轰响,这轰响如闷鼓一样在城市上空滚动,轰隆隆,终于敲碎了夜空。

窗外不时被闪电照亮,暴烈的雷声接二连三地吼叫着。林娟娟睡得正香,根本没有听见雷声轰鸣,这时,一个黑影闪进了她的房间,那黑影淫亵地爬到林娟娟的床上,像狗一样用鼻子闻着林娟娟身上的体香,然后轻轻脱掉林娟娟的内裤,重重地将身体压了上去……

203

外面大雨滂沱,房间里,林娟娟裹着毛巾被,披头散发地坐在床沿上嘤嘤地哭泣,袁锡藩叼着一支烟,深情地吸着。

"行了,别哭了,有什么好哭的? 又不是什么处女。"袁锡藩走到林娟娟身边,抚摸着林娟娟的头发说。

"想不到你这么有身份的人竟然不干人事!"林娟娟怒目而视地说。

"什么叫人事? 只要是人干的事都是人事。娟娟,你听我说,我从一见到你就喜欢上你了,你的气质、谈吐、美貌、性感的身体,让我无时无刻不想你。你知道,我守着一个瘫子十几年了,我内心世界很苦,是你到这个家后,燃起我重新寻找爱的勇气,你放心,我爱你,我一定要娶你。"袁锡藩一边说一边把林娟娟搂在怀里。

"你是有家室的人,怎么娶我?"林娟娟楚楚可怜地问。

"她是一个废人,再者说,她还能活几年,只要你真心实意地跟着我,我会给你幸福的。"

这时,另一个屋里传来一个女人重重的咳嗽声……林娟娟顺从地把头埋在袁锡藩的怀中,袁锡藩顺势再次把林娟娟压在身下……

　　肖伟为了说服父亲肖鸿林让华宇集团承揽花博园工程,听从了袁锡藩的建议,只身去北京找白丽娜,丁能通也亲自去机场接肖伟并把他安排住在昆仑饭店。

　　本来丁能通想把肖伟安排在北京花园,但是肖伟怕住在北京花园人多嘴杂走露了他到北京的消息,执意要住在昆仑饭店。

　　丁能通得知肖伟到北京是为了找白丽娜,差点误会,以为他是为他母亲关兰馨讨公道、兴师问罪的,吓得不敢告诉他白丽娜的手机,后来肖伟说明真实目的,他心里的一块石头才落了地。

　　白丽娜接到肖伟的电话心里也咯噔一下,电话里肖伟称她为白姐,说是请她到昆仑饭店吃饭,有事商量。白丽娜挂断了手机,心里七上八下的,很显然肖伟已经知道自己与肖鸿林的关系,莫非是来兴师问罪的?不去肯定不行,去会是什么结果?

　　白丽娜想给肖鸿林打个电话,转念一想还是先了解一下肖伟找她的目的再说,量你肖伟也不会把我一个女人如何!于是,白丽娜悄悄地去了昆仑饭店。

　　当白丽娜按响肖伟的房间门铃时,肖伟透过门镜偷偷窥视了一会儿白丽娜,肖伟不禁被白丽娜的风韵和美丽所震动,想不到老爸会泡上这么一个风情万种的女人,难怪袁锡藩建议自己来找这个女人,说老爸会听这个女人的,来的路上,肖伟还半信半疑的,现在他已经深信不疑了。

　　肖伟心想,这个女人跟老爸关系暧昧,就别请到房间里了,正好快中午了,还是直接到餐厅谈吧。

　　肖伟打开门很自然地问:“是白姐吧,我是肖伟,咱们到餐厅谈吧。”

　　肖伟与白丽娜握了握手,白丽娜也不知说什么好,只好跟着肖伟上了电梯。

　　在餐厅,两个人找了一个角落坐下,肖伟为白丽娜要了一份燕窝,自己要了一份干捞翅,两个人一边吃一边聊。

　　“我这次来,是有一件事要求你,至于你和我爸的关系,那是你们之间的事,我无权干涉!”白丽娜听了肖伟的开场白觉得并无恶意,提着的心也就放松下来。

"肖伟,我实在想不出我能帮你什么忙?"白丽娜窘迫地说。

"白姐,你知道花博园工程正在招标,竞争的公司很多,我的公司实力很强,一定能做好这个工程。但是我爸怕影响不好,一直不吐口,想请白姐替我求个情,我想我爸会听你的,事成后,我不会亏待白姐的。"肖伟一口气说完,从皮包里取出一个精美的长条盒子送给白丽娜。

"白姐,这是一条白金钻石项链,你戴上一定很漂亮,就算是见面礼吧。"

白丽娜被这条昂贵精美的白金项链深深打动了,更为肖伟的绅士风度所折服。

"肖伟,既然你这么信任我,这个忙我一定帮,只是不知管不管用!"

白丽娜情不自禁地闪过一个秋波,搞得肖伟心旌荡漾,肖伟心想,这个女人可真是个尤物,一双媚眼居然会放电,老爸喜欢上这个女人一定够他受的。

白丽娜则暗自欢喜,心想,肖鸿林的儿子一旦站在自己这边,或者睁一只眼闭一只眼,不反对自己与肖鸿林交往,即使肖鸿林不与关兰馨离婚,自己的幸福生活也铁定了。白丽娜拿起肖伟送的白金项链情不自禁地往脖子上戴。

"白姐,真好看!"肖伟的话一语双关,说得白丽娜心慌意乱,竟戴了半天也没戴上。

"肖伟,好像卡在头发上了,帮我看看!"白丽娜妩媚地说。

肖伟起身为白丽娜摘出卡在项链上的头发,然后亲自给白丽娜戴项链,借机吃白丽娜的豆腐,双手故意碰了一下白丽娜富有弹性的乳峰,肖伟感觉就像摸在刚刚蒸好的白面馒头上,手感好极了。白丽娜知道肖伟故意吃自己的豆腐,回头妩媚地看了一眼站在身后的肖伟,就在这一瞬间,肖伟和白丽娜仿佛情侣般温馨的镜头被人在暗处拍了下来。

送走白丽娜,肖伟松了口气,回到房间想洗个澡,睡一觉,刚脱了衣服,就有人按门铃,一个甜津津的声音问:"先生,需要服务吗?"

肖伟心想,莫非是三陪小姐送上门来了?光着腚走到门前往门镜里一看,果然站着一位亭亭玉立的小妹妹。肖伟心中高兴,二话没说,就把门打开了。

肖伟刚伸出一个头去,就被一双大手捏住了脸,两个高大的身影闪了进来,门当的一声关上了。

肖伟被捏住脸的大手一把推到沙发上,眼睛都被捏花了,他揉揉眼睛定睛一看,眼前站着的两个大汉他都认识,一个是胖乎乎中等身材的陈富忠,另一个是膀大腰圆像打手一样的海志强。

"陈富忠,你想干什么?"肖伟明显感到来者不善。

"肖伟,你斗胆包天连你爹的情人你都敢会,就不怕东州人骂你们爷儿们乱伦!"陈富忠掏出烟,海志强赶紧给点上火。

"陈富忠,你胡说八道,血口喷人!"肖伟负隅顽抗地驳斥道。

"血口喷人!志强,让他开开眼!"

陈富忠深吸一口烟慢慢地喷在肖伟脸上,海志强从口袋里掏出几张照片扔在茶几上,刚好是肖伟请白丽娜吃饭时的情景,特别是肖伟吃白丽娜豆腐时,白丽娜满脸骚气的媚态,让肖伟看了如坐针毡。

"陈富忠,你来找我不会是为了这几张无聊的照片吧?有什么事直说好了!"此时的肖伟已经从惊慌失措中缓过神儿来,他故作镇静地说。

陈富忠心想,这小子果然见过世面,不给他点厉害,怕是不能服软。

"肖伟,这几张照片要是放在你老爹面前,他会做何感想?"

"我老爸只会当画欣赏!"

海志强猛地扇了肖伟一个嘴巴说:"妈的,鸭子死了还嘴硬!"

肖伟被这突如其来的一巴掌打晕了,眼前全是金星,好半天才醒过神儿来。

"陈富忠、海志强,算你们有种,你们到底想干什么?"

"想干什么,想要你的命,你的命他妈的不值几个钱,一句话,花博园工程你他妈的还是撤标吧!"

"凭什么?"

"凭这个!"

海志强从兜里掏出一把亮锃锃的五四式手枪,在手里耍了个花样,然后把黑洞洞的枪口顶在了肖伟的脑门上。

陈富忠坐在沙发上,把手里的烟头按在烟灰缸里,拿起桌子上的水果刀说:"肖伟,我陈富忠是从死人堆里爬出来的,你这种屌人我见多了,我现在给你一个选择。"

陈富忠说着给海志强一个眼色,海志强收起手枪,把身边的皮箱放在茶几上。

陈富忠接着说:"这个皮箱内有一百万人民币,老弟,如果你退一步,这一百万就归你了,如果你不识抬举,"陈富忠用手猛然揪住肖伟的鸡巴,把水果刀逼在肖伟的根部,"你小子不是喜欢女人吗?从今天起,我就让你做太监。"

肖伟被陈富忠的举动惊呆了,他哪里见过这种阵势,吓得浑身发抖,头上渗出了汗。连忙说:"我退出,我退出!"

陈富忠松开手,用水果刀刮了刮肖伟的阴毛说:"老弟,这就对了,既然识时务,这一百万就归你了,就算大哥给小弟的一个补偿吧。"陈富忠手里的水果刀转了几个花样,猛然插在一个苹果上。

"志强,既然肖老板同意了,就算成交了,咱们走!"

陈富忠冷笑着看了一眼瑟瑟发抖的肖伟,然后带着海志强扬长而去,门咣地关上了,茶几上插在苹果上的水果刀还在微微颤抖……

63、林大可

林大可没想到在北京刚刚办完皇县驻京办与东州老驻京办的交接手续,就接到了市委组织部的紧急调令,让他到花博园指挥部报到,任花博园建设部部长。走之前,林大可约丁能通吃饭,晚饭就安排在北京花园的玫瑰厅,丁能通还约了薪泽金。

林大可是与罗小梅一起来的,罗小梅刻意打扮了一番,看上去好像刚做了头发,皮肤也像刚在美容院护理过,凝脂般富有弹性,只是与长的五大三粗的林大可走在一起极不协调,就好像一个是土匪头子,一个是被抢的压寨夫人。

老远就能听见林大可爽朗的笑声。

"能通老弟,别看在你的一亩三分地,今天说好了我请客!把你们北京花园最拿手的菜都上齐,这可是我最后一次以皇县县长的身份请客。"

"既然林县长要给市驻京办创效益,何乐而不为呢?"丁能通开玩笑地说。

"大可,省驻京办主任薪泽金熟不熟?"

"太熟了,我们县招待所就是薪主任的小舅子给建的。"

"老林,恭喜你荣升部长了!"薪泽金一边与林大可握手一边说。

"升的太快了,直接由正县级升为正部级了。"林大可自嘲地说。

"小梅,今天的菜由你负责。"

罗小梅翻看着菜谱开玩笑地说:"今天给你们补一补,来个杞鞭壮阳汤怎么样?"

"小梅,鞭是什么鞭呀?"薪泽金色眯眯地问。

"当然是牛鞭了,专治你们男人肾虚。"罗小梅甜津津地说。

酒过三巡后,林大可说:"能通,这回皇县驻京办在东州各县区也是一流的了,这是我到皇县工作后就梦寐以求的,说实话,我一直在考虑县驻京办的功能,经过这几年的实践,我终于整明白了,县驻京办有两项重要职能,一是政府在北京的办事处,二是老百姓的联络站,我们皇县早就把为老百姓进京看病和经商办事服务纳入考核范围了,驻京办不仅是皇县政府的,也是皇县老百姓的。不仅要为政府办大事,对老百姓的小事也有求必应,可惜呀,就要离开皇县了。能通,今儿请你吃饭,主要是感谢你对皇县做出的贡献。"

"老林,能通为皇县做什么贡献了?"薪泽金问。

"丁主任为皇县人民做了两大贡献:一是招商引资,使皇县丰富的钼矿得以与港商联合开发;二是把东州市的老驻京办给了我们皇县,使皇县驻京办的硬件上了一个新台阶。小梅,来,咱们一起敬丁主任一杯。"

丁能通今天高兴,酒量见长,林大可就要离开皇县了,情绪激动,两个人难免多喝几杯。

丁能通放下酒杯感慨地说:"实际上,市驻京办在强化应酬、公关和接待职能的同时,也在有意识地强化为民服务的职能,如信访、进京农民工的各种协调服务等,这也是创造和谐社会的客观需要。薪主任,你们省驻京办打法有变化吗?"

这段时间主要是接待省里各部门的领导,薪泽金毫不避讳地说:"今年风声比较紧,跑部委的工作有所缓解,但我们还是希望以另外的方式,与有关部委继续加深感情,不过今年来京跑'部'的企业相对减少了,探测政策动向的官员多了。"

"要是资源分配与项目审批的标准和程序完全公开透明,地方各级部门不需要额外支付成本,就可以平等地获取相关信息,驻京办何必到处装孙子求人?"丁能通抱怨地说。

"关键还是要减少行政审批项目,下放行政审批权,增加财政预算的透明度,加强财政预算的审议和公示。"林大可颇有感慨地说。

"行了,你们这些大男人整天忧国忧民的,连喝酒谈的都是国事,累不累呀,林县长,感谢这些年你对小妹的关照,来,我敬你一杯! 祝你步步高升!"

众人起身随声附和,一起敬林大可。敬完酒,丁能通突然感到内急,起身去洗手间。

64、警觉

从洗手间出来时,丁能通发现陈富忠和海志强从女厕所走了出来。

"富忠,你们俩男女不分呀?"

"哎,能通,正想找你呢! 我们俩走错门了。"陈富忠神色有些慌乱地说。

"富忠,什么时候到北京的? 怎么也不打个招呼?"

"现在打招呼也不迟,赏个面子一起吃个饭吧。我们哥俩可饿着肚子呢。"

"正好,我和皇县的林县长、省驻京办薪主任正吃着饭呢,一起来吧!"

"能通,听说林大可调到花博园指挥部任建设部部长了?"

"对呀,你老兄消息就是灵通。"

"我和林大可不熟,正好你老弟给引见引见吧。"

"没问题,走吧!"

三个人离开洗手间回到包房,丁能通做了介绍,林大可似乎对陈富忠和海志强并不感冒,表情不冷不热的。

"哎呀,林部长,久闻大名,今儿借花献佛,敬你一杯!"这时,陈富忠的手机响了,"对不起,我接个电话。"陈富忠一手拿着酒杯一手接听手机。

"啊,谁呀?"

"忠哥,是我,娟娟。"

"啊,是娟娟,有什么事吗?"

"忠哥,袁市长的老婆过世了!"

"什么?袁市长的老婆死了!啥时候的事呀?"

"刚咽气,发现不好,就拨了120,到医院就不行了。"

"好了,我知道了,出殡时我去,你好好干,有什么消息,勤打电话!"

"我知道,放心吧,忠哥。"

陈富忠挂断手机说:"袁市长家的保姆,是我介绍去的,特意告诉我,袁市长的老婆过世了!"

"袁市长的老婆可瘫痪十多年了,这一过世对袁市长是个解脱!"薪泽金感伤地说。

"袁市长没儿没女,老伴一死,孤身一人了,也够可怜的。"林大可同情地说。

"话题太伤感了,来,大家一起干一杯。"

丁能通建议,众人举杯共饮,放下酒杯,丁能通对陈富忠从女卫生间出来心中狐疑,心想,刚才陈富忠和海志强从女卫生间出来时,略显紧张,海志强的表情鬼鬼祟祟的,莫非这两个人干了什么见不得人的事?

丁能通脑海中浮现出段玉芬的面容,耳边不时响起石存山的嘱咐,让自己密切注意陈富忠的动态,丁能通察言观色,众人喝到半夜才散。

本来丁能通想去罗小梅的家,但是她送林大可不方便,罗小梅暗送丁能通一个秋波就走了。令丁能通更加不解的是陈富忠和海志强并没有住在北京花园,却出现在玫瑰厅的女洗手间。目送众人离去,丁能通呆呆立在酒店门口,陷入沉思。

许久丁能通才回到房间,他一下子想起住在昆仑饭店的肖伟,心想,莫非陈富忠是冲肖伟来的,他俩是花博园工程的主要竞争对手。

丁能通心里激灵一下,他赶紧给肖伟打手机,肖伟的手机关机,丁能通心想,问问白丽娜兴许就清楚了。于是他马上拨通了白丽娜的手机。手机接通了却半天没人接,丁能通觉得不对劲,就径直往白丽娜的房间走去。

按了半天门铃,屋里也没有反应:"丽娜,我是丁能通,没事吧?"

门开了,白丽娜满脸泪痕地站在丁能通面前,丁能通吓了一跳:"丽娜,你这是怎么了?"

白丽娜像是受了巨大的委屈,一头扑在了丁能通的怀里呜呜地哭了起来，丁能通把房门关上，轻轻地拍着白丽娜的肩膀问："丽娜，到底怎么了？出了什么事了？"

丁能通把白丽娜扶到沙发上坐下，一眼看见茶几上几张肖伟给白丽娜戴项链的照片。

"丽娜，这是怎么回事？"丁能通不解地问。

白丽娜捂着脸又哭了起来。

"丽娜，你跟我说实话，是不是陈富忠、海志强干的？"

白丽娜吃惊地望着丁能通哽咽着问："头儿，你怎么知道的？"

"晚上林大可请我们吃饭，我去洗手间发现陈富忠、海志强从女洗手间里走了出来，而且神色紧张。"白丽娜听了这话捂着脸又哭了起来。

"丽娜，别哭了，就凭咱们俩的关系，有什么话你不能对我说？"

白丽娜止住了哭泣，从茶几上的纸盒里抽出纸巾擦干眼泪。

"头儿，你可得给我做主，今晚陈富忠、海志强尾随我进了女洗手间，在里面用刀逼着我，问肖伟找我干啥，我说了以后，他就把这些照片给了我，还威胁说，如果我为肖伟说情，他就把这些照片给肖鸿林。头儿，陈富忠简直就是黑社会呀！"

丁能通听完白丽娜的话，一下子明白了陈富忠、海志强此次进京的目的，他们一定是尾随肖伟来的，既然白丽娜受到了恐吓，肖伟也在劫难逃，211怎么办？

丁能通紧张地思索一会儿说："丽娜，这件事事关重大，不要跟任何人提起，肖市长那儿也别打电话了，让我好好想想这件事怎么办？因为我估计肖伟也一定遭到了恐吓。"

"头儿，肖伟不会有危险吧？"白丽娜紧张地问。

"不会，陈富忠此行是为花博会竞标一事而来的，无非是让肖伟知难而退，不过，陈富忠太嚣张了，连市长的儿子都敢威胁，我看他是活到头了。"

"头儿，他们身上都带着家伙，你可得小心点！"

"不怕，我估计他们明儿一早就会回东州，没事，你好好休息吧。"

"头儿，你别走，我害怕！"

丁能通好不容易从白丽娜的房间挣扎出来，心想，险些破了兔子不吃窝边草的规矩。他回到自己的房间，决定把事情的前因后果告诉石存山，

第四章

驻京办主任

或许石存山能从这件事打开一个对付陈富忠的缺口。丁能通觉得自己沉默得太久了,一方面是对不起对自己有知遇之恩的老领导,另一方面是对不起深爱过自己的老同学,既然陈富忠想玩火,那么我就做这个点火人吧。想到这儿,他拨通了石存山的手机。

65、决心

晚饭后,吴梦玲陪李为民散步,两个人不知不觉走到了常委大院附近,常委大院后面就是海瑞公园,海瑞公园过去叫劳动公园,王元章任市委书记以后,建议将劳动公园改名为海瑞公园。

因为围绕海瑞公园不仅住着常委大院副市级以上领导,周边还有各委办局的住宅区,人大、政协的住宅区也在附近。无论到这里晨练的人,还是傍晚到这里散步的人,有许多人是干部。海瑞是明朝中后期中国历史上有名的清官,王元章建议这个公园叫海瑞公园是用心良苦的。

李为民和吴梦玲走进海瑞公园,迎面是海瑞的巨大雕像,雕像底座上刻有海瑞的著名奏章《天下第一事疏》。李为民和吴梦玲走到海瑞雕塑前,正驻足欣赏时,迎面走来了肖鸿林和关兰馨夫妇。

"哟,肖市长、兰馨嫂子,这么巧!"吴梦玲先看见他们,打招呼道。

"为民、梦玲,好休闲呐!"肖鸿林微笑道。

"鸿林,我和梦玲常到这里散步,难得见你和嫂子一次呀。"李为民朗声道。

"政府比不得市委呀,你们市委是管人的,我们政府是干事的,一忙起来就脚打后脑勺,哪里有时间散步呀。"肖鸿林说话的口气带着某种情绪。

"鸿林,放放权,你也不至于忙成这样。"

"为民,你的意思是我肖鸿林揽权了?"肖鸿林不满意地问。

"鸿林,法国政治学家孟德斯鸠说过:一切有权力的人都容易滥用权力,这是一条万古不易的定理。英国历史学家约·阿克顿有句名言:绝对的权力必然产生绝对的腐败。清平原野阔,风正一帆悬呐!"

"李为民,你这是话里有话呀!我肖鸿林不喜欢绕弯子,想说什么请直说,少跟我阴阳怪气的!"肖鸿林激动地说。

"鸿林同志,你敢不敢当着海瑞的面拍着胸脯说,你是清白的!"

李为民说罢,关兰馨听不下去了,她挑理道:"为民,这是怎么说话?你的意思是我们家鸿林腐败了。"

"兰馨,别忘了你是市长的妻子,不是普通人的老婆,应该做肖鸿林的贤内助,不能拽后腿呀!"

"梦玲,好好管管你们家为民,怎么属疯狗的,见谁咬谁呢?"关兰馨拉下脸说。

吴梦玲也很尴尬,她一边拽李为民走一边说:"嫂子,为民不会说话,但他是为你们好!"

肖鸿林哈哈大笑道:"李为民,不要动不动就以海瑞自居,我肖鸿林敢拍着胸脯告诉你,我对得起东州八百万人民,对得起自己的良心,我问心无愧!"

"问心无愧?中央三令五申不许领导干部的子女在自己主管辖区内做生意,你儿子肖伟,都快成东州首富了,还敢在海瑞面前说问心无愧!"李为民掷地有声地说。

吴梦玲怕不好收场连忙劝道:"为民,你和鸿林说话不会客气一点,老搭档了,怎么这样?"

李为民缓了一下口气说:"好吧,鸿林,我的脾气不好,说句心里话,我真不希望你出事。"说完,他拉着吴梦玲的手就走。

213

肖鸿林望着李为民两口子的身影,气得将手中的羽毛球拍折为两段。

石存山昨晚接到丁能通的电话后,就连夜向副市长兼市公安局局长邓大海做了汇报。早晨,李为民坐在办公室刚要浏览一下报纸,石存山和邓大海推门进来了。

"李书记,我们有重要情况向您汇报。"石存山进门就说。

"噢,看你们风风火火的样子,好像来头不小啊,快请坐!"李为民开玩笑地说完,起身亲自给石存山和邓大海沏茶。

李为民已经知道中组部考察组在东州正在找许多干部谈话,目的是考察他,但是尚未找他本人谈话,他也清楚,因为考察的只有他一个人,影响了一些人的利益。东州政坛不平静,估计这几日中组部有可能找到自己,省委组织部通知他不要外出,否则邓大海和石存山不事先预约,很难在办公室见到李为民。李为民自从上任以来,一年有三分之二的时间在基层。

"大海,我琢磨着你们应该找我了,这一段时间一定承受了不少压力吧?"李为民关切地问。

"为民同志,经过市刑警支队这一段时间紧锣密鼓的秘密工作,已然查清了以陈富忠为首的北都集团,实际上是带有黑社会性质的犯罪团伙,建行中山支行行长段玉芬和办公室主任刘可心,就是被陈富忠的手下海志强杀害的,杀人后,进行了极其残忍的毁尸灭尸。不仅如此,本市发生的十几起重伤害案件都与陈富忠有关,上次你的秘书小唐收到的恐吓信也是他们干的。目前,市里的重点工程花博园建设,所有投标的公司都不同程度地遭到恐吓,包括华宇集团的肖伟于昨天中午,在北京昆仑饭店也遭到陈富忠、海志强的威胁。"

邓大海还没说完,李为民插嘴问道:"肖伟遭到威胁的消息是怎么得到的?难道肖伟到市公安局报案了?"

"没有,消息是驻京办主任丁能通报给我的,据说,驻京办接待处副处长白丽娜也遭到了恐吓。"石存山补充说道。

"陈富忠为什么要恐吓白丽娜呢?他们之间好像不应该有利益上的冲突呀?"李为民不解地问。

"为民同志,肖伟此行是去见白丽娜,据说白丽娜与肖鸿林同志的关系……"邓大海说了一半,没往下说。

"这两年肖鸿林同志变了,我真为他担心啊!"李为民长叹道。

"为民,相比之下,贾朝轩就更令人担心了,以扶持民营企业发展的名义公开干涉办案,还多次请我和陈富忠吃饭,以市委常委的名义向我施压,妄想让我放陈富忠一马。据我们了解,贾朝轩陈富忠早就称兄道弟了。"邓大海惋惜地说。

"是啊,我们有些干部在市场经济大潮中越来越经受不住权力关、金钱关和美色关的诱惑,令人痛心啊!特别是近几年,黑恶势力靠非法敛财起家后,千方百计拉拢、腐蚀国家工作人员,为其犯罪行为提供保护,有的甚至插手操纵农村基层选举。黑恶势力企业化、公司化越来越明显。我们有些干部有案不查,有案不报,在查办案件中,措施不力,这些渎职行为也是黑恶势力的保护伞。最近,我和王书记接到不少举报肖鸿林和贾朝轩的检举信,问题很严重啊!我和王书记正准备向省委书记林白同志专门汇报一次,应该说,市公安局顶住了压力,工作很出色,但不要忘记除恶务尽啊!"

"为民同志,深挖和打掉黑恶势力背后的保护伞是打黑除恶的关键,保护伞不挖出来,黑恶势力就除不了啊!"邓大海深有感触地说。

"大海同志,与黑恶势力斗争,特别是在打击保护伞方面,要讲政治智慧,既然肖伟遭到陈富忠犯罪团伙的恐吓和威胁,就一定要找到肖伟、白丽娜取得证据。肖鸿林的儿子受到黑恶势力的威胁,对他这个一市之长是莫大的耻辱,这件事一定要通报给肖鸿林,取得他的支持,这样就抑制了贾朝轩的作用,先以迅雷不及掩耳之势,把陈富忠这伙黑恶势力一举除掉,然后再深挖保护伞。"

"李书记,你的意思我明白了,关于肖伟被恐吓之事,我们取证后会向肖市长专门汇报的。"石存山坚定地说。

"大海、存山,任务很艰巨,形势很复杂,你们要多加小心啊!"李为民语重心长地说。

邓大海和石存山向李为民汇报完工作后,在市委大院分了手,邓大海嘱咐石存山要尽快向肖伟和白丽娜取证。石存山心想,是先向肖伟取证呢,还是先向白丽娜取证?石存山想来想去,觉得先向白丽娜取证容易一些,白丽娜一开口,肖伟不开口也不行,最后再向肖鸿林汇报。

想到这儿,石存山心情好了许多,心想,玉芬,你的仇就要报了,我一定会把杀害你的凶手绳之以法的。

这时,手机响了,石存山一看是衣梅打来的,最近,石存山与衣梅接触越来越多,彼此很有感觉,又都是过来人,所以又多了一份冷静。

石存山接听了手机,衣梅约他中午一起吃饭,衣梅的街道办事处离市刑警支队不远,两个人中午经常在一起吃饭。衣梅一提醒,石存山还真觉得有些饿了,早晨就没吃饭,一看已经十一点多了,他接完手机一踩油门,桑塔纳消失在车水马龙之中。

66、宫外孕

昨夜,丁能通被白丽娜折腾得一宿没睡,黎明时分才睡觉,整整睡了一上午,中午吃完饭,难得有空,开车想到皇县驻京办找罗小梅。车开到航天桥时,手机响了,丁能通觉得特别扫兴,半天没接,可是手机不停地想,没办法,下了航天桥丁能通拿起手机,屏幕上显示的号码很陌生,他想了想还是接了,没想到打电话的竟是刘凤云。

"小丁吗?"

"你好!刘大姐,冉冉干得还好吧?"

"小丁,冉冉住院了,在北京医院妇产科,你赶紧过来一趟吧。"

刘凤云说完就挂断了电话,丁能通听得出来,刘凤云的口气冷冷的,像是很生气的样子,又是去北京医院妇产科,心就咯噔一下,莫非……

丁能通不敢往下想,越想越后怕,冉冉要是怀孕了,一定是那个叫刚的家伙干的,没在刘大姐家干几天就弄出这等丑事,让自己怎么面对刘凤云呢?但是既然刘凤云打来电话,不去肯定是不行的,看来躲是躲不过去了,心一横,车调头驶往东单大华路。

一路上,丁能通的脑子里都在胡思乱想,真要是冉冉怀孕了,见到刘凤云一定会挨一顿臭骂,要是误会这事是自己干的就更遭了,刘凤云是个眼里不揉沙子的人,万一不分青红皂白,往市委组织部捅一下,事儿就大了!

当然,刘凤云不至于干出这么不尽人情的事,可是自己在刘凤云心中正人君子的形象就荡然无存了。刘凤云一定在想,骑白马的不一定是王子,可能是唐僧,带翅膀的不一定是天使,有时候是鸟人。我现在在刘凤云心中就是这个鸟人形象。

丁能通突然想起但丁的话:"走自己的路,让别人说去吧。"又觉得不适合自己,更不适合这种事,便琢磨了这么一句:穿别人的鞋,走自己的路,让他们找去吧!觉得也别扭,便改成:走自己的路,让别人打车去吧!

丁能通胡思乱想着,不知不觉奔驰车已经进了北京医院。

在手术室门前,刘凤云正焦急地等待着,丁能通急匆匆地走了过来。

"刘大姐,冉冉怎么样了?"

"丁能通,你干的好事,冉冉宫外孕,大出血,正在手术。"刘凤云劈头盖脸地说。

"大姐,我,我……"丁能通支吾着想解释,心想,刘凤云果然认为是我干的。

"你,你什么?是不是想说,你是正人君子,你不是随随便便的人,我看你是个伪君子,随便起来不是人,堂堂的正局级干部,对一个刚刚毕业的女大学生干出这种丑事,我看你该开除党籍了。"

"大姐,你消消气,听我解释。"丁能通恳求地说。

"还有什么好解释的。"刘凤云不依不饶地说,"小丁,你是个大男人,又一个人在北京,难免管不住自己,可是你不能这么不负责任呀,冉冉万一有个三长两短的,你让大姐我怎么办?"

"是是是,大姐,冉冉有危险吗?"一提起冉冉,丁能通反而顾不上解释了,关切地问。

"真要有危险,就让你丁能通偿命!"刘凤云用手指戳着丁能通的脑门说。

"好了,大姐,求你了,这件事我会处理好的。"丁能通心想,索性为冉冉承担了这件事,要是再弄出一个叫刚的男人来,说不定这份工作就丢了。

刘凤云说:"我得和肖鸿林反映反映。"

"别别别,大姐,我不对,我错了。"

丁能通一面甜言蜜语地哄刘凤云,一面不服气地想,肖市长还不如我呢,我起码敢站出来替金冉冉背黑锅,这种事要是出在白丽娜身上,恐怕他都不能承认。

217

两个人正说着话,手术室门开了,金冉冉脸色煞白地躺在板车上,被护士缓缓地推了出来。丁能通赶紧上前接过护士手中的吊瓶,关切地问:"冉冉,怎么样了?"

"哥,你能来,我感觉好多了,我本来不想给你惹麻烦,想吃药打掉,可是没想到出了意外。"金冉冉说得很平静,但是丁能通心疼这个苦命的妹妹被人伤害成这样,还硬装没什么事,眼泪险些涌了出来。

金冉冉躺在病床上,丁能通问:"护士,病人要住多长时间院?"

"至少得一个星期。"护士说。

丁能通愧疚地对刘凤云说:"刘姐,你先回去吧,家里有两个孩子,这两天,冉冉由我照顾。"

"冉冉,你好好休息,明天我来看你!"刘凤云温声地说。

"大姐,让你见笑了,都是我不好,本来是想帮你的,却给你添了麻烦,大姐,你不会不要我了吧?"金冉冉泪眼蒙蒙地说。

"怎么会呢？谁都可能做错事，这一段，你干得很好，大姐很满意，等病好了，大姐就接你回家。"刘凤云说完，又向丁能通交代了几句，就走了。

这是个四人间的病房，其他三位病人也都是宫外孕，但是人家都是正常的夫妻，丁能通不禁窘然，默默地坐在金冉冉的床边，心里翻江倒海。

"哥，对不起。"金冉冉有气无力地说。

"冉冉，说实话，是不是那个叫刚的家伙？"

"哥，是我不好，我不该和他藕断丝连！"

"你呀，为什么不听我的话？出了这种事，让我怎么面对周大哥和刘大姐，刚才叫刘大姐骂了我一顿，她还以为是我干的呢！不行哥给你另找工作吧！"丁能通觉得发生了这种事，还是远离刘凤云这家人好一些。

"哥，让我干满两年吧，我答应过你，在刘凤云家还可以复习研究生课程，周大哥的同学是人大的教授，已经把我推荐给他，我觉得还是读书好。"

"既然这样，读书的费用我来给你出。"

"通哥，不用你，我工作两年学费就出来了，起初你让我做保姆，我心里好气呀，现在看来是对的，我到刘大姐家学了不少东西。"

"别说话了，好好休息，想吃什么？我给你买去。"

丁能通话音刚落，手机响了，丁能通一看脸都吓白了，金冉冉也看得清楚。丁能通稳了稳神说："冉冉，我出去接个电话。"

丁能通走出病房故作镇静地问："雪儿，有事吗？"

"能通，我出差到北京了，就在北京花园，你在哪儿呢？"

丁能通听后，脑袋嗡的一声就大了，心想，怎么这么巧？好像上帝安排好了一样，故意让我为难，本想护理冉冉几天，现在看来不行了，怎么办？他大脑急速地运转，一咬牙，心想，还是老婆重要。

"雪儿，我在外面办事，来之前怎么也不给我打个电话？我好去机场接你。"

"人家想给你一个惊喜嘛！"

"好好，你等着我，我马上就到。"

丁能通回到病房，一脸愧疚地说："冉冉，单位有急事，我必须马上赶回去，今晚不能陪你了，明天我再来，好吗？"

"你忙，去吧，我一个人能行！"丁能通请了陪护，安排好一切，离开了北京医院。

67、败露

丁能通一边开车，一边心想，得想办法让衣雪明天就走，早不来，晚不来，偏偏这个时候来，如果衣雪明天走不了怎么办？刘凤云明天肯定去医院，发现我不在非打电话给我不可，万一让衣雪知道我跳进黄河也洗不清了！

丁能通越想越心烦，一走神儿，险些追尾。

到了北京花园，白丽娜已经为衣雪安排好了房间，正陪着衣雪嫂子长，嫂子短地说着话，丁能通佯装兴奋地走了进来，白丽娜知趣地走了。

衣雪兴奋地扑到老公怀里喃喃地说："能通，想死我了！"

"雪儿，我也是。"丁能通敷衍地说。

"能通，我特意跟单位请了一个星期的假，在北京陪陪你！"

"雪儿，怕是来逼我办留学手续的吧，我不是告诉你了吗，我正在找人办，这事急不得。再说，花博园就要动工了，驻京办的接待任务太重了，还要为花博园拉赞助，简直忙得不可开交，我怕我陪不了你。"

丁能通心里暗自叫苦，编了一大堆理由骗老婆，恨不得马上把衣雪送上飞机，这时，手机响了，是顾怀远打来的。丁能通心想，总算有救命稻草了，他赶紧接听手机。

"丁哥，明天上午十点，贾市长到北京，去国际开发银行研究贷款的事，你安排好接站吧。"

"没问题，怀远，放心吧！"丁能通挂断电话接着说，"这不，明天贾市长来，想好好陪你哪儿有时间呀！"

衣雪无奈地望着丈夫说："能通，留学的事我当然着急了，孩子就要上初中了，我希望他到加拿大念去，你别拖着不办。"

"雪儿，我答应你的事什么时候不办过。"

"有你这句话我就放心了。这样吧，你忙你的，我不打扰你工作，反正晚上你得回房间睡觉吧？假我已经请了，你总不能让我明天就回去吧？"

"要不白天让白丽娜陪你逛逛商场，我一有空就回来陪你。"丁能通佯装歉疚地说。

丁能通陪衣雪吃了晚饭,想陪衣雪逛逛北京夜景,衣雪不愿意,两口子聚少离多,衣雪不愿意错过缠绵的机会,挽起丁能通的胳膊又回到房间。

外面昏黄的灯光中飘起了雨丝,房间内宁静安详,衣雪柔情似水地说,"我先洗个澡。"便脱光了衣服进了卫生间。

丁能通心中虚飘飘空落落的,他点上一支烟,盘算着怎么应付妻子。最近几天与罗小梅做得猛了些,有些被抽干了的感觉,他怕衣雪看出来,偷偷从皮包里拿出伟哥药瓶,从里面拿出一片菱形的蓝色药片吃了一粒,赶紧把药瓶放回包里。伟哥是薪泽银送给他的,他还从来没用过。

丁能通最懂得小别胜新婚的道理,但是不吃伟哥,自己能不能钉下来,心里没有底,他吃了这粒伟哥后心里塌实了不少。

丁能通一支烟刚刚抽完,衣雪就一丝不挂、香气扑鼻地走出来,只用一条毛巾裹着湿漉漉的头发。

衣雪擦干头发,照着镜子梳了梳,然后风情万种地走过来,眼睛中充满了脉脉温情,丁能通望着欲火难耐的老婆,脑海里不时闪过罗小梅的影子。他想起张爱玲的小说《色·戒》中的一句话:"只有一只茶壶几只茶杯,哪有一只茶壶一只茶杯的。"

220

夫妻俩水里火里折腾了一宿,丁能通累得倒头大睡,日上三竿也没醒。衣雪起得早,在卫生间洗漱打扮一番,拿起电话想把两个人的早餐叫到房间来。

客厅里,丁能通放在茶几上的手机响个不停,衣雪为了让丈夫多睡一会儿,赶紧走过去接听,按下接听键,还没等问谁,手机里传出一个女孩痛苦的声音:"哥,你什么时候过来呀?疼死我了!"

衣雪的心一下子揪了起来,她下意识地问:"你是谁?找丁能通干什么?"

手机里的女孩一听是一个女人的声音,一下子不说话了。她情不自禁地往回拨,女孩已经关机了。衣雪的火腾地一下子蹿到了脑门子上。她怒气冲冲地跑到卧室,一把揪住正在熟睡的丁能通的耳朵。

"丁能通,别睡了,我问你电话里的女孩是怎么回事?"

丁能通懵懵懂懂地捂着耳朵坐起来,睡眼惺忪地问:"什么女孩?一惊一乍的?"

"刚才手机里有个女孩找你,说疼死了,让你快过去。你说,你和这个女孩是怎么回事?"衣雪不依不饶地问。

丁能通心里咯噔一下,清醒了许多,心想,糟了,一定是金冉冉打自己的手机让衣雪发现了。

"雪儿,是不是打错电话了?"

"少放屁!丁能通,我说你昨天没完没了地劝我回东州,原来你已经有相好的了,你今天要是不说清楚,咱俩就离婚!这日子没法过了!"衣雪越说越激动,情不自禁地呜呜大哭起来。

这时有人按门铃,丁能通赶紧小声说:"姑奶奶,我求求你,别哭了,让同事知道多不好!"

"知道不好,你就别做!"衣雪反驳道。

丁能通手忙脚乱地打开房门,进来的竟是钱学礼,丁能通一下子警觉起来,心想,这家伙什么时候回的北京,是不是在门口听半天了,故意敲门进来看我的笑话。

"老钱啊,什么时候回来的?"

"昨天晚上,丁主任,我回来是想请你审一审小区开发的设计方案。"

"老钱,既然房地产开发全权由你负责,你就定吧,总之,以效益最大化为前提,哪种户型在东州卖得好,就以哪种为主。"

221

两个人说着话,衣雪已经收拾好东西,拎着皮箱,头也不回地往外走。

"雪儿,你去哪儿呀?"丁能通慌慌张张地问。

"这儿太脏,回家!"衣雪气哼哼地扬长而去。

"弟妹这是怎么了?"钱学礼故作关心地问。

"没什么,生我的气了,好了钱主任,就这样吧。"

钱学礼阴冷地苦笑了笑,知趣地走了。

丁能通简单地收拾收拾,关上门追了出去,刚冲出北京花园的旋转门,见衣雪已经上了一辆出租车,呼啸而去。丁能通望着消失在车水马龙中的出租车欲哭无泪。

这时,黄梦然走过来说:"头儿,该去机场接贾市长了。"

"贵宾室安排好了吗?"丁能通无精打采地问。

"找张副总的秘书安排的。"

"为什么不找于欣欣?"丁能通有些不解地问。

"头儿,于欣欣出事了。"黄梦然无奈地说。

"出什么事了?"丁能通惊异地问,他不相信那么阳光灿烂的女人会出什么事,出也是出好事。

"头儿,于欣欣跑了,公安局正在抓她呢!"

"公安局为什么要抓她?"丁能通像是从对衣雪的伤感中惊醒过来。

"听说是通过飞机送人蛇,送一个人能得四十万呢,好像是分赃不均被同伙告发了。"

"于欣欣会参与这种事?"

丁能通怎么也不敢相信那个为东州驻京办做过重大贡献、始终微笑的阳光女经理,会参与空中偷渡活动,成为被通缉的犯罪嫌疑人。

"于欣欣现在躲在哪儿?"

丁能通知道由于黄梦然负责驻京办接待工作,与于欣欣关系不一般,于欣欣找到黄梦然,他不会袖手旁观的。

"不知道,但愿她没事!"

"是啊!但愿她没事。"丁能通着实看了一眼黄梦然说,"咱们走吧!"

丁能通心里非常清楚,于欣欣一定是被黄梦然藏起来了,说不定就躲在东州什么地方。

到首都机场接站很顺利,贾朝轩终于住进了北京花园的总统套,他觉得自己就应该住在这里,因为丁能通能空手套白狼,入住北京花园,与他这个主管驻京办的常务副市长的支持是分不开的。

让丁能通想不到的是,贾朝轩此次进京除了带着秘书顾怀远以外,还带了情人苏红袖,当然,为了避人耳目,苏红袖坐的是普通舱。

中午,丁能通为贾朝轩接风,黄梦然、白丽娜作陪,苏红袖打扮得楚楚动人,让白丽娜非常反感,白丽娜早就知道苏红袖是贾朝轩的情人,但是在席面上还轮不到你苏红袖摆贵夫人、官太太的架子,要知道我白丽娜才是东州第一夫人,白丽娜觉得第一夫人不准确,心里纠正成了第一情人,她觉得第一情人又浪漫,又尊贵。

推杯换盏之后,丁能通的手机响了,来电显示是石存山的号,他觉得石存山找他一定与肖伟被陈富忠恐吓有关,便起身说:"你们慢喝,我接个电话!"

"存山,你找我?"

"能通,我在北京花园呢!"

丁能通心里一惊问:"真的假的?"

"骗你干啥,我就住在 2111 房间。"

"我正陪贾市长吃饭,一会儿上楼看你。"

"来的时候把白丽娜也带过来,我有话问她。"

"这么说你是为白丽娜而来的?"

"对,主要是为陈富忠恐吓一事取证。"

"我明白了,她也在陪贾市长吃饭,吃完饭,我和她一起去你房间。"

丁能通挂断电话,心想,既然石存山来北京找白丽娜取证,就一定会找肖伟取证,这说明东州市公安局对陈富忠这个黑老大要动手了。

午宴散后,白丽娜因为与苏红袖斗酒已经有几分醉意,下午贾朝轩和顾怀远去国家开发银行见刘司长,丁能通让黄梦然安排驻京办车队孟队长送贾朝轩,自己陪白丽娜去见石存山。

丁能通惦记医院里的金冉冉,无心听石存山和同事一起问白丽娜被恐吓的经过,他寒暄后告辞,答应晚上请石存山吃饭,便一个人开车去了北京医院。

68、嘱托

贾朝轩从国家开发银行出来,没有回北京花园,而是直接去了王老家,他万万没想到中组部会派考核小组去东州考察李为民,贾朝轩想做困兽斗,想阻止这件事,想来想去,对这件事能起一定作用的也只有王老了,便收集了大量关于李为民官僚腐败的黑材料,想通过王老递到中组部。

以周永午为首的中组部考核组对李为民的考察并不顺利,考察期间考核小组接到了大量检举李为民的上告信,信中对李为民的攻击要多恶毒就有多恶毒。周永年感到这些检举信有恶人先告状之嫌,在与王元章的谈话中,他把这些情况通报给了王元章,不论这次对李为民考察的结果如何,他都想请王元章委婉地提示李为民,在今后的工作中,要注意工作方法,收敛锋芒,不要因性格的原因影响自己的政治前程。

王元章非常理解周永年的用意,他是不想让一个非常正直正派有魄力有前程的年轻干部被朋党势力扼杀。王元章经过深思熟虑,觉得应该让李为民知道这次考察的基本情况。

周永年与李为民谈话后,李为民就坐不住了,关于农民减负问题,他一直想去皇县搞调研。考察结束了,李为民兴冲冲地找王元章辞行,因为这次下乡大概得一个多星期才能回来。

李为民一进王元章的办公室,就发现王书记表情严肃,忧心忡忡的样子,李为民觉得王元章像是有什么心事,便小心翼翼地问:"王书记,我要到皇县了解农民减负问题,大概要去十多天,你还有什么指示吗?"

"指示谈不上,只是想提醒你,到下面工作要讲工作方法,皇县的领导班子刚动,县委书记何振东刚从西塘区上任,代县长张铁男还有情绪问题,遇到问题,有了矛盾,你要想办法去解决,去消除,去化解,千万不要发脾气使性子,硬干蛮干! 这也是中组部考察组组长周永年同志让我转达的忠告啊!"

市委之所以将金桥区区长张铁男和西塘区区长何振东这一对冤家调到皇县任党政一把手,是肖鸿林在常委会上执意提出来的,因为张铁男和何振东采用不正当竞争手段,在争夺花博园选址问题上,为筹建花博园设置了不少障碍。

肖鸿林决定选址在琼水湖畔让何振东很得意,觉得在与金桥区的较量中胜利了,高兴劲儿还没过,就被调离了西塘区。好在是皇县一把手。张铁男到皇县风头处在何振东之下,一直很有情绪,无奈他知道这是自己只知道局部利益,而无全局利益必须付出的代价。

对于张铁男和何振东的调动,王元章是同意的,因为对于东州市来说,办好花博会就是头等大事,一切工作都要为办好花博会让路。何振东与张铁男闹得也确实不像话,让这对冤家搭班子就是让他们懂得局部利益与全局利益的关系,在一个槽里吃饭,看他们还争什么?

"王书记,你的意思是让我和反对我的人尽量和平共处,可是我这个人嫉恶如仇,又是个急脾气,说话从来不会遮遮掩掩的。"李为民苦笑道。

"我一而再再而三地跟你说过,明年就要换届了,我希望东州交给让党和人民放心的人,你以为我在和你打官腔,同志,凡事要讲政治智慧,如果不靠政治智慧,我们党能走过八十五年的光辉历程?"

"元章同志,我理解你的意思,我也知道哪些人在做我的文章,但是我到东州是来工作的,不是为了做给哪些人看的,更不能迁就那些邪恶的东西。"李为民反驳道。

"正是因为东州的情况复杂，不容乐观，你才应该感到自己的责任重大。为民啊，我觉得老肖和朝轩走得太远了，我已经没有能力把他们拉回来了，但是我不希望你在与邪恶势力的斗争中，有什么闪失，出什么意外，凡事要考虑周密一些，未雨绸缪，防患于未然，要学会保护自己。鲁迅先生还讲壕堑战呐，你应该清楚已经成了某些人的眼中钉肉中刺，万一你出了什么闪失，我无法向组织交代，更无法向东州的干部群众交代，而且还会给党的事业造成无法挽回的影响，你到皇县后，可以认真考虑一下我说的话，我觉得你能想明白的。"王元章的话语重心长，对李为民的触动很大，不能不引起他的深思。

"王书记，你的话我会认真考虑的，根据市公安局的取证调查，以陈富忠为首的北都集团，根本不是什么民营企业，已经蜕化成带有黑社会性质的犯罪集团，贾朝轩与北都集团有着千丝万缕的联系，不排除充当黑社会保护伞的可能，我希望我们一起向省委书记林白同志汇报一次，我觉得除恶的时候到了。"

"好，我同意你的看法，等你从皇县回来后，你我还有大海同志一起专程向省里汇报一次，但现在还不能打草惊蛇。"

69、难以割舍

衣雪从北京回来后心情坏到了极点，她不相信丁能通会是个拈花惹草的人，要知道自己一直以为在他心目中是无人能替代的。她把自己闷在家中整整哭了一天，下定决心要与丁能通离婚。

丁能通一直放心不下衣雪，只好给衣梅打电话，并实事求是地说了在北京发生的情况。衣梅不相信丁能通是清白的，在电话里她大骂了丁能通后，答应他去劝衣雪。

傍晚下班后，衣梅便骑着自行车直奔衣雪家，衣梅有衣雪家的钥匙，进家门时，衣雪正蓬头垢面地躺在床上，望着天花板默默地流泪。

"雪儿，丁能通那个混蛋给我打电话了，我把他臭骂了一顿，别哭了，没什么大不了的。"

"姐，我要跟他离婚，他竟敢背着我跟别的女人扯，我成全他，我给他让道。"

"屁话，你以为离婚是小孩子过家家哪，说离就离，你知道姐姐离婚以后多难多苦。"

"我看你一个人过也挺好的。"

"好个屁，雪儿，你不能感情用事了，哪个男人不拈花惹草？让我看不拈花惹草的男人个个都是窝囊废，你看历史上的那些伟人，哪个与女人能纠缠得清？当初你姐夫拈花惹草，我也是一气之下离了婚，其实，我应该给他改错的机会，可是我一点机会也没给他，他那么求我，我都没给他，可是我忘了，我不给他机会，就是不给我自己机会。男人首先是动物，然后才是男人，你看那些公狮子，占有一大群母狮子；那些公猴子也占有那么多母猴子。其实，男人拈花惹草未必就是爱呀恨呀的，跟憋了泡尿一样，憋得慌就要找地方撒，拈花惹草就是临时找个尿盆，尿完了就拉倒了，跟爱呀恨呀没有关系，你真让他娶那些女人，他才不干呢！雪儿，女人就要大气些，大度一些，女人要是小心眼了，苦的还是自己。丁能通一个人在北京漂，也不容易，整天迎来送往地应酬，拈花惹草也是在所难免的，平时应该多去看看他，多关心关心他，你也应该从自身找找问题。"

"姐，按你说的话，他还有理了，原谅他就是纵容他，以后他心里还能有我？"

"雪儿，你才说错了呢，你原谅了他，他心里才愧得慌呢，就会收敛自己；你不原谅他，不给他改错的机会，他就吓跑了。雪儿，如果你心里不爱他可以，咱跟他一刀两断，问题是你心里能放下他吗？"

"姐，我就是接受不了他和别的女人好！"说完衣雪趴在衣梅的怀里呜呜地哭了起来。

"雪儿，"衣梅慈爱地说，"姐给你讲个故事，这个故事是姐姐离婚后，非常痛苦，同事看我难受，就请我去了一家酒吧，桌上的一张卡片上写的。姐看了以后，想了很多，终于明白谁是你一生中最重要的人。"

衣雪从未见过衣梅如此庄重过，眼睛炯炯有光，她慢慢抬起头仔细地听起来。

"在美国的一所大学里，快下课时，教授对自己的学生们说：我和大家做个游戏，谁愿意配合我一下？一名女生走上台来，教授说：请在黑板上写下你难以割舍的二十个人的名字。女生照做了，她写了一串自己的邻居、朋友和亲人的名字。教授说：请画掉一个这里面你认为最不重要的人！女生画掉了一个她邻居的名字；教授又说：请你再画掉一个。女生又画掉了一个她的朋友……最后，黑板上只剩下了四个人，她的父母、丈夫和孩子。教室里非常安静，同学们静静地看着教授，感觉这似乎已经不再是一个游戏了。教授平静地说：请再画掉一个。女生迟疑着，艰难地做着选择……她举起手画掉了自己父母的名字；'请再画掉一个。'教授的声音再度传来，这个女生惊呆了，她颤颤巍巍地举起粉笔，缓慢地画掉了自己儿子的名字，紧接着，她哇的一声哭了，样子非常痛苦。教授待她稍微平静后，问道：和你最亲的应该是父母和孩子，因为父母是养育你的人，孩子是你亲生的，而丈夫是可以重新去找的，但为什么他反倒是你最难割舍的人呢？同学们静静地看着那位女同学，等待着她的回答。女生缓慢而坚定地说：随着时间的推移，父母会离我远去，孩子长大成人后独立了，肯定也会离我而去，能真正陪伴我度过一生的只有我的丈夫！"

　　衣梅讲完，衣雪沉默了很久，屋子里静极了，仿佛掉一根针都能听到，很显然，衣雪被这个故事深深触动了，因为，她根本放不下丁能通，说出要离婚的话，也不过是为了赌气。

　　"姐，我听你的。"

　　"雪儿，这次你已经给他教训了，最起码他应该收敛一些。"

　　"姐，你和石存山的事进展得怎么样了？"

　　"石存山的心里还是放不下死去的段玉芬，或许案子破了，凶手绳之以法，会好一些。我和存山之间还需要点时间。"

　　"姐，他心里放不下玉芬，说明他是个有情有义的人，不像丁能通朝三暮四的，你要把握好这份缘分啊！"

　　姐俩很少这么促膝谈心，这几年衣梅一个人带着孩子过，内心苦得很，对待婚姻，她最大的遗憾就是赌气放弃的，她不希望妹妹走自己的路。对待男人平时看得紧一些，因为没有不吃腥的猫，何况主动撅腚的女人也不少；真要是发现男人犯毛病了，睁一只眼，闭一只眼，宽容一些，或许什么事都过去了，这就是女人的命。

227

70、惊涛骇浪

丁能通不放心衣雪，草草处理完金冉冉的事后，陪贾朝轩一起回东州，由于东州连降暴雨，飞机坐不成，只好坐火车。

贾朝轩这次在北京呆了有一个多星期，期间与苏红袖、顾怀远失踪了三天，失踪这三天的行踪只有丁能通知道，因为贾朝轩走之前只告诉了丁能通。

原来，贾朝轩犯了赌病，受水敬洪的邀请，直飞香港，再次登上了香港的赌船。这种事情贾朝轩当然要避人耳目的，又要造成一种自己在北京跑"部""钱"进的假象，所以从首都机场飞香港，没搞什么特殊化，送机的人只有丁能通一个人，接的时候也是由丁能通一个人开车去接的。

在火车上，贾朝轩接到市政府值班室的电话通报，由于上游泄洪，再加上大暴雨，皇县境内大柳河洪水爆发，形势危急。贾朝轩负责全市的抗洪工作，这种时候，如果不火速赶往皇县就是自己的失职，他让司机开"沙漠风暴"到火车站接他。丁能通得知情况后，决定与贾朝轩一起去皇县，贾朝轩觉得丁能通点子多，就同意了。

丁能通最清楚，他作为市政府副秘书长，此时和主管抗洪的常务副市长贾朝轩一起奔赴抗洪一线是责无旁贷的。

苏红袖也想跟着去，被贾朝轩当场制止了："这又不是旅游观光，你跟着干什么？"一句话，把苏红袖的眼泪给噎了出来。

司机把车开到了站台，贾朝轩、丁能通、顾怀远上了"沙漠风暴"。

夜，风搅着雨，雨借着风愈演愈烈，"沙漠风暴"在风雨中前行得十分艰难，前后大灯开着，但照不很远，前窗挡风玻璃上一直雨水如注。刮雨板不停地扫动，但仍无法看清前方。

在车上，三个人分别给家里打了电话。丁能通在给肖鸿林当秘书期间，几乎每年雨季都要往皇县跑几趟。一到那时，衣雪的心就提到了嗓子眼儿，这次听丁能通说，一到东州火车站就和贾市长去皇县抗洪，心就又提了起来，什么拈花惹草的事都抛到了九霄云外了，一个劲儿地嘱咐他要注意安全。有了衣雪的嘱咐，丁能通的心里热乎乎的。

"小姜，能不能再快点？"贾朝轩催促道。

"贾市长,再快点就出事了。"司机小姜说。

路上,顾怀远一直用手机与皇县县委书记何振东、代县长张铁男联系,好不容易联系上了才得知,市委副书记李为民也在皇县坐镇指挥抗洪抢险工作。

"他什么时候去的?"贾朝轩问。

"李书记去皇县已经一个多星期了,是为农民减负问题搞调研的。"顾怀远解释道。

贾朝轩显然对李为民抢了自己的先机有些不悦,他一直认为大洪水也是大机遇,搞得好既有群众的口碑,又有升迁机会,是捞取政治资本的最好机会,最好是遇到了危险,又化险为夷,共产党就缺这种典型,媒体一宣传,领导一批示,不升也得升了。李为民不会不懂这个道理,刚刚被中组部考察组考核完,抓住这次机遇好好表现一番,说不定就……贾朝轩越想越生气,大有既生瑜何生亮的慨叹!

"沙漠风暴"一到皇县县界,一辆桑塔纳开着车灯在公路口等候,顾怀远打开车窗冒雨伸出头问:"是县政府办公室王主任吗?"

桑塔纳车内伸出一个人头来,回答:"顾秘书,我是老王,跟我走吧。"

丁能通听着这熟悉的声音气就不打一处来,心想,就是这个王主任串通钱学礼给自己写举报信,举报自己与罗小梅有不正当男女关系。混蛋,229找机会再收拾你! 丁能通暗自骂着,两辆车在雨幕中向县政府大院驶去。

县政府王主任引领众人走进县政府大楼时,众人从一楼就听见三楼会议室李为民正在讲话。王主任见了丁能通有些不自然,就像耗子见了猫似的,一副做了亏心事的样子。

"王主任,最近又给谁拉皮条了?"丁能通揶揄道。

"丁秘书长取笑了!"王主任一脸堆笑地说。

"怎么? 王主任还会拉皮条?"贾朝轩开玩笑地问。

顾怀远一听就知道丁能通对上次的举报耿耿于怀,看来他这么不给王主任面子,说不定王主任确实就是举报丁能通的那个人。

"丁哥,王主任和驻京办的钱学礼可是一担挑。"顾怀远附和着丁能通说。

"怪不得,王主任,我们钱副主任可是拉皮条起家的。"

丁能通这话是有所指的,因为钱学礼是袁锡藩一手提拔起来的,东州官场上无人不知袁锡藩的外号叫"西门大官人",两个人实际上是一丘之貉,没少祸害良家妇女。王主任被丁能通说得敢怒不敢言,索性不再搭茬儿。

县政府办公室的墙上挂着皇县地势图,李为民站在地图前正在布置任务。

"同志们,经过军民们一天的努力,有三处险段已经得到控制,还有两处最危险的地段军民们正在抢修,特别是牛家屯粮库段最为危险,大柳河在这里是个急转弯,河水宽阔湍急,一旦浸溢,牛家屯粮库不保,并威胁着下游三个镇、一万一千亩耕地和三万七千人的安全,抢险迫在眉睫啊!"

这时,贾朝轩、丁能通和顾怀远急冲冲地走了进来。

"朝轩,你来得太好了!"

"为民,情况如何?"贾朝轩焦急地问。

"情况十分危急,目前有东西两处险情,这样吧,朝轩,我们分头行动。铁男同志,你跟贾市长去前插镇大堤,振东同志,跟我走,去后插镇牛家屯大堤。事不宜迟,我们必须马上上堤,贾市长,你看怎么样?"李为民一口气说完,看着贾朝轩。

"为民,就按你说的办,何振东,你要注意李书记的安全!"

"知道了贾市长,我们一定会保护好李书记的。"何振东信誓旦旦地说。

"朝轩,你也要注意安全啊!同志们,出发!"李为民说完披上雨衣大步走出会议室。

大柳河河水汹涌向前,把河岸整棵整棵的大树连根拔起,狂傲不羁的河水,像无数脱缰之马,抖动着黑色的脊梁,向前狂奔。

洪峰发出惊雷般的吼叫,洪水夹带着泥腥味儿和腐烂枝叶迎面扑来,直透灵魂。李为民身披雨衣,扛着编织袋与军民奋战在一起。

在暴雨中,在狂风中,抗洪大军顶着炸雷,迎着闪电,像一层黑色的蚂蚁奔忙着、呼喊着。装土、运土垒草袋、夯实、再装土、再运土,又加一层……一条编织袋装满了,第二条编织袋很快伸在铁锹下面,一条草袋刚摆上围堰,第二条草袋又摆上去了,一个人累倒了,也不知从哪里又钻出了什么人,又顶了上去……

人群中,何振东穿着雨衣跑到李为民身边,气喘吁吁地说:"李书记,南岸多处决堤,几个乡镇已经汪洋一片,北岸又多了两处险段。"

"振东同志,被淹的群众撤离得怎么样?"李为民关切地问。

"李书记,已经全部撤离。"

"北岸决不能决堤,一定要保住牛家屯粮库。"

李为民说完扛起一个编织袋,冲向最危险的地方。何振东望着李为民摇摇晃晃的背影,抹了一把感动的泪水,自己也扛起一个编织袋冲进人群。

在前插镇大堤上,丁能通陪贾朝轩在军用帐篷里仔细地看着地势图,手里的烟已经燃掉了一大半,长长的烟灰即将掉落。

军用帐篷外军民们正在搬运编织袋、石头、铁丝网,突然帐篷外一阵喊叫,一队劳改犯排队跑了进来。

贾朝轩走到军用帐篷门口不解地问:"能通,怎么来了这么多劳改犯?"

"听张铁男说,附近有个看守所,这是司法局支援我们的。"丁能通解释说。

"怀远,把张铁男叫过来,乱弹琴,还嫌大堤上不乱,万一劳改犯借机闹事,或借机逃跑,不是给抗洪抢险添乱嘛!"

顾怀远应声跑了出去。不一会儿,顾怀远和张铁男跑了过来。

"贾市长,有什么指示?"张铁男气喘吁吁地问。

"乱弹琴,赶紧把劳改犯换下去。"

"贾市长,这些劳改犯每年都参加抗洪,打桩都是好手。"

"那也不行,报道出去影响不好,出了事也不好向他们家属交代。"

"好吧,我马上通知他们回去。"

"铁男,别看现在雨小了,但是洪水流量很大,水位高,风力大,浪高一米左右,风向直冲大堤,应该每隔一米打一个木桩,上面捆草把、柳条包,做防浪隔离带,在被淘刷堤坡处,沉铺木工布做层面,用卵石袋对堤坡进行护砌。只有这样,才能有效地控制风浪对堤坡的冲刷。"

张铁男应了声明白了,便调头跑进奔忙的人群中。丁能通暗自佩服贾朝轩内行,不愧是主管抗洪抢险的领导,张铁男以前在金桥区当区长时,没与洪水打过交道,显然经验不足,贾朝轩指挥若定,颇有大将风度。

71、牺牲

抗洪大军又奋战了整整一天。

深夜,天仍然阴沉着,贾朝轩站在大堤上,大河奔流,四周漆黑一片,只有大堤上临时拉起的几个电灯在风中摇曳。

"贾市长,洪峰已经顺利通过皇县,大堤保住了,您赶紧下堤吧。"张铁男兴奋地说。

"李书记那边怎么样了?"贾朝轩关切地问。

"牛家屯那边安然无恙,李书记已经下堤了。"张铁男回答。

这时,司机小姜慢慢把车开过来,大堤只比车宽一点,而且非常泥泞,几个人上了车,车就往下沉,根本无法前行。

"贾市长,我看坐车更危险,莫不如下来走下去。"丁能通建议道。

"能通说得对,黑灯瞎火的,万一车翻到河里,咱们可就都光荣了,铁男、怀远,下车。"

贾朝轩说完第一个下了车。在夜风中听着滔滔河水声,深一脚浅一脚地往前走,丁能通心里有一种悲壮感觉,心想,果真车毁人亡在抗洪大堤上,也是老天的造化,起码这种死法重于泰山。

走着走着,贾朝轩站住了,他说:"你们等我一会,我尿泡尿。"

"我也尿一泡。"张铁男说。

于是几个人全都掏出家伙尿了起来。

丁能通挨着张铁男一边尿一边说:"铁男,你们办公室王主任,你得加点小心!"

"怎么了?"

"这个人可是写匿名信的高手,林大可都吃过他的亏。"

"那老林怎么不废了他?"

"没来得及就调走了,不然还不一定离开皇县呢。"丁能通添油加醋地对王主任一顿数落,张铁男对王主任顿生几分厌恶之感。

"我最讨厌那些动不动就写匿名信的人,这种人在我身边,我还真不放心,干脆调到皇县驻京办当副主任,让罗小梅归拢他吧。"

"铁男,有你的,他那么大岁数,让他背井离乡去北京比撤了他还难受,再说,他也不是那块料啊!"

"这种人,离得越远越好,眼不见心不烦。"

这时,一股贼风吹过来,除了贾朝轩以外,几个人都吹湿了裤子。

"一看你们就没经验,老农民有一句话,你们没听说过?"贾朝轩嘲笑地说。

"什么话?"顾怀远笑着问。

"顶风拉屎,顺风撒尿。"

贾朝轩说完,众人哈哈大笑。

"沙漠风暴"驶进县委招待所大院,县委书记何振东等县领导正在等候贾朝轩和丁能通,见贾朝轩、丁能通下了车,何振东赶紧迎了上来。

"李书记到了吗?"贾朝轩下车就问。

"李书记说,明天省里有个重要的会,简单吃点饭,连夜赶回东州了。"何振东无奈地解释道。

"你们怎么不拦住他? 这黑灯瞎火大半夜的,万一出了事怎么办?"贾朝轩训斥道。

"我们拦了,可实在是拦不住啊!"何振东委屈地说。

"李书记要是出什么事,我可饶不了你们。"贾朝轩严肃地说。

"贾市长,李书记已经走了,您先消消气,先吃饭吧。"张铁男满脸堆笑地说。

贾朝轩被众人簇拥着一边往招待所里走,一边想,好你个李为民,你这是不愿意与我贾朝轩为伍啊!什么省里有重要会议,骗谁呀? 有重要会议我会不知道? 小样,黑灯瞎火的,也不怕遇上鬼。

餐桌上摆满了山珍海味。丁能通刚从抗洪大堤上下来,心想,这要是李为民在,非掀桌子不可,多亏李书记连夜赶回省城了,不然与贾朝轩又有一辩。

"铁男、振东,搞得这么丰盛,有没有酒啊?"丁能通打趣儿地问。

"有,丁秘书长想喝什么酒都有!"何振东夸口地说。

"那就上茅台吧,贾市长是最爱喝茅台的。"

丁能通当驻京办主任早就摸透了每位领导的口味,王元章喜欢喝干红;肖鸿林喜欢喝洋酒,什么威士忌、轩尼诗,来者不拒;李为民平时不喝酒,只是宴请时喝一点;袁锡藩号称啤酒袁,自己能喝一打;邓大海喜欢喝白酒,不分牌子;人大主任赵国光是全能型的,市政协主席张宏昌独爱竹叶青,贾朝轩对茅台是情有独钟。

"好,就上茅台,贾市长,我这里的茅台都是从茅台总厂进的,绝无赝品。"张铁男吹嘘道。

"真的假的? 我可是品茅台的专家,有假我可重罚!"贾朝轩开玩笑地说。

"贾市长,您尝尝就知道了。"何振东殷勤地说。

"好吧,大家坐吧,这两天可把我累坏了,今晚,你们几个得陪我好好喝几杯。"

"贾市长,铁男和振东,一个是酒神,一个是酒仙,在县区长里喝酒是出了名的,怕是东州官场上没有人能喝过他们。"丁能通介绍说。

"谁说的,林大可号称酒鬼,他们俩未必就是对手。"贾朝轩辩解说。

"贾市长,我和老何是半斤对八两,林大可是一斤,我们甘拜下风。"张铁男谦虚地说。

234

丁能通听了心里好笑,心想,明明林大可不是对手,为了顺着贾朝轩,这哥俩连喝酒都不敢呛贾朝轩的岔,官场诡谲得懦弱,都是乌纱帽闹的。

众人推杯换盏喝了一气,何振东和张铁男哪肯放过这么好的溜须拍马的机会。

"贾市长,我们就佩服您没架子,同我们感情上没距离,特别平易近人。"何振东恭维地说。

"是啊,是啊,贾市长为人实在,直爽,不来假动作,我们当下级的实在是服您。"张铁男附和着说。

"拿什么架子?"贾朝轩得意地说,"当领导的贵就贵在以诚待人,上下级只是个分工,组织上若是现在宣布你们哪位来当市委书记,我贾朝轩马上听你们的。"

"不敢,不敢!"何振东和张铁男连忙摆手说。

丁能通心中好笑,心想,官场上什么时候拿架子是最有学问的,会当官的人都会拿官架子,平易近人也是官架子的一种,而且是上级领导的专利,因为上级领导与下级同桌吃饭,那叫贴近群众,平易近人;下级要敢与上级领导同桌吃饭,那叫不懂规矩,大不敬。所以,没有官架子往往是最大的官架子,是更高级别领导作秀的法宝。

酒足饭饱后,何振东、张铁男、丁能通和顾怀远陪贾朝轩走进了房间。房间面积有三百多平米,装修豪华之极。

　　"贾市长,这是我们招待所的总统套,条件有限,您将就一宿吧。"丁能通听了差点喷出来,心想,真他妈的能整景儿,招待所也设总统套。

　　"条件不错嘛,我就反对一些领导到了基层讲条件,受不了委屈。你们也辛苦了,赶紧回去休息吧。"

　　众人走后,贾朝轩说完打了个嗝,自言自语道:"妈的,茅台真是他妈的好东西,喝这么多还觉得自己像个人。"

　　何振东和张铁男又陪丁能通走进房间,这是一间豪华套,装修非常讲究。

　　"能通,要不要把怀远叫过来,咱们打几圈? 让我们哥儿俩给你点点炮?"张铁男瓮声瓮气地问。

　　"算了吧,小心你们那个王主任给你们写匿名信,他可是一封匿名信赶走了林大可,没有他那封匿名信,你们哥儿俩也不会好端端地来到这穷乡僻壤遭这份罪。"

　　"铁男,真有这事?"何振东吃惊地问。

　　"老何,别忘了驻京办是东州的第二行政中心,能通说的话没错。"张铁男认真地说。

235

　　"这种人还不撵得远远的,留在身边害自己呀?"何振东厌恶地说。

　　"你们俩也不用草木皆兵,我一直认为,有人告状的领导不一定是好领导,但是,没有人告状的领导绝对不是好领导。为什么这么说呢? 因为干事就得得罪人,你们品一品被告的领导哪个不是想干事,能干事,而且能干成事的?"丁能通一阵忽悠,搞得何振东和张铁男一阵眩晕。

　　"果真是秘书长有水平,说话条条是道,深刻! 深刻!"何振东和张铁男恭维道。

　　"所以小人不除以前,麻将就免了,什么时候你们俩到北京,我请你们打高尔夫。"

　　"能通,林大可走了,你这个驻京办主任还要一如既往地对皇县驻京办多多关照啊,我们之间的感情不比林大可差吧?"何振东套近乎地说。

　　"你们放心,只要我丁能通在北京干一天,皇县的事,就是我的事。"

　　这时,一辆奥迪车在夜幕的公路上疾驰。李为民坐在副驾驶的位置上，唐秘书坐在后排。两个人都已沉睡。司机非常疲劳地开着车，也许是想提提神，他拿起放在手刹旁边的烟盒，抽出一支烟，正在点上火之际，对面一辆大卡车呼啸而过，大灯如闪电一般刺了过来。司机一激灵，往右一打轮，砰的一声，车撞断路边的大树，翻进了旁边的深沟里……

早晨，丁能通正在房间洗漱，手机响了。他赶紧擦干脸上的水，接电话："喂，哪位？"

"能通同志，我是王元章。"

"王书记，您好！"丁能通没想到一大早市委书记会给自己打电话。

"能通，我知道你陪贾朝轩同志到皇县抗洪去了，一定很辛苦，我给贾朝轩和顾秘书打电话都没有开机，你赶紧请朝轩同志听电话。"

"王书记，您稍等。"丁能通听王元章的口气很严肃，又很悲哀，像是出了什么大事，他不敢怠慢，快速跑向贾朝轩的房间。

贾朝轩一边接过电话一边伸着懒腰："王书记，我是朝轩，让您久等了。"

贾朝轩刚寒暄完，突然表情变得非常惊愕，像是听到了什么惊恐的事情。听着听着，一屁股坐在了床上，良久没有说话。

"贾市长，出什么事了？"丁能通试探地问。

"李书记出事了，昨天夜里回东州的路上出了车祸。由于司机过度疲劳，撞到一棵大树上，翻到了沟里，车毁人亡。"

丁能通听后惊呆了，他做梦也没想到会出这么大的事，难怪王元章给自己打电话的口气这么沉重。李为民一死，一定会给东州官场带来巨大的动荡，想不到世事难料啊，人生真是福祸相依呀。

"怀远，赶紧回东州。"贾朝轩看了一眼刚刚进屋的顾怀远说。

"您还没吃早饭呢。"顾怀远劝道。

"都什么时候了，还吃早饭？"贾朝轩气哼哼地说。

第五章 尘埃落定

72、权谋

到李为民家看望的人很多,王元章、贾朝轩、邓大海都坐在沙发上。237吴梦玲坐在床沿儿上,墙上挂着李为民的遗像。

王元章悲痛地说:"对不起,梦玲,我这个当班长的没照顾好为民。"

吴梦玲抹着眼泪说:"为民有这么一天是早晚的事。他这个人太认真,干事太拼命,前两年,商业城着大火,他刚做完阑尾炎手术,还没有拆线,听说着火了,他捂着肚子就去指挥救火去了。这次抗洪,他要是在皇县休息一晚上,也不至于……"说着抽泣起来。

贾朝轩愧疚地说:"都怪我从大堤上下来晚了,否则也不会出这事,唉!"

邓大海伤心地说:"嫂子,为民同志是好样的,你可得挺住!"

吴梦玲摇了摇头说:"王书记,朝轩、大海,你们忙去吧,我能挺住。"

上午,为悼念李为民同志,市委专门召开了常委扩大会,参加会议的有王元章、赵国光、肖鸿林、张宏昌、贾朝轩、袁锡藩、邓大海等。

王元章动情地说:"同志们,为民同志离我们而去了,这几天,我的脑海里常常想起他说过的话，'只有到最基层的地方，才能了解到最真实的情况。''万事民为先'，'不仅能一时清白，还要能一世清白。''做官先做人'，这里的人指的是我们共产党人。为民同志一生，无论是做人、从政、善民、律己，都是我们学习的榜样。省委已经决定，要掀起向李为民同志学习的热潮，我们要以李为民同志为榜样，做勤奋学习、善于思考的模范，解放思想、与时俱进的模范，勇于实践、锐意进取的模范。真正做到严于律己、率先垂范、立党为公、执政为民，做到权为民所用，情为民所系，利为民所谋。今天这个常委扩大会，大家都谈谈自己与为民同志的差距吧。"

李为民的牺牲对东州百姓震动很大，人民无不为失去一位好书记而感到悲痛惋惜。然而，肖鸿林似乎并不以为然，因为在他心目中，有更重要的一件事让他火冒三丈，那就是陈富忠斗胆包天居然威胁自己的儿子，恐吓自己的情人，东州的天下到底是谁的？

邓大海和石存山到肖鸿林办公室汇报完后，肖鸿林鼻子都气歪了，他大骂丁能通这么重要的事不向他汇报，对郑卫国吼道："让丁能通到我办公室来一趟。"

"大海，北都集团在花博会招标过程中采用恐吓威胁等手段，威逼十几家公司退出竞标，明显是带有黑社会性质的犯罪组织，那个陈富忠斗胆包天，敢把枪逼在我儿子头上，何等猖狂，在东州，市长的儿子都没有安全感，老百姓何谈安全感？"肖鸿林怒气冲冲地问。

"鸿林，你批评的对，都是我工作做得不好，对黑恶势力打击不力，其实，我们也早就把目标锁定到北都集团董事长陈富忠身上，只是……"邓大海内疚地说。

"只是什么？只是他们背后有靠山，有保护伞，是吧？"肖鸿林黑着脸说，"你少用打击不力这种不负责任的词推卸责任，我告诉你几乎在每一个有黑社会性质的犯罪集团后面，都有一张渗透到党政部门或执法机关的关系网，都有一些腐败分子充当保护伞，你们不仅有责任打黑，而且有责任拔伞。"

"鸿林，是我这个主管副市长的认识没有跟上去。"邓大海检讨地说，"这个陈富忠号称黑白两道都好使，关系网复杂，我们每当把目光集中到陈富忠身上时，就有来自方方面面的压力干预办案，这几年，北都集团私藏枪支弹药和管制刀具，巧取豪夺，暴敛钱财，伤害无辜，称霸一方，人员固定，组织严密，市建行中山支行行长段玉芬和办公室主任刘可心就死在陈富忠的打手手下，手段极其残忍。"

"看来，东州市的打黑除恶已经提到议事日程了，大海啊，我希望市公安局重拳出击，还东州市人民一片蓝天！"肖鸿林口气坚定地说。

"肖市长，目前还有一定难度！"石存山插嘴说。

"什么难度？"肖鸿林严肃地问。

"陈富忠是市人大代表，抓捕一事，必须取得市人大的支持。"邓大海补充道。

"咱们双管齐下，抓紧向人大汇报，只要犯罪分子犯罪事实清楚，人大会支持的。随后我也和人大主任赵国光沟通一下。"肖鸿林用命令的口吻说。

邓大海和石存山的目的达到后，起身告辞，两个人刚走，丁能通气喘吁吁地赶来了，他是从纺织厂那块地赶来的。丁能通专程找了一趟薪泽金的小舅子，因为钱学礼索贿一事，光听罗小梅这么一说不行，一定要有证据，接触一下薪泽金的小舅子，目的是想察言观色感觉一下罗小梅说的有没有水分。

丁能通一进门，肖鸿林就劈头盖脸地揶揄道："丁主任，又陪贾市长下棋去了？"

丁能通在电话里已经从郑卫国那里得知邓大海、石存山来过了，他马上意识到肖鸿林一定是为肖伟被陈富忠恐吓的事生自己的气了，早有了心理准备。

"老板，生我气了，没汇报是怕您着急上火，毕竟没出多大事。"丁能通小心谨慎地解释道。

"枪都顶到脑袋上了，还叫没出大事？我看你这个驻京办主任也干到头了，我问你，贾朝轩这次去北京到国家开发行找刘司长催贷款的事，然后又拜访了谁？去了哪儿？"肖鸿林黑着脸用阴郁的目光看着丁能通问。

丁能通心里清楚，李为民的死，把肖鸿林的目标又集中到了贾朝轩的身上，看来，肖鸿林与贾朝轩终有一博，今天如果不说实话恐怕过不去，因为肖鸿林未必不知道贾朝轩到北京后的去向。

丁能通把心一横，心想，眼下的形势必须说实话，何况肖鸿林对自己有知遇之恩，在感情上也不亚于父子。于是，丁能通将他所了解的有关贾朝轩在北京的活动，一五一十地说了一遍。

"老板，您让我留心贾市长，我一直没敢怠慢，但是我这个人您最了解，不说没有谱的话，不做没有把握的事，您待我有知遇之恩，我怎么能辜负您呢？"丁能通说得动情有理，肖鸿林的气自然消了一大半。

"能通啊，不是我怪你，你虽然跟我多年，但毕竟年轻，我怕你被人利用了，官场上向来是你中有我，我中有你，一招不慎，满盘皆输啊，厦门远华大案就是最好的例证啊！"

"老板，我是您带出来的，吃水不忘挖井人，谁亲谁近我分得清。"

"有你这话我就放心了，和姓贾的该怎么亲近还怎么亲近，别忘了，知彼知己，百战百胜。"

丁能通走后，袁锡藩迈着八字步走了进来，自从袁锡藩老伴死后，他似乎比以前精神了许多，面色红润，神清气爽。

"老袁，你来的正好，我正要找你呢。"肖鸿林将手一让，请袁锡藩坐了下来。

240　"老肖，你说李为民死的多不值，不在市委好好当他的副书记，东一趟西一趟地乱搞名堂，本来抗洪抢险没他的事，他非到皇县凑热闹，结果把命给搭上了，要么怎么说还是本分点好。"袁锡藩一边念三七，一边扔给肖鸿林一支烟，又拿出打火机给他点上火继续说，"中组部考察组刚考核完他，如果不出意外，说不定这次就上去了，真是人算不如天算啊！"

"锡藩，李为民上去了，对你有什么好？他不会容忍你挡他的道，也不会与我们和平共处，他的性格是桀骜不驯，这种人要是当了一把手，下面的人就别活了。"肖鸿林恶毒地说。

"鸿林，我听说姓贾的这次去北京，又去香港了？"袁锡藩诡谲地问。

"老弟，你消息够灵通的了，消息是从哪儿来的？"肖鸿林眉梢挑了一下问。

"驻京办的老钱可不是省油的灯，他有点眼观六路，耳听八方的本事，是个可用之材呀！"

"锡藩，这个钱学礼人品可靠吗？如果可靠，哪天叫到我办公室唠一唠，如果真是可用之材，我可真想派他个大用场。"肖鸿林说完用刀子一样的目光扫了袁锡藩一眼，袁锡藩被看得心里激灵一下，仿佛中了寒气。

"鸿林，派什么大用场？"袁锡藩警觉地问。

"锡藩,你可是排在贾朝轩的后面,论资历论能力你都该上了。"肖鸿林用诱惑的口吻说。

"鸿林,你的意思是……"袁锡藩似懂非懂地问。

73、教诲

在东州市云水大街上,灵车车队缓缓而行,天上下着淅淅沥沥的小雨。马路两侧,老百姓自发地站在公路两旁为他们心中的好书记李为民送行。不少人眼泪伴着雨水,无比悲痛……

以周永年为首的中组部考察组成员也参加了李为民的葬礼,丁能通参加完葬礼后,匆匆赶往东州机场,登机时,遇到了周永年。

周永年像是心情很沉重的样子,看来李为民的死对他有很深的触动,没想到倍受中央领导重视,却在东州倍受争议的李为民会是这样一个结局。丁能通在葬礼上,见到周永年时,两个人只是握了握手,今天在回北京的飞机上巧遇,丁能通自然想从周永年这里打探些关于东州官场的消息,他搭讪着与周永年身边的乘客换了座位,满脸堆笑地坐在周永年身边。

"丁能通,你和金冉冉的事我听刘凤云说了,你这事干得够缺德的,要不是凤云劝我,给你一次机会,不让声张,我非跟王元章、肖鸿林说说不可,没想到你还有拈花惹草的本事,是不是觉得今天的前程来得太容易了?我警告你色字头上一把刀,小心别掉了脑袋。"周永年毫不留情地说。

丁能通听得脸一阵白,一阵红的,心想,我代人受过亏不亏呀。但是自己确实有拈花惹草的事,心虚,好在周永年不知道自己与罗小梅的事。

"能通啊,我希望你多学学李为民,这些天他的音容笑貌一直在我脑海里萦绕,其实,我和他不过见了两三面,但是你能感到此人身上的人格魅力,有一种巨大的冲击力。我找别人了解他时,很多人都很佩服他的为人,说他工作作风是万事民为先,口头禅是只有到最基层的地方,才能了解到最真实的情况,座右铭是做官先做人,不仅能一时清白,还能一世清白,他说的人其实就是我们共产党人。李为民的一生,无论是做人、从政、善民、律己,都是我们学习的榜样。他的死是东州人民的一大损失,就这样一个好干部,居然有那么多人诋毁,这些人也言称党的事业,人民的利益,其实,谋的不过是一己私利,为了一己私利,甚至置党纪国法于不顾,简直是胆大包天,这些人迟早是要遭天谴的。能通,你还年轻,我希望你能好自为之。"

周永年的话分明是有所指,丁能通心里暗自揣摩,在东州官场上谁会置党纪国法于不顾,难道是贾朝轩和肖鸿林,或许还有袁锡藩,这些人与自己有着千丝万缕的联系,这些人要是出事,自己当然要好自为之了。或许周永年在危言耸听,不过,陈富忠与东州官场上许多有头有脸的人都有来往,甚至是极密切的来往,如果陈富忠被抓进去一开口,东州难免要发生一场大地震啊!

"周大哥,听您的口气,好像东州官场要出事。"丁能通试探地问。

"能通,送你一句话,远小人亲君子!"周永年说完闭上眼睛,不一会儿就打起了呼噜。

丁能通一下子明白了,这次周永年虽然到东州考察李为民,却在考察过程中了解了大量东州官场上的情况,正面的、负面的,他可是奉旨行事,回去交差时要把了解到的情况一五一十地向中央领导反映。如果把李为民对立面的情况反映上去,中央领导不可能无动于衷,说不定一段批示,就会有天兵天将杀到东州,到时候,在东州就会有十面埋伏,也会有人四面楚歌。

丁能通越想越紧张,脑门子上渗出细汗来。

74、出逃

这几天,陈富忠老是做噩梦,不是梦见自己被碎尸扔在了河里,就是被碎尸后埋在赵家沟垃圾填埋场,而且经常梦见段玉芬一袭白裙披头散发地站在自己面前说:"陈富忠,你死到临头了!"

果然午夜时分,他接到林娟娟的电话,让他到步行者酒吧见面,有重要的事情告诉他。陈富忠赶到酒吧时,林娟娟正躲在一个角落里喝咖啡。

陈富忠坐在林娟娟对面没好气地问:"什么事呀?这么晚约我出来。"

林娟娟用手指按着自己的嘴嘘了一下,示意陈富忠小声点:"忠哥,不好了,你快跑吧!"林娟娟鬼鬼祟祟地说。

"什么事,大惊小怪的?"陈富忠故作镇静地问。

"袁市长让我给你透个信,不过他说我告诉你之前,你必须答应我一个条件。"

林娟娟卖了一个关子,一边喝咖啡一边凝视着陈富忠,陈富忠明显感到林娟娟今非昔比,与他说话的神态也少了几分恐惧,看样子被西门大官人滋润得不错。

"什么条件?"陈富忠不耐烦地问。

"让我嫁给袁锡藩!"林娟娟恳切地说。

"那老东西对你怎么样?"

"挺好的!"

"他比你爸年龄都大,你愿意?"

"忠哥,我知道你一直心疼我,不过,你毕竟不能娶我,还是放我一马吧。"林娟娟近乎恳求地说。

"好吧,什么事? 你快说!"陈富忠早就对林娟娟嫁给谁不感兴趣了,他感兴趣的是林娟娟提供给他的信息。

"忠哥,公安局要抓你,说你是黑社会,你快点跑吧!"林娟娟有些紧张地说。

"他们没有证据,凭什么抓我?"陈富忠的心都揪到嗓子眼了,还故作从容地说。

"你用枪顶过肖伟的头吧? 肖鸿林气坏了,非要收拾你,另外,黑水河大桥下面的两颗人头,公安局已经破案,知道是你干的。忠哥,你快跑吧,跑晚了就没命了。"

林娟娟的话句句都像子弹一样射向陈富忠,陈富忠觉得自己做的梦果然应验了。他和林娟娟分手后,一个人漫无目的地开着车,不知不觉来到了北都集团。

陈富忠在车上坐着抽了一支烟,然后给海志强打了个电话,只说了一句话:"让弟兄们都过来。"便挂断了。

陈富忠一个人默默地上了楼,在电梯里,他忽然意识到,公安局要抓我,贾朝轩为什么没给我一点消息? 莫非是背着常务副市长干的,看来肖鸿林根本没有把贾朝轩放在眼里,说不定先抓我,再通过我牵出贾朝轩,不行,说什么也要让贾朝轩知道这个情况。

想到这儿,陈富忠毅然决然地拨通了贾朝轩家里的电话。电话是韩

243

丽珍接的,她惊异地问:"富忠,你大哥不是和你在一起吗?"

陈富忠听后一下子明白了,贾朝轩在韩丽珍面前撒了谎,大周末的,一定是与哪个野女人在一起,对,很可能是苏红袖。

陈富忠无心与韩丽珍恋战,他应酬了几句,赶紧挂断了电话。他又试着给苏红袖打电话,这娘儿们的手机关机。陈富忠心中暗骂:婊子!然后,几近绝望地走进办公室,不一会儿,海志强领着几个彪形大汉赶来了。

陈富忠在办公室的佛像前,手举三炷香默念了良久才把香上完,然后转身说:"你们几个到楼下看看,有没有尾巴,如果有尾巴想办法把他们引开,别让任何人打扰我,我和志强谈点事。"

几个彪形大汉应声出去了。

海志强略显紧张地问:"大哥,是不是出什么事了?"

"志强,公安局马上就要对咱们下手了,你手上有人命,还是远走高飞吧。钱我已经为你准备好了。"陈富忠咬着牙说。

"大哥,我们有贾市长罩着,公安局怎么敢轻易动手?"海志强不解地问。

"贾朝轩太贪婪,权力、金钱、女人他都想要,我看他迟早要自身难保,我们还是躲一段再说吧。"

"大哥,我海志强这条命都是你给的,要是死也得我先去,我不会离开大哥的。"

这时,楼外响起了动人心魄的警笛声,海志强赶紧走到窗前往外看,十几辆警车的警灯闪烁,几十名警察已经冲进楼来。

"大哥,条子来了!"海志强慌张地说。

"慌什么,拿上那个箱子,咱们走。"

陈富忠毕竟见过大世面,临乱不慌。北都大厦承建时,按照陈富忠的意思,修了一条秘密通道,一个小电梯直通地下一条地道,这个小电梯一般人不知道,这是陈富忠预备逃命的密道,小电梯的入口就在陈富忠办公室的书柜后面。

陈富忠一按机关按钮,书柜轰然打开,露出小电梯入口,两个人走进去,大书柜轰然关上,书柜后面传出陈富忠的声音:"能抓住我的人还没出生呢!"

在市公安局指挥中心,副市长邓大海和市公安局几位副局长正在坐镇指挥,手台不时传出干警报告情况的声音:"邓副市长,陈富忠不在家。"

邓大海手拿手台肃然说道:"知道了,继续搜捕。"

手台不断地报告情况:"邓副市长,北都集团没有陈富忠。"

"邓副市长,北都大酒店没有陈富忠。"

"报告邓副市长,大唐鱼翅庄没有陈富忠。"

邓大海紧锁眉头问身边的副局长:"怪了,陈富忠飞了?"

"陈富忠这小子神通广大,一定有人给他通风报信!"一位副局长说。

邓大海默谋一会儿,果断地拿起手台说:"石存山,我命令,各小组立即对陈富忠在东州的一切落脚点进行搜捕,同时封锁机场、公路、火车站等一切出城关口,抓住战机,一定要将陈富忠抓获。"

一辆奔驰在黑夜中疾驰。海志强开着车,陈富忠坐在后面,夜黑得伸手不见五指,只有汽车的大灯像是要揭开黑夜的帷幔,突然,前方映出几十名荷枪实弹的警察和武警战士。

海志强放慢了车速:"大哥,前面高速公路路口有警察堵卡,怎么办?"海志强迫切地问。

"先把车停下,让我想想。"陈富忠冷静地说。

"志强,这是我们出城的必经之路,掉头肯定暴露目标。"

"大哥,你下车从高速公路下边的农田里走过去。我开车过去试试。245能过去,就没问题。要是过不去,大哥,你就自己走吧。"海志强诚心要掩护陈富忠,口气中抱定鱼死网破的决心。

"好吧。"陈富忠想了想说。

陈富忠心里清楚,一下车,就可能与海志强永别了。陈富忠毅然决然地下了车,猫腰下了公路,消失在黑夜之中,海志强缓慢地驶向高速公路路口。

在高速公路路口,石存山正在指挥公安干警和武警战士堵卡,海志强的奔驰夹在车队中缓缓开到武警战士跟前。

"请出示驾驶证。"一位武警战士对海志强说。

海志强把驾驶证递过去,武警战士仔细看着驾驶证,上面是海志强的照片,名字却是岩殿臣。显然,武警战士对这个假驾驶证产生了怀疑,仔细看了一眼海志强说:"请出示身份证。"

海志强有点毛了,因为驾驶证上的名字与身份证上的名字不一致。

"对不起,我忘带了。"海志强略显慌张地说。

这时奔驰车引起了石存山的注意,他警觉地走了过来,海志强见石存山走了过来,心里发毛,他猛然推开车门,撞倒武警战士,往公路下跑去……

石存山大喊一声:"站住!海志强!"

海志强慌乱中拔出手枪,回手就是一枪。石存山也拔出手枪,追出几步,一枪打在海志强腿上,几个武警冲上去,把海志强铐了起来。

75、签证

陈富忠出事的消息震动了东州城,就在市民街谈巷议时,花博会破土动工了,承揽工程的是南方一家公司。抓捕陈富忠无形中给贾朝轩一个下马威,他有些措手不及,不过贾朝轩不是坐以待毙之人,与肖鸿林暗中较量得更加激烈了。

肖鸿林的软肋是老婆关兰馨,这是个什么饭都敢吃、什么钱都敢拿、什么事都敢答应、什么话都敢说的俗人,仗着老公是市长,自己是东州市第一夫人,出尽了风头,也为肖鸿林找尽了麻烦。

其实,肖鸿林与关兰馨的感情早就名存实亡了,但是官场上离婚是大忌,肖鸿林还想再上个台阶,当然得维持着名存实亡的婚姻,正因为肖鸿林不敢离婚,关兰馨就更有恃无恐了。

东州的大事小情,关兰馨都敢明目张胆地插手,留下的破绽都得肖鸿林去擦屁股,再加上整天打着爹的旗号到处承揽工程的儿子,要搜集肖鸿林的黑材料简直是易如反掌。

贾朝轩采取了双管齐下的办法,由老婆韩丽珍多多接触关兰馨,不是请她吃饭就是请她逛街,两个人姐长妹短地交往,关兰馨哪是韩丽珍的对手,时间长了,连关兰馨有多少钱都快摸清了;另一方面,利用肖伟喜欢苏红袖的关系,摸清肖伟情况,同时抓紧到北京活动,蓄势待发。

肖鸿林和袁锡藩也没闲着,主要派钱学礼秘密跟踪贾朝轩,要求贾朝轩到哪儿,钱学礼到哪儿,而且发现重要线索要想办法录像、录音。钱学礼的反常引起了丁能通的警觉,他给罗小梅一个任务,多接触钱学礼,一定要拿到钱学礼索贿的证据。

星期天上午薪泽银从加拿大飞回北京，丁能通亲自去首都机场迎候，薪泽银下飞机后显得异常兴奋，他告诉丁能通孩子留学的事已经办妥了，并把签证交给了丁能通。

　　这就意味着孩子随时可以出发了，丁能通拿到签证一想到孩子就要离开自己的祖国，心中油然而生一种难以割舍的情感。

　　丁能通不知道衣雪的这种选择对不对，对孩子的教育应该是件好事，孩子要去异国他乡了，丁能通从骨子里不愿意孩子离开自己，但是衣雪认定了这条路，自己拦也拦不住，为了孩子，自己只好做出牺牲。

　　丁能通良久没有说话，薪泽银莫名其妙地问："能通，拿到签证应该高兴，怎么这么伤感？"

　　丁能通苦笑着说："泽银，把孩子送到国外去，与我远隔千山万水也是无奈之举呀，要不是老婆非闹着让他去，我才不舍得孩子呢。"

　　"我看你这次回来情绪不错，有什么好事吗？"丁能通一边开车一边问。

　　"这还不是托你老弟的福，由于我使公司成功介入东州地铁工程，公司给我加了薪，授权我全权负责东州地铁工程之事。"薪泽银兴奋地说。

　　"可是十几个省会城市都要建地铁，竞争十分激烈，国家也要权衡，目前东州地铁上不上，还取决于驻京办跑'部''钱'进的效率，十几家省会城市的驻京办都叫着劲呢。"

　　"我们对东州有信心，国家也不糊涂，从东州的人口状况、交通状况、地理位置、辐射功能看，东州都应该建地铁，何况，你丁主任又是个跑'部''钱'进的高手，我不相信这个关你攻不下来。"

　　"靠我一个小小的驻京办主任力量太小了，还要靠省里的支持，要动员省委书记、省长、市委书记、市长，都做国家的工作才有戏，常言道，叫唤的孩子有奶吃，东州还要加大叫唤的力度。为了加大肖市长的信心，你们公司要尽快安排肖市长访问加拿大，眼见为实，目前他把主要精力都放在花博会上了，地铁工作放在了第二位了，这个时候要是能促成他访问加拿大，会重新引起他的重视。"

　　"这没问题，只是肖市长总是抽不出时间来，能通，我看还需要你从中斡旋啊！"

　　"那好，看在这张签证的份上，我一定努力，你就听我的消息吧。"

76、琼水湖畔

近来，一些人大代表对花博园建在琼水湖畔颇有微词，肖鸿林听了心里很不舒服，为了堵住人大代表的嘴，他约王元章一起视察花博园工地。

两辆奥迪车停在琼水湖畔，王元章和肖鸿林分别下了车，王元章似乎被湖畔的风光所吸引，颇有兴致地说："鸿林，风景不错，咱们走走吧。"

王元章心里清楚，肖鸿林是想借自己的威望堵住市人大代表的嘴，之所以同意与肖鸿林一起视察花博园工程，是因为自己一直想找个机会与肖鸿林谈谈心，他是不忍心看见与自己并肩工作十几年的老搭档在腐败的路上越走越远。王元章对肖鸿林还抱有一丝幻想，希望肖鸿林回头是岸。

湖畔丛生着芦苇、野麻和蒲草，三三五五的红翅膀蜻蜓在苇尖、麻叶和草片上歇脚，而隐藏在芦苇深处的红脖水鸟，啼唱得宛转迷人。

王元章给肖鸿林一支人民大会堂香烟，肖鸿林没接，他摆摆手说："你那假中华我抽不惯。"说着从口袋里掏出自己的软包中华，点了一支。

两个人一边吸着烟，一边散着步，看似闲庭信步，其实内心都在叫着劲。

"鸿林，"还是王元章开了口，"最近外省又有两个副省长腐败掉了，看了报道后很让人痛心呐！很明显，在抓紧制度建设的同时，中央加大了反腐败的力度，教训深刻啊！"王元章的语气意味深长。

"元章，如果说从制度上入手的话，我倒赞同高薪养廉。"肖鸿林深吸一口烟说。

"我不同意你的观点，高薪未必一定能够养廉。有一些国家给公务员或者总统都是很高的待遇，但是照样贪，有的人欲壑难填，人心不足的时候，蛇都吞象。高薪和养廉之间没有绝对的关系。"王元章反驳道。

"元章，你想一想，为什么现在贪污贿赂现象增多了？成本太低了，几千块钱就可以买动一个官员，让他徇私舞弊，如果工资现在涨了一倍，犯罪成本就要增加好几倍，假如局长的年薪十万，那么五十万、一百万也买不动你，为什么？几年工夫我就挣到手了，我不用冒坐监狱的危险。社会上有多少人能用五十万到一百万去贿赂他呢？在这个档次下的犯罪数量自然就减少了。减少了贪污贿赂犯罪，企业减少了成本，国家增加了收入，这笔收入可以说是巨大的。"

"鸿林，我认为高薪养廉是一种危险的说法，把问题过于简单化了，形成腐败不是钱的问题，有个人道德问题，当然也有制度上存在的某些问题。拿钱来养廉，单纯这么做，只是垫高了行贿的门槛，原来五千，现在得一万了。所以，我认为高薪是达不到养廉的目的的，廉不是靠养的，不养就不廉了？人还是需要一点精神的，还是需要一种信仰、理想的。"

"元章啊，现在大道理已经没有人能听进去了。"

"这绝对不是在讲大道理，面对复杂的反腐斗争形势，你我都应该冷静下来，多问问为什么，经常深刻反省自己，检讨自己，要有慎独的精神，要知道腐败是无孔不入的。"

"元章，你这话里有话呀，难道你老兄怀疑我不干净？"

"鸿林，眼下关于你的传闻可不少啊！"

"元章，我知道我儿子和老婆利用我市长的名义，给我带来很不好的影响，但是，我本人敢向你打保票，我肖鸿林的口袋比脸还干净……"

"鸿林，不是向我王元章打保票，而是向党打保票，向人民打保票，我们共产党人是讲党性、讲原则、讲做人的人格、讲做官的官德的，我们做领导的，只有头脑清醒，把住了舵，才能不翻船啊！"

王元章的话极大地震撼了肖鸿林，虽然自己与王元章争斗了十几年了，但是今天王元章的话是善意的。然而，自己的马已经脱了缰，回不了头了，肖鸿林凝视着湖水久久没有说话……

77、惊心动魄

陈富忠一晃逃了好几个月了，"两会"以后，东州下了一场大雪，纷纷扬扬的大雪丢棉扯絮般整整下了一天一夜。

白天，交通受阻，汽车一辆跟一辆地缓慢行驶，车辙下是乌黑肮脏的雪浆，偶尔有辆汽车飞快地驶过，雪浆飞溅到路人的身上，便引起一阵咒骂。

寒凝大地，那些曾经繁花似锦的、婀娜多姿的、浓阴蔽日的树木，此时，都剥落了它们的光彩，只剩些光秃的枝条，在寒风中摇动。

惟有苍松、翠柏、冬青、石楠……的绿叶,依然苍郁而青葱,更加充满着生气和活力,簇拥着枝干,孕育着新的生命。

公路上,一辆破旧的长途客车在夜幕中晃晃悠悠地行驶,昏黄的大灯映在雪上格外刺眼。客车上,挤满了民工和农民模样的人,陈富忠穿着破旧的军大衣,蜷缩在角落里,闭着眼睛似睡非睡,眼睛里不时闪出绝望的目光。

几个月来,他逃过了很多地方,南到云南,北到黑河,他不敢在大城市露面,只能躲在各地的小镇里,因为公安部已经下达了 A 级通缉令,逃到黑河想偷渡到俄罗斯去,但是他没钱了,他也逃累了,索性不再逃,想了一天一宿怎么办,最后他想起了一句名言:最危险的地方也是最安全的。于是他决定回东州。

在丁能通的斡旋下,"两会"一开完,肖鸿林在袁锡藩的陪同下,率地铁考察团去了加拿大。黄梦然如愿以偿地升任驻京办副主任,主抓接待工作,白丽娜自然接替了黄梦然任接待处处长。

自从金冉冉宫外孕大出血出院后,丁能通再也没有与金冉冉联系。因为金冉冉下决心要考人大的研究生,一边照顾孩子,做家务,一边复习功课,彻底与那个叫刚的男人断了。

有一天,丁能通得到一条重要的信息,就是中央巡视组要到东州去,刘凤云就在其中。

丁能通想尽快通知肖鸿林,无奈,肖鸿林去了加拿大,得半个多月才能回来,恐怕等他回来,中央巡视组早就到了东州。

丁能通早就有所耳闻,中央巡视组非常重视从"民间故事"和群众口碑中了解领导干部的情况,惯于明查暗访,而且一向认为传言、民谣和"民间故事"并不完全没有依据,传言、民谣和"民间故事"本身之所以广为流传,就说明公众对于某一社会现象、社会矛盾和某一具体事件真相有了一定的认识,而且这种认识在民间达成了广泛的共识。

当然中央巡视组在民间也有"钦差大臣"、"八府巡案"的美誉。丁能通心里清楚中央巡视组的分量,他们每到一个省就要待上两三个月,矛头直指"封疆大吏"。

想到这儿,丁能通觉得肖鸿林此时离开东州有些不是时候。因为丁能通太了解东州官场了,他最担心的是拔出萝卜带出泥,正想通过什么办法与远在加拿大的肖鸿林联系上,却接到了关兰馨的电话。关兰馨说,有急事,请丁能通回一趟东州。丁能通问,有什么急事?关兰馨说,到东州就知道了。搞得丁能通满肚子狐疑,惴惴不安地登上了回东州的飞机。

冬天,东州的天黑得特别早,陈富忠下了长途客车,鬼鬼祟祟地来到常委大院附近的一个公用电话厅,他钻进电话厅,拨通了袁锡藩家的电话,此时的袁锡藩远在加拿大,家里只有嫁给袁锡藩并已经怀孕的新婚媳妇林娟娟。

林娟娟正满脸幸福地躺在床上看电视,客厅里的电话响了,她以为是袁锡藩打来的,兴冲冲地去接。袁锡藩去加拿大后,每天晚上都给小媳妇打个电话。林娟娟每天晚上也盼着这个电话,但是当她接听这个电话时,她却惊呆了。

"喂,娟娟,我是陈富忠"。陈富忠嗓音沙哑地说。

"忠、忠哥,你在哪里?"林娟娟战战兢兢地问。

"我在常委大院附近,赶紧开车来接我。"

"忠哥,"林娟娟婉言拒绝说,"这么晚了不方便,我老公在家,我出不去。"

"林娟娟,少他妈的跟我来这一套,我知道袁锡藩出国了,报纸上都写着呢,你快点来接我,我身上一分钱也没有了。"

"这……"

"林娟娟,你要是不帮我,那我只好找你父母去了。"陈富忠威胁地说。

"别、别,忠哥,我这就去接你。"

林娟娟最了解陈富忠,陈富忠一向说到做到。何况穷途末路的陈富忠更有可能狗急跳墙,不如先稳住他,也许拿到钱他就会离开。

陈富忠站在公用电话厅旁,丝丝咧咧冻得发抖,一辆红色的奔驰跑车开过来停在身旁,车窗打开林娟娟伸出头说:"忠哥,上来吧。"

陈富忠赶紧打开车门上了车。

在车上,林娟娟嗔怪道:"忠哥,你的胆子也太大了。你不知道邓大海在抓你?"

"你懂个屁,这黑灯瞎火的,越危险的地方越安全。"陈富忠的语气带着煞气。

251

第五章

驻京办主任

　　肖鸿林家住在袁锡藩家楼上,当林娟娟拿出钥匙开门之际,丁能通从楼上下来,看见一个蓬头垢面的人穿着破旧的军大衣站在林娟娟身后,那个人见是丁能通赶紧转过脸去,丁能通觉得这人脸熟,但一时又想不起来,林娟娟迅速打开门,两个人闪进屋去。

　　丁能通一边下楼,一边拼命想,走到常委大院时终于想起来了,是陈富忠! 丁能通的心一下子揪到了嗓子眼。

　　丁能通马上意识到常委大院的危险,陈富忠是个公安部通缉的 A 级犯罪嫌疑人,他负案在逃,怎么会出现在东州的高官住宅区?

　　丁能通去肖鸿林家是被关兰馨从北京调回来的,关兰馨在电话里不说找丁能通什么事,结果见了面才知道,是因为白丽娜与肖鸿林搞破鞋的事情。

　　丁能通很纳闷,这件事关兰馨怎么知道的呢? 这种事即使全城人都知道了,她本人也不会知道的。何况凭肖鸿林的身份,谁敢扯这老婆舌? 这个人不仅给关兰馨通风报信,而且说得有鼻子有眼的,绝对是知情人告的密。

　　关兰馨鼻子都气歪了,当场斥问丁能通,这是不是真的? 搞得丁能通哭笑不得,丁能通哪敢搬弄这种是非,打马虎眼说不知道,但是关兰馨认定这是真的,骂得丁能通狗血喷头的。丁能通平白无故挨了一顿骂,窝了一肚子火离开了肖鸿林的家,结果遇上了更加让他大吃一惊的人。

　　丁能通几乎是下意识地拨通了石存山的电话。

　　陈富忠进入袁锡藩的家后,立即把所有的窗帘都拉上了。

　　"娟娟,给我弄点吃的,我他妈的饿坏了。"陈富忠说完一头就扎进了厨房。

　　"忠哥,吃什么? 冰箱里都有,吃完拿点钱赶紧走吧。"林娟娟催促着说。

　　"娟娟,你可别忘了,你有今天,都是他妈的忠哥我给的,我逃不动了,我得在你这儿歇几天。袁锡藩回国之前我是不走了。"陈富忠一边狼吞虎咽地吃东西,一边说。

　　这时,突然有人按门铃。陈富忠猛然拔出手枪对着娟娟示意,看看是谁? 林娟娟从门镜看是两个保安。

　　"谁呀?"林娟娟明知故问道。

"袁太太,我们是保安,请开一下门。"门外保安说。

"有什么事吗?我要睡了。"林娟娟的心突突地跳着说。

"你的车好像没锁。"保安说。

"你们看错了,我的车锁上了。"

林娟娟恨不得保安冲进来救自己,但是她不敢开门,因为陈富忠用枪逼着她的头呢。

"那好吧。"保安说完走了。

保安刚走,陈富忠走到窗边扒开窗帘一看,大吃一惊,楼下到处是警察和警车,已经把常委大院包围得水泄不通。

其实,石存山一直派人监视着林娟娟,陈富忠在常委大院附近一露头,石存山就得到了消息,同时,他又接到丁能通的电话,再一次确定陈富忠就在常委大院,石存山立即率领干警包围了常委大院。

"林娟娟,你他妈的敢报警,你不想活了?"陈富忠一把揪住林娟娟,顶住她的头骂道。

"不是我报的警。忠哥,我发誓,我没报警。"林娟娟哀求道。

"该死的丁能通!"陈富忠一下子想起来了,上楼时碰上了丁能通,一定是丁能通认出了自己报了警。

陈富忠面对警察的层层包围彻底绝望了,他把自己关在卧室里,想到253了死,他想自己这辈子也够本了,死了死了,一了百了。

陈富忠掏出从路上买好的几瓶安眠药一口气吞了下去……

林娟娟见卧室里半天没有动静,试探地敲了敲门:"忠哥,忠哥!"

林娟娟喊了两声,仍然没有动静,她使劲推了推门,没推动,她又使劲敲了几下,然后拼命地跑向凉台,推开窗户大喊:"快来人啊!救命啊!"

石存山率领干警蜂拥而上,冲进袁锡藩家后,他又一脚踢开卧室的门,只见陈富忠静静地躺在床上一动不动,地板上散落着安眠药片。

"赶紧救人!"石存山命令道。

几个干警迅速将陈富忠抬了出去,很快楼外就响想起了急救车的笛声……

丁能通给石存山打完电话后,就悄然离开了常委大院,他万万没有想到是自己将陈富忠送进去的,这也算自己为曾经深爱过自己的老同学段玉芬有个交代了,也省得石存山一见到自己就念三七了。

丁能通一个人踏着积雪漫步在冬夜的大街上,突然想起了贾朝轩,好长时间没和他下棋了,也不知道他听到陈富忠被抓的消息做何感想?肖鸿林不在东州,贾朝轩是东州市政府最高首长了,常委大院这么大的事,他不会不知道,他试着拨通了贾朝轩的手机,关机,于是,他拨了顾怀远的电话。

"怀远,贾市长在哪儿?"

"丁哥呀,我也急着找他呢,下午被苏红袖接走了,就一直关机,常委大院出事了,你知道吗?"

"我知道。"

"我着急告诉他,却找不到他,都快急死我了。"

"往家里打电话问问韩院长呀!"

"问了,大嫂也不知道他在哪儿。"

"给苏红袖打手机了吗?"

"打了,也关机。"

"怀远,你去琼水花园五号别墅准能找到他。"

丁能通觉得此时贾朝轩太应该坐镇东州城了,无论如何也不能置肩上的责任于不顾,沉湎于男欢女爱。

琼水花园五号别墅,石存山曾开车和自己在那里堵到过贾朝轩和苏红袖,他知道,贾朝轩准在那儿。丁能通甚至都闻到了苏红袖的体香,但是陈富忠被抓的消息太重要了,他无论如何必须让顾怀远尽快找到贾朝轩。他知道,如果顾怀远告诉贾朝轩,是丁能通告知了他和苏红袖的幽会的地点,贾朝轩一定会想到,丁能通或许跟踪过他,但是,丁能通清楚,一旦贾朝轩得知今晚的消息,他便无暇顾及这些细枝末节了,甚至令他魂牵梦绕的苏红袖的体香也会瞬间烟消云散的。

想到这儿,丁能通摇了摇头,挥手打了一辆车,他现在最想钻的就是衣雪的被窝,踏实,温暖。

78、临行前

刘凤云起程的头一天晚上,周永年睡得非常不踏实,他辗转反侧,睡不着,像是有什么心事。刘凤云看出丈夫像是有话要说,却又不好开口,便问:"永年,你好像有什么心事?"

"凤云,"周永年叹了口气说,"你这次去东州,我有一种不祥的预感,总觉得东州要出事了。说心里话,我从心里不希望你去东州巡视,去哪个省都行,就是别去东州,那里是我们的家乡,如果你们这次巡视查出什么大案,你又是个嫉恶如仇的人,今后我们怎么回东州呀!"

"永年,这是组织的安排,我只好服从,组织上对巡视东州很重视,安排我参加是因为我熟悉东州、了解东州,我们这次是带着任务去的。"

"上次贾朝轩请咱爸吃饭后,咱爸还给我推荐了贾朝轩这些年发表过的文章自选集,他把咱爸哄得很高兴。贾朝轩的意图很明确,我在东州考察李为民时,收到了许多攻击李为民的东西,我怀疑幕后的指使就是贾朝轩。因为李为民牺牲后,我们考察组收到了不少为李为民鸣不平的信,矛头直指贾朝轩。我们也侧面考察了贾朝轩的情况,问题很严重,只是我们是考察组,不是办案组,我估计你们这次巡视组一去,有可能揭开东州的盖子,会牵涉到很多人,会得罪很多人,咱俩的亲人都在东州,我怕给他们带来麻烦呀!"周永年语重心长地说完,深情地望着妻子。

"永年,我觉得你多虑了,咱们不能光想着咱们的亲人,也得想一想东州的老百姓,我们接到许多关于肖鸿林的举报信,说他买官卖官,明码实价,纵容儿子搞房地产开发,东州的好地块大部分都让他儿子霸占了。有的举报信还反映东州这些年的财政收入主要靠卖地撑着,大片的良田被搞成了所谓的开发区或者变成商业用地大搞房地产开发,这是在卖东州老百姓的家底,这种竭泽而渔的经济发展方式是违背客观规律的,根本不符合中央提倡的科学发展观,其恶果最终都要转嫁给老百姓。永年,这次东州我去定了,我们总得为家乡做点事。"刘凤云语气坚定地说。

"凤云,我说不过你,你一去就是三个月,自己要照顾好自己,咱爸一个人太孤独,平时照顾不上,这回你去了常去看看他,最好能帮他物色个老伴儿!"

"好了,咱爸知道你有这份孝心一定很高兴,睡吧,我一走,家里的两个孩子就交给你了。冉冉不错,只是你答应人家考人大的研究生,总得给她点复习时间。"

"冉冉真的考上了,咱们上哪儿找这么好的保姆去呢!"

"到时候我再找找丁能通,这小子诡道着呢!"刘凤云说完扑哧一笑。

255

"得了吧,这小子要是不知道收敛,迟早得完蛋!"

"有那么严重吗? 我看他一个人在北京漂,怪不容易的,他那个年龄难免把持不住自己,现在的男人有几个能过美人关的。"

"凤云,我可是清清白白的,说话可别打击一大片。"

"你要是当驻京办主任,我还真不放心,驻京办是个大染缸,好人时间长了也得给发酵了,你周永年也不是特殊材料制成的。"

"越说越下道了,结婚这么多年了,我是什么人你心里没数?"

"好了,你是当今柳下惠,坐怀不乱,不过,你今晚不乱也不行!"

刘凤云说完,一头扎进周永年的怀里,两个人互相搂着温存起来。

79、分手

丁能通回到北京与石存山通了几次电话,得知陈富忠洗胃后已经脱离了生命危险,这不是丁能通希望的结果,他希望陈富忠就此赶往黄泉路,否则,他不仅要遭肉体的罪,更要遭精神的罪,最终仍摆脱不了命丧黄泉的结果。

晚饭后,丁能通一个人驾车去罗小梅家。罗小梅这几天也很闹心,闹心的原因是新来的王副主任,整天蝇营狗苟的,让她恶心,她想不明白,为什么王副主任的县政府办公室主任当得好好的,怎么突然就被发配到北京了? 和这样的人在一起工作,整天要多个心眼,加着小心,换了谁都得闹心。罗小梅平息自己心情的最好方法就是找丁能通倾诉,丁能通是罗小梅最忠实的听众。

丁能通进屋时,罗小梅正穿着睡衣看电视,丁能通望了一眼电视,发现罗小梅看的竟是清江省的卫视。整点新闻里,省委书记林白正在视察东州的政务公开,他批评东州的政务公开办事大厅成了摆设,不办实事,是名副其实的收发室。

"小梅,东州这段时间可够热闹的,陈富忠被抓时间不长,中央巡视组就去了,我看非演一场大戏不可。"

"通哥,你跟陈富忠也算是朋友,为北京花园的事他没少出力,他出事不会刮到你吧?"罗小梅担心地说。

丁能通捏了捏她的脸蛋说:"在收购北京花园这件事上,我比雪都白,干净得不能再干净了，能刮着我什么。"

"这样就好，我就怕你把持不住自己，拿了不该拿的钱。"罗小梅一边说，一边脱了丁能通的衣服，开了热水让他去洗澡。

丁能通白花花地躺在浴池里闭目养神，只有这时他才云里雾里地觉得自己像个神仙。罗小梅也脱光了走进来。

"想什么呢？"

"通哥，我这朵红玫瑰比你那朵白玫瑰如何？"

罗小梅的话里有话，丁能通装糊涂。

"什么白玫瑰、红玫瑰的，什么意思？"

"别装傻了，人家又没怪你，你都把白玫瑰搞到医院里去了，别以为我不知道，为了这件事，你老婆差点把你给休了。"罗小梅虽然语气娇嗔，但眼神却像小刀一样让丁能通恨不得一头扎进水里。

"小梅，这件事你误会了。"于是，丁能通把认识金冉冉的全部经过说了一遍，"小梅，冉冉是个苦命的孩子，和我同命相怜，我拿她当亲妹妹，怎么可能做出格的事？"

"但愿如此，上次我回东州，请薪泽金的小舅子吃饭，薪泽金的小舅子听钱学礼说的，原来是造谣中伤。这回我可把钱学礼受贿的事录了音，只要把这个录音带交给市纪委，钱学礼怕是小命不保！"

257

"小梅，你对我真好，我真是想醉死在你的温柔乡里。"

"别哄我！"罗小梅面如桃花地说。

完事以后丁能通把罗小梅抱进了卧室，两个人抱在一起静静地躺着，罗小梅不经意地叹了一声。

"怎么了？"丁能通不解地问。

"没什么，只是想起了单位那个姓王的，挺烦人的。"

"那小子确实不是东西，和钱学礼是一路货色，我也没想到张铁男会把他打发到北京来，要不我找铁男说说，再把他调回去？"

"算了，量他也翻不了天。"

"小梅，你事业心太强，凡事别太认真，以前我追求富贵相融，选来选去，选了个驻京办主任这个位置，既想当官又想当老板，现在两样都齐了，又觉得没什么意思。我对什么是事业，什么是职业有些混淆了，这年头老教授摇唇鼓舌，四处赚钱，越来越像商人；商人现身讲坛，著述立说，越来越像教授;医生见死不救,草菅人命,越来越像杀手;杀手出手麻利,不留后患,越来越像医生;明星卖弄风骚,给钱就上,越来越像妓女;妓女楚楚动人,明码标价,越来越像明星。"

"行了,别发牢骚了,你没听人家说有十种人不宜做大官。"罗小梅柳叶弯眉轻轻一挑妩媚地说。

"哪十种人?"

"胆小、话多、钱少、关系差、酒量小、才华横溢、学历太高、嫉恶如仇、性功能差,最后一个是有姿色不肯献身。"

"我怎么觉得这十种长处我都占了?"

"别臭美了,净变相夸自己。"

"有夸自己性功能差的吗?"丁能通瞪大眼睛问。

罗小梅被丁能通说得笑了,她光着身子下地拿水果,放在茶几上的手机突然响了起来,她拿起手机接听,听着听着表情变了,好像发生了什么事情。

258

丁能通觉得这个电话很异样,他披着毛巾被走过去问:"谁的电话?"

罗小梅挂断手机愣了一会儿说:"何振东。"

"他找你有什么事呀?"

"他说明天让我回东州,市纪委要找我谈话。"

罗小梅说话有气无力的,身子软软的,连呼吸都急促起来。丁能通抱起罗小梅,她的身子冰凉冰凉的,丁能通把罗小梅放到床上,说:"小梅,好好的,市纪委怎么会找到你? 好好想想,他们找你会有什么事?"

罗小梅想了半天说:"除了吃吃喝喝违纪报点票子,没别的事呀!"

"这算什么事,哪个办事处没有这种事? 往大事上想,对了,是不是这套房子有什么事?"

"通哥,这套房子是合法的,我父母在东州给我买了一套房子,我把它卖了,又贷了点款买的。"

"妈的,一定是那个姓王的干的,这个王八蛋! 见不得别人好,走到哪儿哪儿倒霉,简直是害群之马!"丁能通气愤地说,"小梅,既然心里没有鬼,中纪委找咱都不怕!"

"通哥,违法的事没有,违纪的事可不少啊,干咱们这个角的,哪有不违纪的,真是要较起真儿来,怕我这个驻京办主任的位置就保不住了。"

看得出罗小梅很紧张，丁能通知道事情不一定像罗小梅说的那么简单，丁能通对罗小梅是动了真情的，正因为如此，某种担心在他内心隐隐膨胀着。丁能通想把气氛弄得好一些，尽量说些开心的事，可是罗小梅像被霜打的茄子，再也提不起精神了，勉强挤出来的笑容显得很吃力。

"小梅，明天回东州把事情说清楚不就得了吗？何必如临大敌似的！"丁能通尽量宽慰道。

"通哥，万一我离开了驻京办一定是被开除了公职，到时候就没有能力惩治那个姓王的和钱学礼了，这盘带你一定交给东州市检察院，我想来想去，害我的人只有他们两个，别忘了害我的目的是为了害你，他们以为把我弄进去一定会供出你。"罗小梅像说临终遗言一样，一边从枕头底下拿出一盘录音带一边面无表情地说。

丁能通接过录音带仿佛拿的是护身符，他觉得罗小梅是对的，说来说去，罗小梅都是因为爱自己，才卷进自己与钱学礼的漩涡之中，罗小梅无事则已，有事也是我丁能通害的。

想到这儿，丁能通愧疚起来，而此时罗小梅的玉背对着他，躬成一团，朝里躺着，也没有盖被。丁能通用滚烫的胸膛贴上去，把脸埋在她的秀发里，发香催生了丁能通的怜爱，他把腿搭在罗小梅的臀上，手不停地爱抚着罗小梅的双乳，可是，罗小梅没有一点反应。

259

罗小梅越没有反应，丁能通柔情越浓，浓得连他自己都觉得感动，他用舌头舔着罗小梅的玉背，恨不得一点一点地将她吮化。终于，罗小梅慢慢地转过身来，一双泪眼默默地望着丁能通，良久，一双冰唇吻了过来，柔嫩而温润的舌头伸到了丁能通的嘴里，深情地吮吸，丁能通用力衔住罗小梅的柔舌，生怕消失一般。

两个人折腾累了，静静地躺着听着对方的呼吸，突然，罗小梅慢慢地转过身子，可怕地望着丁能通，良久问道："通哥，忘了我行吗？"

"小梅，你什么意思？"丁能通不解地问。

"今天晚上就算我们俩告别吧，明天我登上飞机之时，就是我们俩分手之日。"

罗小梅说得很冷静，丁能通突然醒悟过来，他猛然坐起来问："小梅，为什么？这是为什么？"

丁能通晃了半天罗小梅的肩膀，罗小梅却一句话也不说，丁能通不问了，他靠在床头,望着墙上滴答滴答的石英钟,内心充满了孤独、惆怅和哀伤。

80、仁至义尽

罗小梅被市纪委双规了,丁能通是在罗小梅离开北京两天后得知的。关于罗小梅被双规,在驻京办的圈子里生出许多谣言,所有的谣言都与丁能通有关,丁能通知道,对手对罗小梅并未善罢甘休,矛头直指自己。丁能通也没闲着,他终于下定决心将罗小梅留给他的录音带寄给了市纪委。

就在中央巡视组到达东州的一个月前,常务副省长刘光大升任省委副书记兼省纪委书记,常务副省长一职交接给了清江省第二大城市昌山市的市委书记梅红军。刚刚走马上任不到一个月,就迎来了中央巡视组,刘光大感到了一种无形的巨大压力。

早晨一上班,刘光大没进自己的办公室,直接去了林白的办公室,刚一进门,发现东州市委书记王元章也在。

"哟,元章同志也在。正好我要找林白同志谈谈你们东州的事情,咱们一起议一议吧。"刘光大兴奋地说。

"光大,元章同志已经向我汇报了一个多小时了,他汇报的情况很重要,我也正想找你呢,真是说曹操曹操到啊!"林白说完哈哈大笑,起身给刘光大沏茶。

"老林,我觉得中央巡视组是有备而来,好像已经锁定了目标。"刘光大十分认真地说,"这让我们的工作很被动。"

"光大,中央巡视组有他们的一套独特的工作方法,我倒觉得不要因为中央巡视组来了,工作上显得被动了,就手忙脚乱的。我们还是要按部就班地开展工作,刚才元章同志反映的情况很重要,想必你这个省纪委书记不会没有耳闻吧?"

"你们是说贾朝轩的问题吧? 最近省纪委接到许多举报信,说贾朝轩是以陈富忠为首的黑社会的保护伞。是不是保护伞要有证据,目前陈富忠牙咬得很紧,我专门与东州市副市长、市公安局局长邓大海通了电话,要求他们在办案过程中一定要深挖保护伞。"刘光大目光炯炯地说。

"光大同志,我认为贾朝轩的问题不光是充当黑社会保护伞的问题,关于他境外赌博的举报材料也越来越多,为民同志生前曾多次提醒我关于他境外赌博的事，起初，我还不太相信，后来举报材料说得越来越详实，不能不引起我们的重视呀！"王元章补充说。

"元章说的对，我建议关于贾朝轩的问题，你们省纪委应该专门向中央巡视组汇报一次，工作上要争取主动嘛！"林白笑着说。

"这个贾朝轩刚从北京学习回来，就暴露出这么多问题，真是辜负了组织上对他多年的培养啊！"刘光大气愤地说。

"我们党一向是惩前毖后，治病救人，应该说改革开放这么多年，我们的成绩是有目共睹的，但是经济上去了，体制的问题也逐渐显现，有些干部是不知不觉走向邪路上去的，我们党有责任为领导干部设置一道拒腐防变的制度防线啊！"林白感慨地说。

"林书记，我懂你的意思，我回去后，一定找贾朝轩谈一次，再给他一次机会，希望他能自觉向党、向组织袒露心扉，争取主动！"王元章动情地说。

"元章，你想得很周到，贾朝轩是你看着成长的，你们之间有浑厚的感情，贾朝轩出了问题是大家谁都不愿意看到的。"林白伤感地说。

"元章，我们共产党人是最讲感情的，但决不能感情用事，我看贾朝轩已经走得太远了，绝对不会主动交代问题的。"刘光大阴着脸说。

"老刘，还是谈一次吧，请你给我一些理解，也请相信我的党性原则。"261

刘光大看了一眼林白，林白点了点头，刘光大深长地叹了口气。

自从陈富忠被抓以后，贾朝轩就陷入一种莫名的恐惧之中。他觉得自己活了四十多年，仿佛是黄粱一梦，梦醒了，一切都晚了。

原本他曾把梦寄托在北京王老身上，但是他忽略了王老既不是一言九鼎的省委书记，也不是手握封疆大吏乌纱的中组部部长，只不过是个过了气的老官僚，虽然有一些威望，但以林白为首的新班子怎么可能买账？

林白、赵长征这些人一向以党性原则标榜自己，他们都是些没有七情六欲的疯子，贾朝轩一向自认为自己在宦海里游泳是个高手，却不知不觉卷入了漩涡。他仔细搜索有可能给自己带来一线生机的人，没有，原来宦海里连根稻草也没有的，贾朝轩内心无限悲凉，他忽然明白，要想救自己，只有靠自己，眼下最要紧的是封住陈富忠的嘴，怎么封呢？

贾朝轩靠在办公桌前的高背黑皮坐椅上，闭目沉思，突然，他的目光霍然一跳，似乎想起了一条妙计。办公桌上的电话响了，他望着面前的三部电话机,发了一阵呆,一时无法判断哪部在响,他定了定神,不是红色的保密电话,也不是黑色的普通电话,响个不停的是市委、市政府的白色内线电话,内线电话响,基本上是副市级以上领导打来的,他缓慢地拿起电话,沙哑地问:"哪位?"

"朝轩啊,我是王元章!"

"你好! 王书记!"

"朝轩,能不能到我这儿来一趟? 我们好好谈一谈。"王元章诚恳地说。

贾朝轩当了六七年的副市长了,王元章从未像今天这样找自己谈谈,他觉得今天的王元章有些异常,但是不答应又不行。

"太好了,王书记 ,"贾朝轩佯装高兴地说,"真想找你好好聊聊,正好上午我有空,我马上就到。"

贾朝轩放下电话那种莫名的恐惧感又袭上心头,他知道王元章是不会无缘无故找一位市委常委、常务副市长谈话的,尽管王元章在自己的仕途上起过提携的关键作用。

应该说,贾朝轩对王元章从骨子里是感激的,但是贾朝轩认为王元章终归跟自己不是一类人,再加上李为民与王元章越走越近,这两年贾朝轩与王元章始终保持着若即若离的关系。

自从陈富忠出事以后,谣言四起,所有迹象都似乎不对头,特别是省里平静得有点超乎常规。尤其最近贾朝轩听说中央巡视组已经到东州,但是没有任何官方的报道,也没见中央巡视组成员露面,这让贾朝轩无法理解。照理说省委书记林白应该正式见一见中央巡视组的,但是省里平静得就像中央巡视组根本没有来一样,贾朝轩坚信平静背后必有惊涛骇浪,或许与王元章谈谈能听到点什么风声。

贾朝轩刚走到王元章的办公室门口时,王元章正往外送一个人,正是中央巡视组成员刘凤云。刘凤云认识贾朝轩,但是贾朝轩并不认识刘凤云,刘凤云意味深长地看了一眼贾朝轩,便与王元章告别了,王元章向刘凤云摆摆手,然后将手一让,将贾朝轩请进办公室。

"王书记,这个人是谁? 看我的眼神好像认识我。"贾朝轩狐疑地问。

"朝轩,你是东州市的常务副市长,东州人谁不认识呀?"王元章故意避开话题,不谈刘凤云,而是半开了一个玩笑。

"王书记，我这个常务副市长就快被人架空了，明明主管城建工作，正管花博园的建设，可是却插不上手啊，有人怕咱抢功啊！"贾朝轩一边发牢骚，一边坐在沙发上点上一支烟。

"朝轩，情绪不太对嘛。"王元章给贾朝轩沏完茶也坐在沙发上，默然良久才说，"朝轩，为民牺牲前，我就想找你谈谈，这也是为民同志的意思，我考虑了很久，又觉得不好谈，因此才拖到今天！为了能谈出点效果来，昨天晚上我都没睡好，或者说彻夜未眠哪！"

贾朝轩更加确认这不是一次普通的谈话，或许跟自己与陈富忠的关系有关。

"王书记，我是你的老部下了，你是看着我一步一步走到今天的，你最了解我，有什么话尽管说，在东州，你是我贾朝轩最敬重的人！"贾朝轩似乎心中有数，他面色从容地恭维道。

"朝轩，你有这个态度就好，上次中组部考察组临走时，周永年就与我深谈过，他特别担心我们市委班子里有人出问题。你也知道改革开放二十多年来，我们党的干部中落马的不在少数，我虽然不敢奢望我们班子里每一个成员都像李为民那样做人做事做官，但是，我也不希望我们这班子中有人掉队、落马，甚至腐败堕落。"王元章语重心长地说。

"王书记，你一定是听到了关于我的什么反映，或者说是举报，这也不是第一次了，为民活着的时候也没少做我这方面的文章，但是我敢向组织保证，我贾朝轩对党对人民是无愧的！"贾朝轩有些激动，长长的烟灰掉在裤子上，但他赶紧扑落掉了。

"朝轩，你不要激动，我们开诚布公地谈，真理越辩越明嘛，组织上接到不少关于你和陈富忠之间交往的举报，你与陈富忠到底交往到什么程度？"王元章严肃地问。

"王书记，我与陈富忠仅限于朋友关系，你知道，我是从基层一点一点干上来的，重感情，平时与下属也是称兄道弟，江湖义气太重，但是我有分寸，从来不敢越雷池一步。"贾朝轩又点上一支烟。

"朝轩，那你与陈富忠在境外做没做过出格的事情？"王元章口气阴冷起来，贾朝轩听着越来越不舒服。

"元章同志，我希望组织上不要听信谣言，有人一直对我耿耿于怀，惦记我的位置的人不是一天两天了，对于诬赃陷害之辞我拒绝回答。如果你不相信我,可以立案调查,我全力配合组织把问题搞清楚,如果仅凭几封栽赃陷害的匿名信就对我捕风捉影,我想不通!"

王元章预感到这次谈话会很艰难,但是他没想到贾朝轩会如此执迷不悟。

"捕风捉影?"王元章激动地拍了一下桌子说,"人家怎么不对我王元章捕风捉影,怎么不对李为民捕风捉影,单单揪住你贾朝轩不放,同志,若要人不知,除非己莫为,难道你与陈富忠之间真的那么清白?今天我是代表组织找你谈话,不是请你喝茶聊天的,一旦陈富忠开了口,你贾朝轩就真的被动了,我希望你能把握这次机会,不要抱侥幸心理。"

"王书记,"贾朝轩一副吃惊的样子,"我难以相信你会对我如此不信任,如果怀疑我有经济问题,组织上采取措施好了,对不起,我还有事,我先走了。"

贾朝轩起身要走,王元章勃然大怒道:"贾朝轩,你太让我失望了,既然如此,你好自为之吧。"

王元章的话音刚落,贾朝轩已然摔门而去。王元章望着被贾朝轩重重关上的门气得呼哧呼哧喘着粗气。他无奈地坐在沙发上,心想,自己已经仁至义尽,你贾朝轩不知道悬崖勒马,只好任凭你往下跳了。想到这儿,王元章重重地叹了口气。

81、阴谋

贾朝轩相信,只要陈富忠不开口,自己还有机会,他已经意识到封住陈富忠的嘴是头等大事,必须想办法"探望"一下陈富忠。

丁能通正在为罗小梅被双规的事闹心,他想打听一下罗小梅的事到底有多严重,但是,由于自己与罗小梅的关系太敏感,不敢轻易找市纪委的熟人打听,他想来想去,只有一个人可以帮他打听,这个人就是林大可。

丁能通刚与林大可通完电话,就接到了贾朝轩的电话。

"能通,什么时候回东州?"

"贾市长,家里有点事,我明天就想回去一趟,有事吗?"丁能通觉得贾朝轩的口气阴森森的,有些怪异。

"回来后,到我这儿来一趟,我有事求你!"

贾朝轩"求你"两个字说得很重,以至于丁能通挂断电话后还在琢磨,贾朝轩求我能有什么事?莫非又要搞什么古玩往北京送?丁能通想来想去,想不明白,对了,中央巡视组在东州,该不会是想见刘凤云吧?

　　丁能通越想越觉得是那么回事,但是,目前中央巡视组在东州是最敏感的话题,这里面悬念太多,决不能着了贾朝轩的道儿,他顿时警觉起来。

　　丁能通太精明了,他抛家舍业到驻京办当主任,就是不想深趟东州官场的浑水,但是丁能通忘了一句话,人在江湖,身不由己。现在,这句话开始应验了。

　　丁能通这次回东州其实是为了罗小梅,因为自从罗小梅被双规以后,他心里就有一种莫名其妙的紧张,似乎自己也会有什么麻烦。

　　丁能通老想打听明白罗小梅的事到底有多严重,虽然林大可答应帮助打听罗小梅的情况,但是丁能通知道林大可作为花博园建设指挥部建设部部长,目前是东州最忙的人,因为离花博会开幕还有四个多月的时间,这样一场东州市有史以来最大的国际盛会,在这么短的时间内完成建园,又赶上冬季施工,难度可想而知,林大可肩上的压力也可想而知。

　　丁能通回到东州后,最先见的就是林大可,两个人只谈了五分钟,在这五分钟里,丁能通得知市纪委也找过林大可。

　　林大可告诉丁能通:"我了解罗小梅,你也要相信她。她不会有什么大事的。"

　　从花博园回来的路上,丁能通接到贾朝轩的电话,两个人约好在草河口森林公园见面,贾朝轩如此神秘,让丁能通觉得像跟贼打交道一样。

　　冬天的田野特别空旷、辽阔,前儿天的一场小雪还没有消融,白茫茫的一片,在阳光下闪烁着刺目的光亮。

　　丁能通开车进入风景区,森林一片沉寂,甚至有些神秘莫测。落叶松的秃枝正挂满银霜,摇摇欲坠,太阳柔和的光辉穿透树巅沿树身照下来,忽而照出一块积雪覆盖的林中空地,忽而照出半截埋在雪里的巨大枯木,枯木像尸体一样在地上腐烂着,好在林中穿插着一些松树苍葱地立着,发出尖利刺耳的呼啸,像是有意蔑视冬天。

　　丁能通的车正在林间的柏油路上行驶,忽然身后驶上来一辆红色宝马,一直跟着自己,丁能通正纳闷时,红色宝马急速驶了上来。

　　宝马车窗打开,苏红袖探头喊道:"能通,我们在前面森林公园的后门等你。"

苏红袖说完一踩油门超过了丁能通的车。丁能通也知道,贾朝轩就坐在苏红袖的车上,这还是丁能通第一次见贾朝轩如此神秘地见自己,好像有什么见不得人的勾当,丁能通愈发警觉了起来。今天的见面不安排在办公室,也不在宾馆酒店,更没有带司机秘书,而是由情人开车,秘密召见,贾朝轩显然不想让人知道这次见面,为什么怕别人知道?丁能通反复问自己。

草河口风景区前门非常热闹,后门却非常冷清,眼前的森林生长在低山丘陵上,虽然茫茫苍苍地枯着,但不失严峻雄伟的气魄。

丁能通下了车,向红色宝马走去,刚要走到车旁时,贾朝轩下了车,手里拎着一个包。

"能通,陪我到山上走走吧。"贾朝轩说完,率先向山上走去。

丁能通紧跟在贾朝轩后面沿着一条石板小路往山上走,路边是嶙峋的怪石,不远处还能看到一条干涸的山泉,袒露着灰白的泉槽,几株枯萎的野草在石缝儿间摆动,迎着寒风,唱着生命的哀歌。

丁能通越往上走心里越发虚,好像有什么不祥的事情在等着自己,爬到半山腰时,出现一个凉亭,贾朝轩站住了,示意丁能通坐在亭栏上。

"能通,你知道,我和陈富忠是最好的朋友,如今他遭难了,我心里很难过,我这个人是最讲感情,重义气的,说实话,我是真想去看看他,可是我的身份又不允许我这样做,想来想去,我想让红袖代我去看看他,也算我和他朋友一场,不过现在想见到富忠太难了,公安局必须有朋友帮忙,你能不能求求石存山,让他帮帮忙,让红袖看看富忠。"

丁能通一路上猜来猜去不知道贾朝轩神神秘秘地找自己是为了什么,闹了半天,是为了让苏红袖去看陈富忠,丁能通一直提着的心反倒放松下来。

"贾市长,现在是非常时期,除了陈富忠的直系亲属,谁也不可能见到他。"丁能通为难地说。

"我打听过了,陈富忠目前关押在昌山市看守所,你和石存山是大学同学,又是铁哥儿们,我听说他现在正在和你的大姨姐衣梅热恋,你去求他,他不会不给你面子的。"

丁能通听罢心里好笑,心想,这个贾朝轩像个特务一样,对我和石存

266

山的关系还了解得门儿清,连石存山和衣梅谈恋爱的事他都知道,为陈富忠真是煞费苦心呀!不对,非常时期,贾朝轩不会搞什么鬼吧?想到这儿,丁能通多了一个心眼。

"贾市长,石存山那小子是个特别原则的人,既然您都把话说到这个份上了,我只能答应您试一试,至于能不能让红袖见到陈富忠,就看运气了。"丁能通佯装诚恳地说。

"好,能通,我相信,只要你肯出面找石存山,就一定能让红袖见到富忠。"两个人正说着话,苏红袖溜溜达达地走上山来。

贾朝轩见到苏红袖动情地说:"红袖,我和能通说好了,他领你去见石存山,如果见到富忠,你就说,我很惦记他,能帮他的,我一定尽力,让他多保重自己,该吃吃,该喝喝,钱不是问题。"贾朝轩说完眼圈都有些湿润,苏红袖很感动。

"贾市长,您放心,我会尽力的!"丁能通觉得贾朝轩在演戏。

"那好,红袖,去的时候,把这瓶好酒带上,就说是我的一点心意,这小子平生就两大爱好,一个是女人,另一个就是贪杯,他在号里,女人咱没办法,不过好酒管够。"

贾朝轩说完,将手里的皮包递给苏红袖,苏红袖接过一看,是一瓶极品轩尼诗。

267

"放心吧,轩哥,至少我争取把这瓶酒让石存山转给富忠。"

"那就好,那就好,富忠从小是孤儿,又没成家,没什么亲人了,咱们是好朋友,咱不帮他谁帮他。"

其实,丁能通骨子里从未认为陈富忠与自己是好朋友,特别是段玉芬被害后,丁能通对陈富忠更是嗤之以鼻,但是丁能通是从官场漩涡里滚出来的人,凡事面上都能过得去,何况他为北京花园的事一直在利用陈富忠。

俗话说,人之将死,其言也善,想必陈富忠离死也不远了,贾朝轩让苏红袖代他看看也无妨,就怕贾朝轩利用苏红袖,想到这儿他计上心来。

"能通,见了石存山千万别说是我让红袖去看陈富忠的,要注意维护领导形象,就说是红袖要去看他,目前我与陈富忠之间的谣言够多的了,别再节外生枝了!"贾朝轩嘱咐道。

"贾市长,我懂您的意思,我不会让石存山误解的。"

"那就好。"

"贾市长,如果没别的事,让红袖坐我的车走吧,我直接去见石存山。"

"好吧,能通,你们先走,红袖,我自己开车回去。"

在车上,丁能通一边开车一边说:"红袖,你胆儿够肥的,这种差事你也敢接!"

"怎么了?轩哥不方便,我替他看看陈富忠又不犯法!"

"你就不怕贾朝轩送的是一瓶毒酒!"丁能通冷冷地说。

苏红袖听罢激灵一下,"能通,不会吧,朝轩能害我?"

"红袖,你想想,陈富忠要开口,第一个进去的应该是谁?"

"你是说贾朝轩想利用我杀人灭口?!"

"红袖,你听我的,见到石存山就清楚了,贾朝轩问你,你就说存山答应把酒送进去,但人不让见,我估计存山肯定拿酒去化验。"

"能通,我听你的。"苏红袖六神无主地说。

石存山接到丁能通的电话时,刚从昌山市看守所提审陈富忠回来,陈富忠一副死猪不怕开水烫的样子,让石存山也挺发愁,他没想到陈富忠果然是个人物,软硬不吃,打定主意不开口,又不能刑讯逼供,石存山做刑警十几年了,陈富忠是他遇上的最难啃的骨头。

就在石存山一筹莫展的时候,丁能通打电话要见他,两个人约好在刑警支队对面的川菜馆秀江南见面。

石存山预感到丁能通是无事不登三宝殿,丁能通接触大人物多,石存山也想从丁能通那儿听到点有利于撬开陈富忠嘴的消息。

石存山走进秀江南饭店包房时,丁能通和苏红袖已经要好了酒菜,正一边说着话一边喝着茶。

"能通,让你久等了!"石存山风尘仆仆地走进来说,"哟,大美女也在,难得,难得!"路上由于丁能通对苏红袖讲明了利害,苏红袖紧张得有些木讷。

"存山,陈富忠为什么要关押在昌山市看守所?而不押在东州市看守所?"丁能通不解地问。

"能通,这你就不懂了,陈富忠在东州经营了二十多年,黑白两道他全通,异地关押是为了预防万一。"

"陈富忠有那么玄乎吗?是不是有点草木皆兵啊?"丁能通一边给石

存山倒酒一边说。

"你不知道,能通,海志强被捕后,就关押在刑警支队的地下室,他手下的爪牙竟化装成干警,把枪递了进去,结果这小子半夜越狱,与看守他的干警发生了枪战,两名警察负了重伤,这小子也被击中要害,现在还在医院里昏迷不醒。"

"这是什么时候的事?"丁能通和苏红袖吃惊地问。

"一周前,这帮小子都是亡命之徒,猖狂得很,不加小心不行啊!"

石存山说完,端起酒杯与丁能通和苏红袖碰了一下,一饮而尽。丁能通和苏红袖听得有点心惊肉跳,半天缓不过神儿来。

"存山,你跟我交个底儿,在陈富忠一案里,贾朝轩陷得到底有多深?"

"有多深,你们还不知道? 你们不是经常在一起吗?"石存山讥讽地说。

"存山,不瞒你说,我这次回东州是贾朝轩叫我回来的,他刚刚找过我。"

"他找你干什么?"

"他求我一件事,让我跟你说情,求你帮助红袖进去看望陈富忠。"

"他做梦,看陈富忠除非直系亲属,谁也别想见。"石存山似乎听明白了丁能通的意思,当场封口,不给丁能通一点缝隙。

"存山,就因为咱们俩关系特殊,他才求我的,说句实话,他现在仍然是常务副市长主管驻京办,我必须听他的调遣,但是现在是非常时期,我不得不多个心眼,我觉得他是想利用苏红袖。"

"红袖,贾朝轩让你送什么?"

"一瓶洋酒。"苏红袖紧张地说。

"红袖,我觉得你被利用了,这瓶酒肯定有问题。"

"怎见得?"苏红袖将信将疑地问。

"我还说不好,只是预感,如果我的预感正确的话,你们可帮我大忙了!"石存山兴奋地说。

"什么预感?"丁能通不解地问。

"现在还不能告诉你们,来,干一杯!"石存山干完说,"能通、红袖,你们慢慢吃吧,我得赶紧走,这瓶酒交给我,你们就放心吧。"

石存山说完把洋酒放进手提袋里,往嘴里扔了几粒花生米,匆匆忙忙地走了。

82、按兵不动

肖鸿林这几天心情很郁闷,出访加拿大由于违反外事纪律,擅自会见加拿大总理,而且说了不少出格的话,被外交部发现,上报到国务院,国务院领导批示,对肖鸿林的行为进行了严肃批评,并责成清江省省长赵长征过问此事。

肖鸿林亲自到赵长征办公室做了检讨,回来后赵长征批评他的话一直在他脑海里萦绕:"你肖鸿林野心不小啊!"赵长征把《东州日报》往肖鸿林面前一摔,"还宾主进行了友好会谈,你是什么?国务院领导吗?"

赵长征的话说到了肖鸿林的痛处,因为在肖鸿林眼里,赵长征是个平庸的省长,至少与他肖鸿林比起来赵长征是个平庸之辈,这样的人在肖鸿林面前说话一点情面不给他留,极大地伤害了他的自尊心。

肖鸿林借考察花博园工程之机,把气都撒在了林大可的身上。原来,市消防支队挑牡丹馆的毛病,说该馆的消防设施不过关,林大可没当回事,因为牡丹馆里有三分之一是水池,温室内湿度高达百分之七十。消防支队不依不饶地告到肖鸿林处,肖鸿林借机大骂林大可一顿,把林大可骂得脖子粗脸红的,敢怒不敢言,只好忍气吞声地按领导意图办。

肖鸿林骂过林大可,觉得心情好了一些,回到办公室,还没坐稳,袁锡藩就迈着八字步走了进来。

"鸿林,中央巡视组来东州快一个月了,一点动静都没有,你不觉得过于蹊跷吗?"

"是啊,他们惯于微服私访,神出鬼没的,真有些防不胜防啊!锡藩,钱学礼最近有什么新发现吗?"

"鸿林,我看贾朝轩有些坐不住了,前两天在草河口森林风景区,秘密见了一次丁能通。"袁锡藩神神秘秘地说。

"能通又回东州了?怎么这小子没来见我?锡藩,你说贾朝轩见丁能通干什么?"

"不太清楚,据钱学礼说,丁能通离开贾朝轩后就和苏红袖去见了石存山。"

"有点意思,该不是能通发现了什么告诉石存山,这小子和石存山是铁哥儿们，搞不好贾朝轩弄巧成拙，让能通卖了也说不定，咱们自管坐山观虎斗得了，丁能通这小子鬼得很，轻易吃不了亏！"肖鸿林用欣赏的口气说。

"鸿林，我倒觉得你应该主动与中央巡视组接触接触，礼多人不怪嘛，人怕见面树怕扒皮，中央巡视组听着怪吓人的，其实，还是老一套，走走过场，游游山，玩玩水，吃点喝点，一拍屁股走了。"

"锡藩，中央巡视组要像你说的那样，会来了一个月没有动静？可别小看了这些人，真正的'八府巡案'！我看他们早晚得露面，主动搭讪未必是好事，还是顺其自然的好。"

肖鸿林的表情显然对中央巡视组有所顾虑，一点也不敢轻举妄动，袁锡藩看出了肖鸿林的顾虑，知道来者不善，便觉得这是个难得的机会！

"鸿林，最起码要把东州的实际情况反映上去，这可是个难得的机会啊！"

"这个你放心，我心里有数，即使我们不反映，有人也会反映的，我听说王元章最近往省里跑得很勤。"

"鸿林，我觉得王元章比你聪明，想必他已经接触上了中央巡视组，要知道，中央巡视组不光是由中纪委成员组成的，还有一半是中组部的，别忘了，今年年底，省里就要换届了，到时候，林白上调中央，赵长征接任省委书记，省长的位置你和王元章是最有力的人选，如果中央不是空降新人，必然在你和王元章之间选取一人，王元章这个时候紧着往省委跑，也是司马昭之心路人皆知啊！"

"他这是没什么政绩，急了！"肖鸿林突然转移话题问，"你的小媳妇什么时候生啊？"

"早呢，上次让陈富忠一闹流产了，这个王八蛋想让我断子绝孙呀！"

"锡藩，真羡慕你呀，能娶这么漂亮的小媳妇为妻，将来再生个大胖小子，看来你是苦尽甘来了！"

"鸿林，我知道你对你那个老婆一肚子气，不过白丽娜还是不错的！"

"锡藩，你可不能给我瞎咧咧，这是犯忌的事，别忘了中央巡视组就在东州，你要是不想害我，嘴巴就把住门，别忘了，你离常务就差一步了！"

"鸿林，这不是没外人嘛，咱们谁跟谁呀！"

袁锡藩被肖鸿林说得大萝卜脸一会儿红一会儿白的，但是为了自己的前程,卑微是最好的讨好。

83、毒酒

丁能通回到北京就接到肖鸿林的电话,要求他在五一节花博会开幕时,多联谊北京各界名流,越多越好,最好是能来一个包机。

丁能通感到压力很大,驻京办班子召开专题会,专门研究这个任务。钱学礼却没有参加,原因是找不到他,手机关机,家里人也不知他的去向,东州驻京办房地产开发工地上也找不到人。

丁能通会后专门给薪泽金的小舅子打了一个电话,薪泽金的小舅子说,他也两三天没见着钱学礼的人影了。丁能通猛然醒悟,是不是自己寄出的录音带起了作用?这小子被双规了。

于是,丁能通给主管纪检的市委副书记、市纪委书记洪文山的秘书打电话,洪文山原先是省纪委副书记,李为民牺牲后,委派洪文山接替了李为民的职位。

洪文山的秘书说出了实情,钱学礼没有被双规,而是直接被市检察院带走了,钱学礼案情重大,由市纪委和市检察院联合办案。

丁能通听了后,心怦怦跳了起来,也不知是高兴还是悲哀,他觉得钱学礼大概是折腾到头了,常言道害人先害己,钱学礼虽然是自己把自己送进去的,但是丁能通总有一种兔死狐悲的感伤。

东州的房地产开发不能没有人管,丁能通把情况通报给了黄梦然,让黄梦然把这块工作接过来,黄梦然听后惊得张着大嘴半天说不出话来。

开了一天的会,丁能通累极了,他回到房间,洗了个热水澡,想好好睡一觉,刚躺在床上,放在床头的手机就响了,他接听后突然兴奋得从床上坐了起来。

原来,电话是林大可打来的,他告诉丁能通,罗小梅双规解除了,已经回皇县了。

"大可,罗小梅一点事都没有吗?"丁能通将信将疑地问。

"可能有违纪的事,至于怎么处理是后话,反正没有违法犯罪的事。"林大可打保票说。

丁能通挂断林大可的电话后赶紧给罗小梅打手机,罗小梅的手机却关机，丁能通忽然想起罗小梅被双规的第一个晚上，两个人做完爱后，罗小梅提出分手，丁能通心里一下子凉了起来，他心想，看来罗小梅是玩真的了，不然解除双规后，第一个就应该给我打电话，可是她给林大可打了电话却不给我打，显然与我分手的心意已决。丁能通躺在床上，望着房顶发了一阵呆，慢慢地打起了呼噜。

贾朝轩托苏红袖想通过石存山送给陈富忠的洋酒，石存山拿去做了检验，一检验令石存山大惊失色，虽然他事先有预感，但仍然不敢相信检验的结果。如果自己答应苏红袖，同意她拿着这瓶酒去看陈富忠或者自己替她转交，那么苏红袖或者自己就是跳进黄河也洗不清了。

贾朝轩的确用了一招利令智昏、弄巧成拙的毒计，人不能太聪明了，俗话说得好，聪明反被聪明误，贾朝轩无论如何也想不到，就是他送给陈富忠的酒，撬开了陈富忠紧咬的牙关。

因为这是瓶毒酒，检验结果一出来，石存山连夜向邓大海做了汇报。邓大海也没有想到，平时百姓心目中倍受尊敬的常务副市长，陷得如此之深，以至于到了要杀人灭口的地步。他指示石存山，将实情告诉陈富忠，让他断了只要不开口，幕后保护伞就会想办法救他的念头，不信他不开口。

这招儿果然奏效，陈富忠万万没有想到贾朝轩会对自己下毒手。反正是个死，临死我陈富忠就拉着你贾朝轩做伴吧。

陈富忠终于开口了，他开口那天，中央巡视组成员刘凤云和另一位同志旁听了审讯。原来邓大海听取了石存山的汇报后，觉得案情十分重大，他一方面向省公安厅做了汇报，同时，也向市委书记王元章，市委副书记、市纪委书记洪文山做了汇报。王元章和洪文山也觉得案情重大，与邓大海一起连夜向省委书记林白、省委副书记刘光大做了汇报。林白和刘光大得知情况后，与中央巡视组做了沟通，中央巡视组非常重视，派刘凤云同志做了审讯旁听。

84、双规

世界花卉艺术生产者协会会长理查德先生由国家商务部领导陪同，专程到东州视察花博园建设情况，肖鸿林非常重视理查德这次视察，他和贾朝轩一起陪同了一整天。

晚上,在草河口宾馆隆重宴请了理查德一行,理查德对东州花博园的建设非常满意,席间给予了高度的评价,就在宾主谈笑风生频频举杯之际,贾朝轩接到市委书记王元章一个电话,请他到办公室去一趟。王书记在电话中只说请贾朝轩见一个非常重要的人物,但这个重要人物到底是谁,王元章没说,只是说,你来就知道了。

贾朝轩心想,必定是个大人物,或许是中组部的什么领导,贾朝轩也没多想,席散后,坐着专车去了市委。

当贾朝轩走进王元章办公室时,贾朝轩一下子愣住了,因为在王元章办公室的沙发上,坐着三个人,这三个人是省委副书记刘光大、市委副书记、市纪委书记洪文山,还有一个女的,贾朝轩看着面熟,但一时想不起来。不过贾朝轩看见刘光大和洪文山后,心中猛然产生了一种不祥的预感,但贾朝轩表面佯装得很从容。

"哟,刘书记、洪书记,你们也在呀?"贾朝轩故作镇静地说。

"朝轩,我给你介绍一下,这位是中纪委的刘凤云处长,也是中央巡视组成员。"王元章平和地说。

刘凤云点了点头严肃地说:"贾朝轩同志,我们中央巡视组在东州工作期间,接到了许多关于你的举报信,反映的问题十分严重,我们经过调查,认为这些举报信不是捕风捉影,所以,我们会同省纪委、市纪委对你实施双规,希望你在规定的时间和规定的地点说明问题。"

贾朝轩虽然心里有预感,但是听到刘凤云的话后,脑袋还是嗡的一声,他半天没说话,良久才说:"我给家里打个电话,就跟你们走。"

"不用了,朝轩,你家里组织上会安排好的。"刘光大抢先按住电话肃然说道。

"刘书记,我总得跟家里说一声吧。"贾朝轩无奈地说。

"你现在的首要任务是跟组织说清楚,而不是跟家里说清楚。"刘光大回敬道。

"贾朝轩同志,请不要耽误时间了,中央巡视组的领导和省委林书记还在等你。"刘凤云口气坚定而严厉。

贾朝轩看了一眼王元章,又看了一眼洪文山,无奈地低下了头。

85、残局

贾朝轩被双规的消息不胫而走,肖鸿林和袁锡藩连夜就知道了消息,肖鸿林兴奋地约袁锡藩到办公室下棋,袁锡藩如约而来,但并未像肖鸿林那样兴奋,反倒显得心事重重。肖鸿林早就摆好了象棋,不过不是从头下,而是一盘残局。

"鸿林,怎么是残局?"袁锡藩不解地问。

"是呀,锡藩,你不觉得东州目前就是残局吗?残局好呀,开局和中局缺少刺激和悬念,只有残局充满了命运的变数,每一步都面临命运的结局。"肖鸿林老谋深算地说。

"鸿林,你是说收拾残局的是我们?"

"锡藩,没那么简单,什么叫残局?残局是以微弱不全的子力,进行将近结束的尾盘决战,压倒优势的局面,其实只属于中局,不能算残局。"

"鸿林,我越听越糊涂了,难道目前我们的局势还不叫压倒优势的局面?"

"如果是这样就没什么意思了,残局的结局要么被对方杀死,要么杀死对方。这是一盘棋叫劲的时候,我对残局的看法有三,一是优则图胜,二是劣则谋和,三是均势则应创造战机,争取立于不败之地。"

"鸿林,眼下的局势你如何判断?"

"锡藩,你来看这盘残局,马少了绊脚,进攻性增强了;炮少了架子,进攻性削弱了;不宜轻动的帅(将)、士、相(象)逐渐在战场上活跃了起来;(兵)卒的比重升级,几乎成为一时的天之骄子;车勇猛迅速,为了和较弱的子力取得协调,有时不得不表现为柔劲潜远,刚健含婀娜的姿态。棋局好似战场,恰如人生啊,常胜将军没有,不犯错误的人难觅,况且每个弈者在对弈中都会竭尽全力,充分发挥,制造和利用对方错误,扩大己方优势,最终缚其苍龙。只是双方都作如意算盘,那就只能看谁的功深谋高,经验老到,临场发挥淋漓尽致了。虽然残局已无中局阶段那种宏大场面和最为复杂多变的局势,却决不可等闲视之。布局合理,中局占优,残局若一招不慎,照样前功尽弃,优势化为乌有。正所谓一招不慎,满盘皆输啊!所以,眼下正是我们慎而又慎的时期。"

275

肖鸿林说完,袁锡藩倒吸了一口凉气。肖鸿林觉得袁锡藩气色不对,满腹狐疑地问:"锡藩,你今天的情绪有点不对头啊,像是有什么心事,不妨说出来,要不这盘棋我赢了,也胜之不武呀!"肖鸿林说完哈哈大笑,笑得袁锡藩脸都扭曲了。

"鸿林,钱学礼也出事了。"袁锡藩慎重地说。

"我听说了,钱学礼只是个小卒,进去了对我们也没什么威胁。"

"鸿林,钱学礼这小子收了薪泽金小舅子七百万,这小子死定了。"

"他收人家七百万跟我们有什么关系?他死定了不是更好吗?"

"鸿林,可是我走错了一招棋。"袁锡藩脸涨得通红,支支吾吾地说。

"锡藩,你今儿怎么了?吞吞吐吐的,莫非你收了这小子的黑钱?"

"不是我收了,是你收了!"

"这话怎么讲?"肖鸿林急得大声问。

"鸿林,你先别急,听我慢慢说,你不是让我踅摸一块田黄石嘛,我就找了钱学礼,钱学礼没过多久就给我送来一块福寿如意的佛像,我又转给了你……"

"你给他钱了吗?"肖鸿林迫不及待地问。

"没,没有……"袁锡藩越说底气越不足,低下头说道。

肖鸿林气得一把将棋盘打翻在地:"袁锡藩,你糊涂!你笨蛋!这下好了,这就叫一招不慎……"肖鸿林并未说出"满盘皆输"这四个字,他知道残局才刚刚开始,还不到输的时候。肖鸿林焦躁地在地上来回踱步,心里不停地盘算着补救的办法。

"老袁,你为什么不早告诉我?"肖鸿林一边踱步一边指着袁锡藩。

"我本想疏通一下市检察院,如果事儿不大,让他们赶紧放人,没想到一打听,这小子这些年受贿索贿加贪污,弄了一千多万,死定了,根本弄不出来了。这两天我盘算着跟你说,你忙着接待理查德,我知道花博会在你心目中的分量,怕说了影响你的情绪,就没敢打扰你,没想到贾朝轩也出事了。贾朝轩跟我们明争暗斗这些年,知道我们的事太多了,中央巡视组又在东州,我怕节外生枝,这才不得不告诉你。"袁锡藩就像泄了气的臭皮囊,没精打采地说。

"锡藩,你继续疏通市检察院,想办法保住钱学礼的命,并想办法见一见钱学礼,把我保他命的事告诉他,只要他保住命,就不会乱讲,弄个死缓,过个十年八年就能出来了,就这么办了。问他还有什么要求,我们替他办,总之,想尽一切办法堵住他的嘴。"肖鸿林说到这儿,反倒平静了。

"鸿林,你放心,我一定按你的意思把事情办好。"

"锡藩,你刚才不是问我残局怎么收拾吗? 我告诉你,优势者要力戒骄躁,宜追穷寇,不可心慈手软;劣势者决不能气馁,要开拓思路,顽强抗争,争取力挽狂澜;而当势均力敌时,要设法制造战机,巧出奇兵,争得先手。我希望你做背水列阵、孤注一掷、反败为胜的英雄,不要做大江东去、无力回天、投子告负的壮士,来,把棋捡起来,咱们正儿八经地对上一局。"

86、未雨绸缪

丁能通也是当天晚上就知道贾朝轩被双规的消息的,他是从郑卫国那儿得到信息的,丁能通听到这一消息的第一个反应就是东州大地震开始了。

衣雪是搞新闻的,消息得到的也很快,她一听到消息,就给丁能通打了电话,衣雪是担心这场大地震刮着丈夫。果然丁能通承认这场大地震有可能牵涉到自己。

衣雪有些急了,问:"怎么还会涉及到你?"

丁能通沮丧地说:"我是肖市长一手提拔的,又被贾市长主管,我天天围着领导转,他们到北京干什么,送什么,都是我陪着,他们要是有事,我丁能通能脱离得了干系吗? 说白了这是政治斗争,我早就料到会有今天。"

丁能通在电话里情绪低落,把衣雪吓得够呛,第二天一大早没跟丁能通打招呼就飞到了北京。

丁能通没把衣雪安排在北京花园,他不想让同事们知道衣雪来了,他把衣雪安排在一个不起眼的三星级酒店,目的就是为了掩人耳目。

此时,丁能通心中充满了怨恨,肖鸿林和贾朝轩已经是人上人了,但仍不满足,斗来斗去,终于斗进去一个。贾朝轩虽然进去了,但他不会束手待毙的,贾朝轩不开口则已,一开口必然是一场暴风雨。

丁能通觉得贾朝轩、肖鸿林都是骑在虎背上的人,但他们是自己要过景阳岗的,既然没有武松的本事,就别装打虎英雄,人为什么不懂得留条后路呢？当年和珅要是懂得为自己留后路,何至于死在嘉庆手里？许多人不明白命比利重要,只有临死前,才会明白这个道理。

丁能通白天并没有陪衣雪,他为联谊北京名流之事忙了一天。晚上,他连平时开的奔驰都没用,悄悄打车去了那家三星级酒店。

一进房间,丁能通就满脸堆笑地问:"雪儿,这一天都干啥了?"

"我自己逛了一天王府井,这是我给你买的衣服,你看你身上的内衣都烂成什么样了? 你的内衣穿成这样,也不怕你的情人笑话你!"衣雪不温不火地说。

丁能通听了脸猛地红了一下,随即平和地说:"雪儿,你说话能不能不带刺儿?"

"怎么? 说到痛处了吧? 我知道你不爱听,以后想听还轻易听不到了呢,我看出来了,这官场啊没什么意思。"

"雪儿,晚上咱俩好好搓一顿,你想吃点什么?"

"人家都说我老了,我想吃燕窝,燕窝美容。"衣雪娇嗔地说。

"那好,咱就吃燕窝。"

"能通,我来的路上就想,东州官场有你说的那么吓人吗?"

"贾朝轩想让我求石存山帮苏红袖代贾朝轩看望陈富忠,多亏存山警惕性高,将贾朝轩托苏红袖给陈富忠的洋酒做了检验,不然,陈富忠就死在苏红袖的手里了,你说可怕不可怕?"

"贾朝轩想借苏红袖的手杀死陈富忠,他这是想杀人灭口啊!"衣雪听后瞠目结舌,去了餐厅。

别看这家酒店只是三星级,但餐厅的档次绝对是五星级的,两个人选了一个僻静处坐了下来,丁能通为衣雪要了一份燕窝,又随便点了两样粤菜,弄了瓶法国干红,两个人小酌了起来。

"能通,钱学礼是你的副手,他出事不会牵涉到你吧?"衣雪担心地问。

"我和姓钱的是两回事,他是他,我是我,没什么关系。"

"能通,这钱学礼怎么说进去就进去了。"

"钱学礼进去是迟早的事,这家伙太贪婪,而且一肚子坏水,背后没少坏我。白丽娜告诉我,有一年春节,她陪钱学礼去看望一些部委领导,送的是咱们东州琼水湖产的甲鱼,由于甲鱼的重量不同,又须按职分配,为了避免出错,钱学礼想了个办法,将官号都贴在了甲鱼的背上。当天有一些甲鱼没送出去,这家伙就想都归自己,到他们家楼前时,天已经晚了,不小心弄翻了竹篓,众甲鱼乘着夜幕争相逃命,钱学礼惊呼:丽娜,赵局长跑了! 快拦住它! 快抓住钱司长,小心它咬手! 那堵墙角里黑糊糊的莫非是孙处长吧? 李秘书个头小,爬得快,怕是找不到了。”

丁能通说得眉飞色舞,听得衣雪心花怒放。

87、绝食

早晨,王元章刚刚走进办公室,就接到刘凤云打来的电话,说贾朝轩绝食了。王元章问绝食有几天了,刘凤云说,快三天了,王元章赶紧要车。

贾朝轩被双规的地方很特殊,东州人管这里叫军区大院二号,曾经是国民党一位将军的官邸,解放后曾经住过两任清江省的省委书记,为坐北朝南的一座二层小楼,坐落在东州军分区大院内,为欧式建筑风格。门前一对石狮子,大铁门由两方巍峨高耸的方形雕花石柱相拥而成,透过岁月的痕迹,仍然能看出小楼设计上的新颖别致,造型上的高雅壮观,装饰上的富丽堂皇。仿佛楼内罗裙窸窣作响,长衫呼呼拂动,脂香粉气,英雄豪情,佳人美眷旖旎而过,达官鸿儒谈笑往来。

然而时过境迁,此时此刻,躺在宽大而柔软的床上的贾朝轩,双手放279在胸前,微闭双目,脑海中萌生的不再是欲望,而是速死的绝望。

王元章来到军区大院二号时,刘光大、洪文山、刘凤云等人一直在会议室等候王元章,王元章一跨进会议室的门,洪文山就说:“王书记,你可来了,这个贾朝轩不吃不喝两三天了,中纪委的同志无论怎么做工作,他都听不进去,刚才送早餐,他连门都锁上了……”

“这样吧,我跟他谈谈。”王元章冷静地说。

“可是他连门都不开……”洪文山气愤地说。

“凤云同志,你跟我一起去吧。”

刘凤云点了点头。几分钟后,王元章和刘凤云走到了贾朝轩的门前。

“贾副市长,王元章书记来看你了。”刘凤云平和地说。

“朝轩,我是王元章。”

贾朝轩根本想不到此时此刻王元章还会来看望自己,贾朝轩的心猛然跳动起来。

"朝轩,连我你都不想见了?乱弹琴!"

王元章说完,当当地砸起了门,贾朝轩被砸得心惊肉跳的,他再也躺不住了,猛然冲到门前打开了门。

才几天的工夫,贾朝轩明显消瘦了许多,也苍白了许多,望着王元章的神情呆若木鸡。

"怎么? 不请我坐?"

贾朝轩苦笑了笑说:"王书记,我有什么资格请你坐?"

"那我就请你坐,坐吧,坐下来咱们好好谈。"

几个人坐在沙发上,贾朝轩哭丧着脸说:"走到今天这个地步,我只恨一个人!"

"谁?"

"肖鸿林,是肖鸿林把我害成这个样子的!"

"你自己就没有一点责任? 到赌船上去豪赌也是陈富忠逼着你去的?"王元章严厉地问。

"这件事我是没有把握住自己。"贾朝轩的表情在绝望中开始挣扎。

"你没有把握住自己的事情多了,说说你和苏红袖是怎么回事?"王元章质问道。

"我和苏红袖就是一般朋友关系。"贾朝轩轻描淡写地说。

"一般关系? 一般关系你会送她价值三百万的别墅? 一般关系你会带她频繁出境豪赌? 到现在你还执迷不悟,朝轩,你被双规前,我就想好好和你谈谈,可是你说你没问题,标榜自己是个好干部,说什么有人整你,冤枉你。你走到今天,我心情很沉重,也很惭愧,我没能及时拉你一把,但是你自己就不觉得羞耻与惭愧? 你到北京乱跑关系,还出手送出价格不菲的'永子',也是别人诬陷你? 我看一开始你就没安好心,想害别人,贾朝轩,你是什么时候变得如此利欲熏心的? 党真是白白培养了你这么多年! 你背着组织干了这么多不法勾当,难道组织就不该查你?"

贾朝轩浑身颤抖了起来,头垂得很低。

"想一死了之,没那么容易,不吃东西,你拿死吓唬谁? 恐吓党吗? 你亏不亏心? 我劝你,从今天开始,好好吃东西,配合组织搞清楚问题,你不仅要讲清楚自己的问题,还有责任讲清楚其他人的问题,隐瞒是没有好下场的。"

王元章书记说完猛然站起身，大步走出屋去。工作人员赶紧端进饭菜，刘凤云把饭菜放到贾朝轩的面前，贾朝轩呆滞地望着眼前的饭菜，慢慢地拿起桌上的筷子，一阵哽咽，泪如泉涌……

88、欺骗

衣雪、丁能通送儿子从首都机场出境，薪泽银全程陪同，衣梅和石存山也去了机场送行。衣梅和石存山已经订了婚，两个人商定陈富忠的案子一了，就结婚，衣梅知道石存山想给段玉芬一个交待。

人是有两面性的，就像托尔金写的《魔戒》里的古鲁姆，身体内的两个"我"不停地在斗争。自从贾朝轩被双规以后，肖鸿林体内的两个"我"就不停地在斗争，一个是人性的，就是愿意为老百姓多做一些事情，而且愿意为此牺牲自己的利益，甚至像李为民那样牺牲自己的生命；另一个是魔性的，就是私心和贪欲不断膨胀。肖鸿林也曾想做个无欲则刚的人，但是太晚了，一切都是潜移默化的，外界的力量太强大了，监督自己的力量太微弱了，一个人的力量怎么可能与整个外界的力量抗衡，他觉得自己体内的魔性与外界的力量互相吸引，最终战胜了人性。

经过长时间的思索，肖鸿林明白了一个道理：人类制造了鬼来吓唬自己，又创造了神，用来拯救自己的灵魂，却难以战胜魔，因为魔就是人类自己。然而，人类却成不了彻头彻尾的魔，或先知先觉的神，因为人类生来就有患得患失的毛病，活着只能游离在神魔之间，死后只能做孤魂野鬼。

肖鸿林自己有没有问题，他自己再清楚不过了，这年头谁没有问题呢？肖鸿林想解决这些问题，他梳理了自己所有的问题，觉得最不让自己放心的就是自己的老婆关兰馨。

儿子肖伟自从被陈富忠恐吓以后，一直神经兮兮的，华宇集团交给了总经理，一个人跑到了美国读书去了。

这是最遂肖鸿林心愿的事，只有自己的老婆自从知道白丽娜是自己的情人后，整天看着他，还擅自参政议政，经常给各部门打电话，要求办事，人家问她是谁，她就说是肖鸿林的爱人！

肖鸿林对自己的老婆太头痛了，他开始想让关兰馨到美国跟儿子陪读，并做她的工作。关兰馨怕这一走，肖鸿林和白丽娜就如鱼得水了，死活不走,这下可愁坏了肖鸿林。他真担心在东州的非常时期这个母夜叉给自己捅出什么娄子来。

肖鸿林只好向袁锡藩讨办法,袁锡藩平时就喜欢研究《易经》什么的,他还真有办法,为肖鸿林请了一位算命先生,就是曾经给丁能通算过命的孙先生,也不知道袁锡藩是通过钱学礼认识的这个孙先生,还是孙先生通过袁锡藩认识钱学礼的,反正两个人熟得很。

晚上,袁锡藩把孙先生领到了肖鸿林的家,关兰馨是最信算命的,更崇拜世外高人,看见孙先生仙风道骨的样子,早就相信这一定是个世外高人。

果然,孙先生十分投入地掐算了关兰馨的命运,把她的大半生算得样样准确,条条有理,由不得关兰馨不佩服得五体投地。

最后,孙先生睁开小眼睛说:"关大姐,眼下,你们家有一个大的劫难啊!"

"什么劫难?"关兰馨紧张地问。

"不是血光之灾就是牢狱之灾!"孙先生拿腔捏调地说。

"孙先生,那可怎么办呢? 怎么才能避灾呢?"肖鸿林也煞有介事地问。

孙先生思忖一会儿说:"要想避灾,惟一的出路就是出国,关大姐,否则连你丈夫、儿子都难逃大劫呀!"

关兰馨这些天正为贾朝轩被双规的事闹心,贾朝轩的老婆韩丽珍到处上蹿下跳地求人托关系要救她丈夫,还经常到她家找肖鸿林想办法,威胁肖鸿林如果不救她丈夫,大家同归于尽!

关兰馨认了,看来这是命啊! 其实自己非常想儿子,只是白丽娜那个狐狸精老放骚,不然自己早就找儿子去了。

在孙先生的哄骗下,关兰馨答应肖鸿林等花博会忙完,就去美国,肖鸿林总算松了口气。

89、沟通

一晃过去两个多月了,丁能通认为纪委或检察院一定会找他,但却迟迟没有找他,他发现很长时间没有人在他面前谈论罗小梅了,他意识到,也许越来越多的人知道他和罗小梅的关系了,好在衣雪不在身边,他也就少了一份紧张。

偶尔与金冉冉通个电话,但是金冉冉为了考上研究生抽出所有空余时间复习功课,连见个面都怕耽误时间。

正值阳春四月,阳光当头不热,微风拂面不寒,绿肥红瘦,芳草萋萋,空气中飘荡着一股温馨的沁人心脾的清香。

熏风掠过田野,麦苗翻起白色的叶背,好似绿海飘过一阵白波。田埂上长着一簇簇野草,偶然,草丛中还探出一两枝黄花。田畦中的土干松松的,春风吹过,升腾起肉眼看不见的细尘,使人觉得咽喉干呛。

肖鸿林还是觉得关兰馨越早离开东州越好,他每天都劝关兰馨不要等到花博会开幕后再走。关兰馨起初觉得自己一走,没有人照顾丈夫了,花博会开幕之前是肖鸿林最忙的日子,这一走,不知什么时候能回来,就一直拖着,见肖鸿林苦劝只好答应。

然而,已经晚了,因为随着贾朝轩案情的进展,肖鸿林和袁锡藩的问题也越来越清晰地暴露出来。倒了一个贾朝轩就够让省委书记林白闹心的了,难道肖鸿林、袁锡藩也要腐败掉?

正在林白对省纪委送上来的《关于对肖鸿林、袁锡藩经济问题立案调查的请示报告》犹豫不决之际,刘光大和洪文山急匆匆地推门进来了。

"老林,肖鸿林的老婆关兰馨失踪了。"刘光大焦急地说。

"你们判断有可能去哪儿呢?"林白冷静地问。

"我们通过航空公司的订座系统查了一下,去北京了。"洪文山说。

"去北京了?"林白踱着步,沉思片刻问,"关兰馨在北京最有可能在哪儿落脚?"

"驻京办!"刘光大和洪文山异口同声地说。

"对,她最有可能在东州驻京办落脚。"林白一挥手说。

"驻京办主任丁能通曾经给肖鸿林当过秘书。"洪文山补充道。

"那就更有可能在东州驻京办落脚,只要密切注意丁能通的动向,不可能找不到关兰馨。"林白笑了笑说。

"可是我们还没有对肖鸿林立案,老肖现在仍然是东州市市长,没有理由扣留关兰馨。"刘光大为难地说。

"林书记,关兰馨万一从北京出境,有可能转移大量财产到国外呀!"

洪文山提醒说。

"看来这个肖鸿林已经有思想准备了,我们就对关兰馨先立案,对肖鸿林敲山震虎。"林白果断地说。

"好,文山,你赶紧回去准备一下,事不宜迟,晚了怕来不及了,我去与中央巡视组沟通一下,我们晚上出发!"

刘光大说完和洪文山匆匆忙忙地走了。林白沉思了一会儿,觉得有必要把这个情况与赵长征沟通一下,于是他拨通了赵长征的内线电话,此时,赵长征刚刚轻车简从视察完东州市花博园的建设工作。

"长征同志,有件棘手的事想跟你沟通一下。"林白在电话里说。

"老林,什么事能难住你?你可是有名的鬼见愁啊!"赵长征半开玩笑地说。

"不瞒你说,肖鸿林、袁锡藩的经济问题很严重啊,光大同志建议立案调查,动肖鸿林与动贾朝轩不同啊,牵一发而动全身啊,东州的摊子够乱的了,如果现在动肖鸿林会不会引起东州的动荡?"

"老林,我同意你的意见,我刚从花博园回来,眼下正是花博园建设的关键时期,这个项目可是世界级的,又是东州历史上最大的项目,应该说,这个项目搞好了,不仅会带动东州经济的发展,对全省经济也是一个带动啊!此时不宜动肖鸿林,我建议能不能等花博会开幕以后再说。不过,动袁锡藩不能再等了,应该立即实施双规。"赵长征的言语很郑重。

"长征,我们俩的意见一致就好办,回头我同光大同志商量一下,让他与中央巡视组沟通一下。真没想到肖鸿林和袁锡藩会一起腐败掉,我这心里真不是滋味呀!"林白感慨地说。

林白挂断电话,走到窗前,窗外盛开的桃花在暮色里恰似一片不散的云霞,并不像历代诗人描写的那样洒落红泪,而是在浊浊的暮色中繁花似怒,似在责怪林白:面对如此旖旎的春光,不该这般哀伤!

当天晚上十点钟,袁锡藩正在一家酒店吃请,被省纪委执行了双规。消息传出,东州官场上再次掀起轩然大波。

90、节外生枝

关兰馨到达北京前,肖鸿林亲自打电话给丁能通,千叮咛万嘱咐不要让驻京办任何人知道关兰馨到北京,而且不允许住北京花园,尽快安排关兰馨出境。丁能通像接到圣旨一样,秘密到首都机场去接关兰馨,而且把她安排在离机场很近的喜来登酒店,准备第二天就把她送走。

没想到关兰馨节外生枝,丁能通前脚走,她后脚就打车跟在丁能通的车后面,一直跟到北京花园。关兰馨来北京之前就暗下决心,在自己去美国之前一定要好好教训一下白丽娜。

丁能通刚走进办公室,白丽娜就跟了进来。

"头儿,咱们东州出去的几位当红歌星,都答应参加花博会开幕式。"

"太好了,体育界也别放过,不光东州成名的要找,更主要的是要找各行各业的有分量的人物,抽空与中国文联联系一下,他们掌握的艺术名流多,请他们给搭搭桥。"

两个人正说着话,关兰馨走了进来。

"你就是白丽娜?"关兰馨大声地问。

白丽娜愣了一下说,"是呀!你是谁?"

"我是你祖奶奶!你个不要脸的狐狸精,你不勾引人家男人能死是吧?我今天倒要看看你到底能骚到什么程度?"

"你是谁?怎么出口伤人呢?"白丽娜愤怒地问。

"关老师,你怎么来了?肖市长不是嘱咐过你吗?"

丁能通吓坏了,心想,这个关老太太,真是成事不足,败事有余,这下子可好,整个驻京办都得知道她到北京了。

"丽娜,你别急,这位是肖市长的夫人,关老师。"

关兰馨是小学老师出身,丁能通从给肖鸿林当秘书那天起,就一直叫她关老师。白丽娜一听是肖鸿林的夫人,心里咯噔一下,内心就有些胆怯,但面子上还得强硬。

"肖市长的夫人怎么了?肖市长的夫人就能随便侮辱人吗?"

"臭婊子,谁侮辱你了?谁侮辱你了?要卖骚到别处卖去,你个臭婊子!"

关兰馨越骂越激动,驻京办的人纷纷围上来看热闹,白丽娜自觉在同事面前栽了面子,心一横与关兰馨对骂起来。

"你个老不死的,你老公看见你就恶心,你知不知道?"

关兰馨被激怒了,她张牙舞爪地要过来挠白丽娜,丁能通赶紧抱住关兰馨,同时,对刚进来的黄梦然说:"还不赶紧把白丽娜拉走?"

黄梦然心领神会,和几个同事一起把白丽娜拽了出去。关兰馨气得直跳脚,丁能通对围观的人喝道:"看什么看?该干啥干啥去!"

围观的人见主任急了,都纷纷退了下去,人都走没了,关兰馨也没精神头儿骂了,一个人默默地抹着眼泪,丁能通好一阵劝,良久才让黄梦然把她送回喜来登酒店。

91、拦截

关兰馨为了买衣裳,在北京足足呆了一天,丁能通像送瘟神一样送关兰馨,在首都机场候机时,丁能通接到了市委副书记洪文山的电话。

"能通,千万不能让关兰馨登机,否则一切后果由你承担,我们马上就到!"

"洪书记,发生了什么事情?"丁能通紧张地问,一种莫名的恐惧感袭上心头。

"丁主任,关兰馨涉嫌重大经济犯罪,省委已经决定对她立案侦查,你想办法扣住她手中的护照,阻止她登机,我们马上就到首都机场。"

丁能通听了脑袋嗡嗡直响,他的预感终于应验了!看来组织上决定动肖市长了,不然不会对关兰馨如此大动干戈。

眼看登机时间就到了,丁能通极其矛盾,是放关兰馨,还是不放,丁能通的思想斗争非常激烈,毕竟肖鸿林对他有知遇之恩,也许关兰馨一走,肖市长就躲过一劫,但是洪文山响亮而严厉的话语久久萦绕在脑海:"否则一切后果由你负责!"

罢罢罢,丁能通心一横说:"关老师,我忘了一件事,肖伟让我给他带几条软包中华烟,我给忘了,我到那边免税商店买几条,你等我一会儿。"丁能通说完拿着关兰馨的护照和登机牌走了。

丁能通故意躲了起来,手机也关了,登机时间早就到了,关兰馨急得团团转,就剩她最后一个了,关兰馨急得直奔免税商店去找,可是丁能通根本没在。

这时,一个洪亮的声音说:"关兰馨,别找了,丁能通已经回驻京办了。"

关兰馨回头一看,面前站着三个人,省委副书记刘光大,市委副书记洪文山,还有一位中年妇女不认识。

"洪文山,这是怎么回事?"关兰馨疑惑地问。

"我们怀疑你有严重的受贿行为,必须在规定的时间规定的地点说明问题,你必须跟我们回去。"洪文山严肃地说。

"我不回去,凭什么跟你们回去,还有没有人权?"

关兰馨想赖着不走,刘凤云上前一步说:"关老师,还是跟我们回去吧!要相信组织会把问题搞清楚的。"

"你是谁?我要去美国看我儿子有什么错?"

"这位是中央巡视组成员中纪委的刘凤云处长。"刘光大黑着脸介绍说。

关兰馨一听刘凤云的来头,胆怯了,看来要赖是无济于事的。

"那我给老肖打个电话。"关兰馨蛮横地说。

"不用了,组织上会通知肖鸿林的。"刘光大严厉地说。

关兰馨失望地低下头,跟着三个人走出机场。

丁能通躲在暗处把这一切看得清清楚楚,他尾随着几个人走出机场,见两辆三菱吉普车拉着关兰馨走了,丁能通赶紧给肖鸿林打电话,肖鸿林听到这个消息后,良久才说了一句话:"知道了!"便挂断了电话,丁能通仰望苍天,内心充满了无限悲凉。

92、开幕式

"五一"节前夕,丁能通包了一架空中客车,带着三百多名各界名流参加花博会开幕式。

花博园门前是一个巨大的广场,广场中央有一座牡丹塔,广场周围几百万株郁金香争奇斗艳,广场内红旗招展,鲜花吐艳,草木滴翠,一派春意盎然的景象。

数百名儿童装扮成花仙子,灰喜鹊,为开幕式表演歌舞。牡丹塔下为四层阶梯平台搭成的主席台,主席台前至中心广场弧形边缘之间的区域,为来宾观礼区和观众队伍参演区,主席台两侧为解放军乐团和开园号手队伍,以内四十五度角排列。

主席台后是用鲜花和绿色植物精制而成的孔雀开屏造型的背景墙。在观众队伍参演区两面,广场两个台阶通道处安排了一百名旗手,一字排开,手持红旗,威风凛凛。

中心广场南北两侧弧形边缘为万国旗方位,每侧四十面国旗,旗下摆放着各色郁金香鲜花,牡丹塔上悬挂着"中国东州世界花卉艺术博览会"中英文大字。

昨夜的东州下了一场小雨,大风吹散了压抑在东州上空的云层。今天早晨的东州换了一副模样,明媚的阳光映照着花博园四周,一片辽阔蔚蓝的天空飘动着几朵白云。

四艘飞艇在花博会开幕式会场的上空盘旋,飞艇上分别写着"花博会开幕"、"东州欢迎您"等字样,飞艇发出的轰鸣声时起时伏。会场周围绕着几十个大型彩色气球,装点出一片喜庆、祥和的气氛。

东州市副市长邓大海西装革履地走到主席台前隆重主持花博会的开幕式。他先介绍了出席花博会的国务院、全国人大和全国政协的领导以及世界花卉生产者协会主席理查德先生、联合国副秘书长和十八个国家的驻华使节,又介绍了国家有关部委、行业协会、中直企业、金融机构、各省自治区、直辖市代表团团长,驻省部队领导,清江省和东州市主要领导,部分世界五百强企业代表,国家旅游城市和主流媒体代表,共有三千余名嘉宾出席开幕式。

邓大海最后说:"在此,我代表东州花博会组委会、代表中共东州市委、市人民政府和八百万东州人民,向来自世界各个国家、地区和国际组织的政要、嘉宾和社会各界朋友们,表示最热烈的欢迎和衷心的感谢。中国东州世界花卉艺术博览会开幕式现在开始。奏中华人民共和国国歌!"

国歌响后,邓大海用洪亮的嗓音说:"现在请中国东州世界花卉艺术博览会组委会主任、东州市市长肖鸿林先生致辞。"

肖鸿林容光焕发地走到台前,此时,只有跟随他多年的丁能通看出了他内心的冷清和凄凉。因为丁能通断定,有可能这场隆重的开幕式是为肖鸿林政治生命送终。

在开幕式之前,中央巡视组、省委书记林白、省委副书记刘光大都与肖鸿林谈过话,肖鸿林心知肚明,这是他最后一次在政治舞台上表演了,他的省长梦犹如飞升到天空的一万只气球,瞬间化为泡影。他决心要用自己最光鲜的形象谢幕,向自己的政治理想谢幕,向八百万东州人民谢幕。

肖鸿林充满激情地说:"尊重自然、保护生态、实现世界的可持续发展已经成为当今世界各国人民的共同追求,我相信,通过本次博览会的成功举办,将进一步加强国际花卉生产者的交流与合作,促进世界各国各地以及人民之间增进了解与友谊,共同谱写人与自然和谐共生的新篇章,共同创造以人为本,和谐发展的美好未来,祝中国东州世界花卉艺术博览会圆满成功!"

花博会开幕的一个星期后,肖鸿林就被双规了,同样住进了军区大院二号小楼,而此时曾经在这里被双规的贾朝轩、袁锡藩已经正式被批捕,关在昌山市看守所。

93、鲜花餐厅

丁能通得知肖鸿林被双规的消息后,整日坐立不安,他刚回到东州不久,市纪委就正式通知他把驻京办的工作移交给副主任黄梦然代理,立即回东州,市委副书记、市纪委书记洪文山要找他谈话。得到通知后,丁能通双腿有些发虚,他不知道这趟东州之行会给他带来什么。

丁能通刚下飞机,市纪委的两名干部早就等候在东州机场,丁能通上了一辆黑色桑塔纳,两名纪检干部把他挤在中间,黑色桑塔纳疾速驶出东州机场。

在车上,两名纪检干部一句话也不说,丁能通越发觉得心里发虚,他望望窗外,发现黑色桑塔纳正在往草河口宾馆方向疾驶。

此时的丁能通内心无限感慨,不禁想起《红楼梦》中的几句话:

家富人宁,终有个,
家亡人散各奔腾。
枉费了意悬悬半世心,
好一似,荡悠悠三更梦。

丁能通被双规了一个多月,诸多违纪问题向组织说清楚以后,听候组织处理期间,组织派他去省委党校学习。丁能通在省委党校学习了三个多月,组织上对他仍没有结论。

驻京办不能回去,丁能通一个人整天呆在家里看书,原来觉得前呼后拥全是朋友,如今偌大个世界,似乎只有书房属于自己了,所有的朋友都说忙,丁能通第一次感到世态炎凉,内心世界无比孤独。

石存山不忍心看自己的铁哥儿们如此痛苦,百忙中抽空陪他去花博园散心,两个人一大早就出发,整整逛了一上午,肚子饿得咕咕叫时,猛抬头看见一家生意火得不得了的花卉餐厅,丁能通好奇地走了进去。

餐厅以经营花餐为特色,装修格外精美,两个人找了一个雅座坐下,点了一桌子花菜,一边吃,一边痛饮。

丁能通自从被双规放出来后,一直很消沉,今天有石存山陪着不免多喝了几杯。结账时,服务小姐笑着说:"先生,您这桌菜已经有人结了。"

"结了? 不会搞错吧? 谁结的?"丁能通十分纳闷地问。

"不会错的,结账的是我们老板。"

290

"你们老板是谁?"

"我们老板姓罗。"

丁能通一下子恍然大悟,心想,想不到罗小梅在这开了一家花卉餐厅。

"你们老板在哪儿? 我要见一见。"丁能通迫不及待地问。

"我们老板刚走,她留话说,没有过不去的火焰山,让你再去一趟恭王府看看,想必会有新的收获。"

听了罗小梅的话,丁能通第二天就去了北京,下了飞机打车直奔恭王府。

94、恭王府

八月的北京骄阳似火,正是阴历七月初七,中国人自己的情人节,游园的人特别多,深深庭院里浸透了两百多年的沧桑,曲廊庭榭,水池花木,丁能通再熟悉不过。石缝儿中的那一抹深青色,一下子就能将人的思绪带到两百年前,朱漆雕栏,铜色宫灯,曾经让丁能通对富贵荣华产生过无限的遐想,如今的梦已经破碎了,恭王府还是显示着沧桑的老迈和斑驳的清幽。

　　丁能通百无聊赖地走过西洋门、独乐峰，又在大戏楼听了会儿戏，便情不自禁地往假山走去，来到福字碑前，正驻足遐想之际，听到一个非常熟悉的声音："刘大姐，快点呀!"丁能通猛回头，竟是金冉冉和刘凤云领着两个儿子走了过来，丁能通本能地要躲，金冉冉已经发现了他。

　　"哥，真巧!"金冉冉高兴地说。

　　丁能通尴尬地站住回身说："刘姐、冉冉，真巧!"

　　"能通，到北京也不打个招呼!"刘凤云责怪地说。

　　丁能通腼腆地笑了笑。

　　"怎么你的问题还没有结论吗?"刘凤云关切地问。

　　"没有。"丁能通回答得有些无奈。

　　"能通，还记得我在福字碑前跟你说过的话吗?"

　　"记得，你说过，福兮祸所伏，祸兮福所依。如果不是你曾经说过的这句话，这次我可能就……"

　　"是呀，这次我劝你多看看独乐峰或许更有收获。"

　　几个人走出密云洞，路过流杯亭，流杯亭是个八角形的小亭子，内外装饰有忠孝结义典故的彩绘，奇特的是，亭内地面上有约十公分宽的弯曲凹槽，以南侧假山古井中引水，清水潺潺流入亭内水沟。

291

　　当年和珅在此与朋友饮酒作诗时，将酒杯放在沟壑的水上漂流，停在谁前面就罚谁饮酒作诗，曲水流觞，真是神仙过的日子!

　　"看谁能坐在和珅常坐的位置? 沾点他的财运!"金冉冉兴奋地说。

　　刘凤云的两个儿子与金冉冉在流杯亭里抢占自以为是的位置，刘凤云诙谐地说："和珅的财气可沾，但大贪之念不可学呀!"丁能通在刘凤云、金冉冉等人的笑中，独自走向独乐峰。

　　独乐峰是一进西洋门就见到的一块天然太湖石，这块直立突兀的孤赏石有五米高，整块奇石如淡云舒卷，古朴典雅，又能起到影壁和屏风的作用。抬头仰望，只能见到"乐峰"两个字，即"独"字隐于石的顶端，颇耐人寻味。

　　历史上慈禧太后曾三次罢了恭亲王的官，奕訢无施展之地，只得独乐此园。"独乐"的典故取自北宋司马光因政治上失意而建的独乐园，而这独乐峰似乎蕴涵着恭亲王奕訢与慈禧太后政争之苦，却也显现出一种文人雅士推崇的修身养性的境界。

丁能通正驻足沉思之际,手机传来短信的声音,他拿出手机查看,竟是一首小诗:

> 祝愿安康求天庇,
> 有缘自然他乡遇。
> 情到深处无怨尤,
> 人事沧桑却何求?
> 终老一世随性修,
> 成败到头俱自由!
> 眷恋往事已成烟,
> 属意何处但任怨。

丁能通发现这竟是一首藏头诗:祝有情人终成眷属。落款是金冉冉。丁能通看了哭笑不得,心想,这真是造化捉弄人,难道我丁能通这辈子注定要陷在温柔乡里不能自拔?

忽然西洋门下站着一个女人,头顶上是门额"静含太古"四个字,他仔细看了看那个女人,不禁大吃一惊,那女人远远望去活生生一个段玉芬,一袭白裙,披肩长发。

丁能通晃晃悠悠向那个女人走去,他知道"静含太古"的反面是"秀挹恒春",心想,难道冥冥之中,老天爷让我参悟静与秀的含义?这可是文人墨客的最高境界。

当丁能通蹒跚到西洋门下时,却一个人也没有,他抬起头,望着汉白玉精雕细刻的拱形石门,懵懵懂懂的,一时竟不知身在何处。

2006 年 7 月 31 日 16 点 55 分于沈阳
2006 年 8 月 10 日 19 点 21 分于沈阳
2006 年 10 月 16 日 10 点 21 分于沈阳